JN292523

日本の歴史 三

律令国家と万葉びと

鐘江宏之

Kanegae Hiroyuki

小学館

日本の歴史

第三巻

律令国家と万葉びと

アートディレクション　原研哉
デザイン　竹尾香世子
野村恵

凡例

- 年代表示は原則として和暦を用い、適宜、西暦を補いました。
- 本文は原則として常用漢字および現代仮名遣いを用いました。また、人名および固有名詞は、原則として慣用の呼称で統一しました。なお、敬称は略させていただきました。
- 歴史地名は、適宜、（　）内に現在地名を補いました。
- 引用文については、短歌・俳句などを除いて、読みやすさ、わかりやすさを考えて、句読点を補ったり、漢字を仮名にあらためたりした場合があります。
- 中国の地名・人名については、原則として漢音の読みに従いました。ただし慣習の表記に従ったものもあります。
- 朝鮮・韓国の地名・人名は、原則的に現地音をカタカナ表記しました。ただし、歴史的事柄にかかわる地名・人名などは漢音読みにした場合があります。
- この巻が扱っている時代の年表を巻末に掲載しました。
- 図版には章ごとに通し番号をつけ、それぞれの掲載図版所蔵者、提供先は巻末にまとめて記しました。
- おもな参考文献は巻末に掲げました。
- 五十音順による索引を巻末につけました。
- 本書のなかには、現代の人権意識からみて不適切な表現を用いた場合がありますが、歴史的事実をそのまま伝えるために当時の表記どおりに掲載しています。

編集委員　平川　南
五味文彦
倉地克直
ロナルド・トビ
大門正克

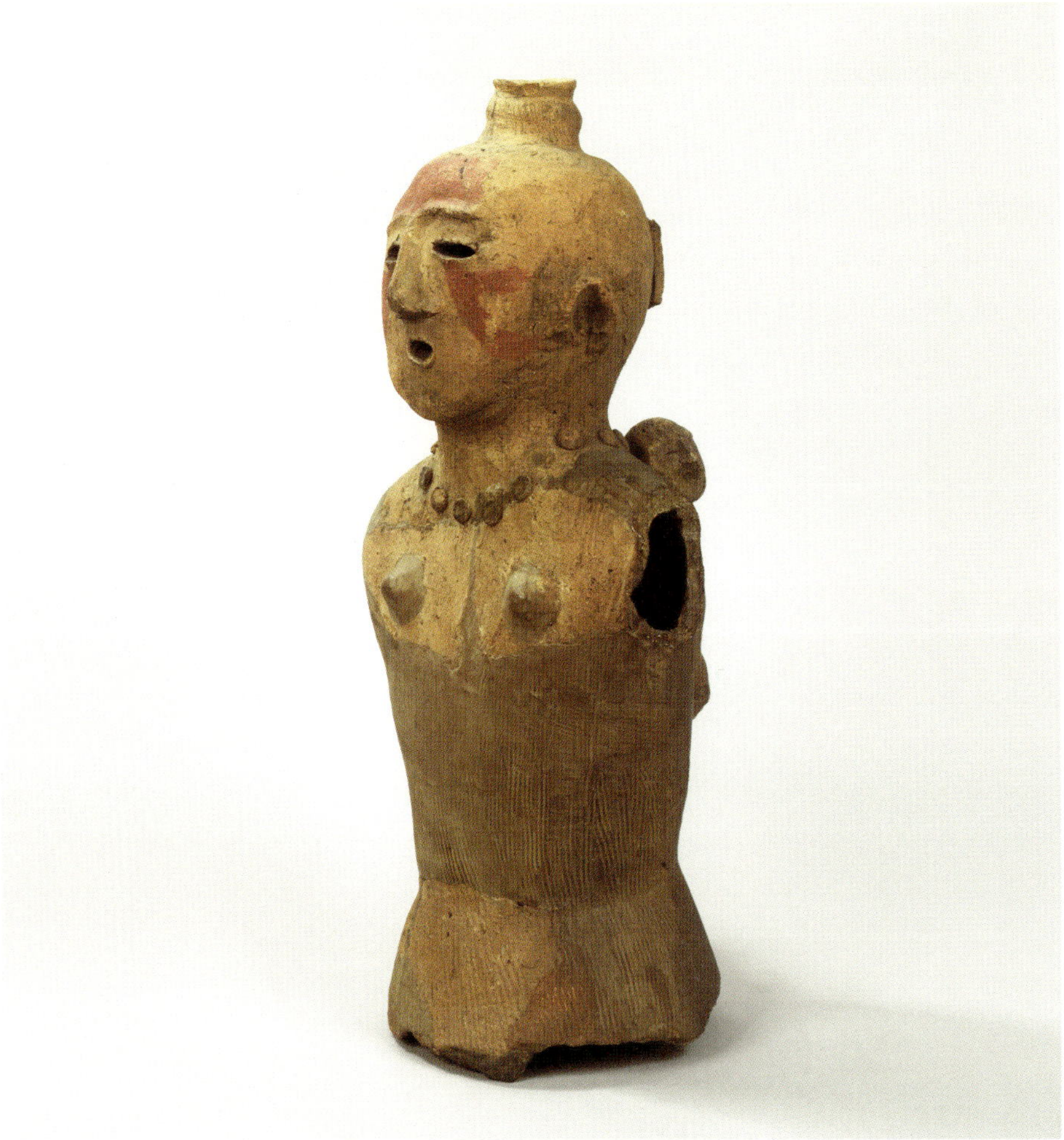

1

生みだす

人々が創り出した国家の形

●子守りする埴輪

人が生まれ、人がはぐくむ。昔から続いてきた、変わらぬ営みのなかで、人々がさまざまなものを創り出す。（栃木県鶏塚《にわとりづか》古墳出土。高さ四一・二cm）

↓254ページ

●千葉県村上遺跡復元模型
九世紀初めごろの関東地方の村。住居が数軒まとまり、それが五つほど集まって村をつくる。崖《がけ》下の谷筋には豊かな水田が広がる。

→251ページ

3

●春時祭田の様子

春の農耕開始を祝う祭り。村で崇《あが》める神聖な木のもとで、宴が開かれている。老若男女が語り合い、楽しく過ごすひとときが、一年の労働への活力を与えてくれる。

↓271ページ

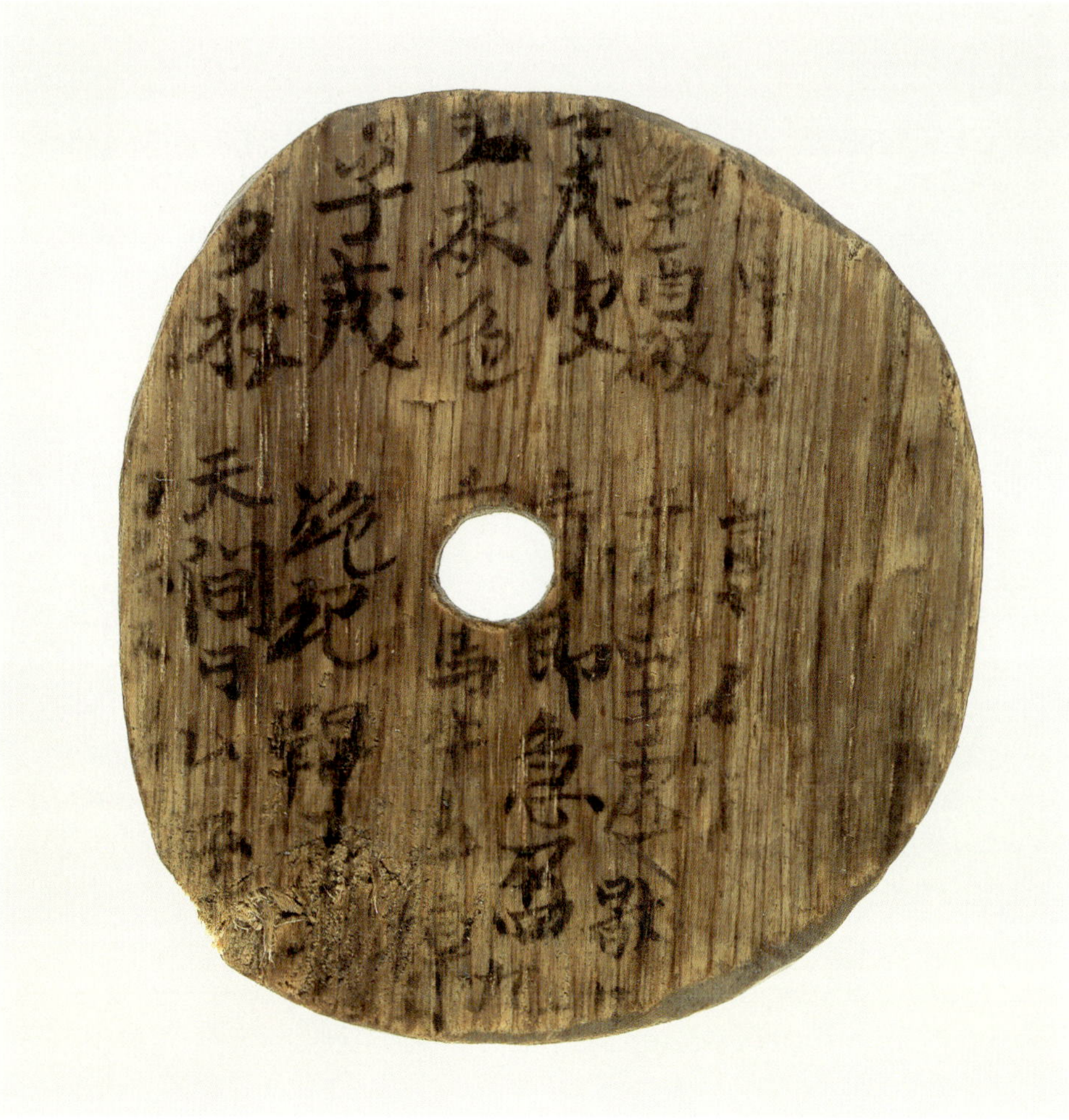

●日本最古の暦

七世紀に役所で使われた木製の暦（実物大）。暦として使用後、別のものに転用された。文字や時間の考え方が取り入れられ、国家が歩みはじめる（奈良県石神《いしがみ》遺跡出土。径一〇・八cm）

→35ページ

弥勒寺官衙遺跡群の地には、武義郡家《むぎぐうけ》と寺院があった。水運によって川の上流・下流とつながる至便の地に、役所の建物や倉庫が立ち並び、寺院が建設された。国家の末端機構であるこのような郡家は、八世紀初頭の段階で全国に五五〇ほどの数が置かれている。七世紀後半になって創り出された、人々が目のあたりにした国家の姿である。

イラスト　蓬生雄司
監修　関市教育委員会

5

◉奈良三彩の磁鉢
奈良三彩は、唐三彩《とうさんさい》をまねて八世紀に日本でつくられた焼物。唐の優れた技術を学び、人々はなんとか同じものを創り出そうと努力した。（高さ一六cm）

↓１４２ページ

条里（水田地帯）
弥勒寺
正倉

6

◉岐阜県関市弥勒寺官衙《みろくじかんが》遺跡群の景観

直角に屈曲する長良川に囲まれた一角にある。川の対岸には豊かな田や、昔から変わらぬ山々の景観が広がる。

↓２３９ページ

7

◉国家が創り出した道路の姿

各地をつなぎ緊急時に最速で連絡をとるため、可能なかぎりまっすぐな道路がつくられた。奥にそびえる雪を頂いた浅間山《あさまやま》が目印となっただろう。（群馬県砂町《すなまち》遺跡の推定東山道跡）

↓３１１ページ

目次

日本の歴史　第三巻

律令国家と万葉びと

第三章

第四章 国家と役人

第五章 万葉びとの生活誌 245

律令国家と万葉びと

はじめに

立ち上がる国家

1

年号を用いよ

七〇一年三月二一日、この日、全国に指令されたひとつのことがあった。それは年号制（元号制）の開始である。歴史書である『続日本紀《しょくにほんぎ》』は、この日付の記事として、つぎのように記している。

対馬嶋《つしまのしま》、金を貢《たてまつ》る。元《げん》を建《た》てて大宝《たいほう》元年と為《な》す。

対馬から日本ではじめて金が産出し、これが献上されたことを祝って、元号をたて、すばらしい宝である金にちなんで、この年を大宝元年とするというのである。記事としてはまことに簡略で、前後の事情については、この文章のなかにはまったく書かれていないのだが、年号が全国で使われるようになったのは、このときからなのである。

これ以前の時代について、六九七年までの歴史を記している『日本書紀《にほんしょき》』には、六四五年～六五〇年を「大化《たいか》」元年～六年、六五〇年～六五四年を「白雉《はくち》」元年～五年、六八六年を「朱鳥《しゅちょう》」元年として、年号を使ってそれぞれの年を表記している。しかし、これらの三つの年号は、実際に使われていたのかどうかという点では、限りなく疑わしいといわざるをえない。

近年、各地で進んだ発掘調査の結果、七世紀の遺跡もあちこちで見つかっているが、「大化」「白雉」「朱鳥」の三つの年号を使った痕跡《こんせき》はまったくみられない。そのかわりに、それらのどの遺跡か

◉平城宮跡出土の鳳凰文鬼瓦
立ち上がった鳳凰《ほうおう》の姿を描いた鬼瓦で、めずらしい文様である。
前ページ写真

ら出土した遺物においても、七〇〇年以前の段階では、年を表記する際には、例外なく干支《かんし》を使っていることがわかってきた。たとえば、七〇〇年は「庚子《こうし》年」、六九九年は「己亥《きがい》年」……という具合である。つまり、大宝元年よりも前には、干支を使って年を表記するという方法が、全国で共通して広く行なわれていたことが明らかになってきたのである。

では、七〇一年に使うことが命じられた「大宝」という年号の使用の実態はどうであったかというと、これも出土した資料から確かめられる。「大宝元年」と記された木簡《もっかん》が、すでにいくつかの遺跡から見つかっており、政府からの指令が出されると同時に、実際に全国で使用が開始されたらしい。もちろん、「大宝二年」「大宝三年」と記した木簡も見つかっているし、正《しょう》倉院文書《そういんもんじょ》に残されている戸籍のなかにも、作成年が「大宝二年」と記されたものがある。

大宝は四年まで続き、七〇四年五月には「慶雲《きょううん》」という年号に改元されるが、慶雲の年号を記した木簡も見つかっている。これ以降の年号についても同様で、大宝から年号の使用が定着したことは、これらの遺物から明らかである。そして、これ以後、年を表記する際に年号を使うことは連綿と続き、現在に至

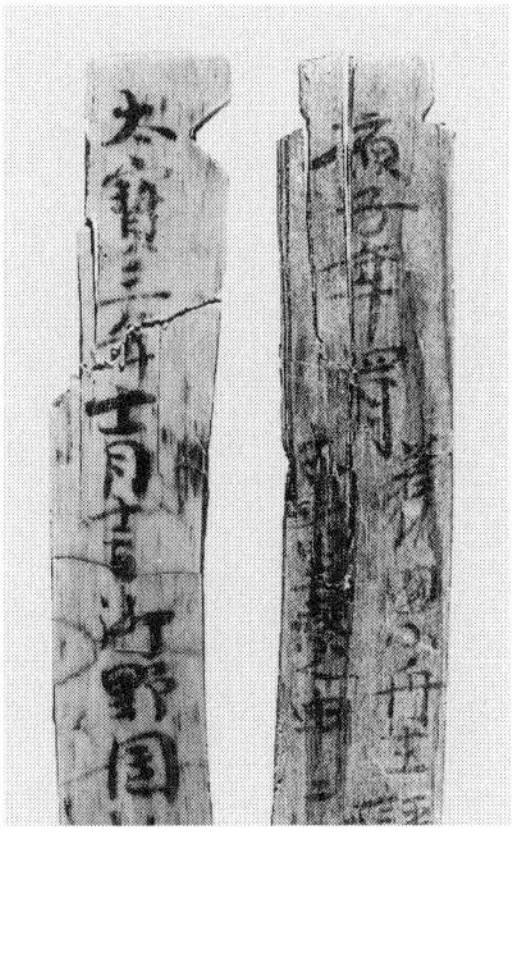
2

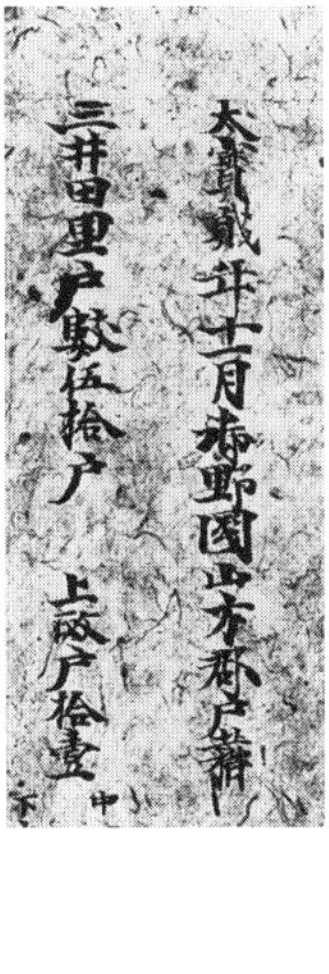
3

◉年号の使用開始を示す史料
藤原京跡出土木簡「庚子年」(右)・同跡出土木簡「大宝三年」(中)・大宝二年御野国《みののくに》戸籍(左)。七〇〇年まで使われた干支年紀は、七〇一年を境に、公式文書ではすべて年号使用へと切り替えられた。

るまで、一三〇〇年以上もその制度が続いていることになる。

年号制の始まった七〇一年当時、文字を記すことのできた人の割合は決して多くはなかった。たしかにそれまでも、世の中の大部分の人々にとっては、年を使って記録を残す機会はほとんどなかったが、文字を読み書きできた人々にとっては、日常のなかで年を記す機会はたびたびあっただろう。日常よく目にする年の表記が、この年を境にがらりと変えられた。政府から出された「今後は、年号を用いよ」という命令は、目に見える変化を引き起こしたという点で、比較的身近な制度改革だったのではないだろうか。

年号使用の開始は、じつは、この時代に起きている大きな転換を象徴するような現象なのだが、数百年にわたる歴史的な展開のなかにおける、その大きな意義といったことまでは、当時の人々の大多数は、意識しているはずもない。しかし、時代は確実に動いていたのである。

時代の画期としての大宝元年

同じ大宝《たいほう》元年（七〇一）には、新しい律令《りつりょう》が完成した。同時代の中国の王朝である唐《とう》の律令を模範にして、七世紀のうちから日本で独自に律令を定める試みが行なわれてきた。大宝元年当時の現行法である飛鳥《あすか》浄御原令《きよみはらりょう》は、六八九年に施行されていたが、それよりも大部で体系的に整えた法典の準備が進められ、この年にようやく日の目を見ることになったのである。

この新律令は施行された年の元号にちなんで、のちには大宝律令と呼ばれることになる。この律令の施行に伴って、さまざまな行政の制度が、改められている。年号の使用の規定も、律令の条文のなかに盛り込まれた。大宝律令の施行は、いわば制度改革であり、この改革の影響は、さまざまな面に及んでいる。大宝元年から翌二年にかけては、多くの制度が一気に切り替えられたという点で、役人にはてんてこまいの一年であったかもしれない。

この年の一月一日に行なわれた元日朝賀《ちょうが》の儀について、『続日本紀《しょくにほんぎ》』はこのように記述している。

> 春正月乙亥《いつがい》の朔《さく》、天皇《すめらみこと》、大極殿《だいごくでん》に御《おわ》しまして、朝《ちょう》を受けたまふ。其《そ》の儀、正門に烏形《うけい》の幢《はた》を樹《た》つ。左は日像《じつしょう》・青龍《せいりゅう》・朱雀《すざく》の幡《はた》、右は月像《げつしょう》・玄《げん》武《ぶ》・白虎《びゃっこ》の幡なり。蕃夷《ばんい》の使者、左右に陳列す。文物《ぶんぶつ》の儀、是《ここ》に備《そなわ》れり。

元日に天皇が大極殿に出御《しゅつぎょ》して、眼前の広場にず

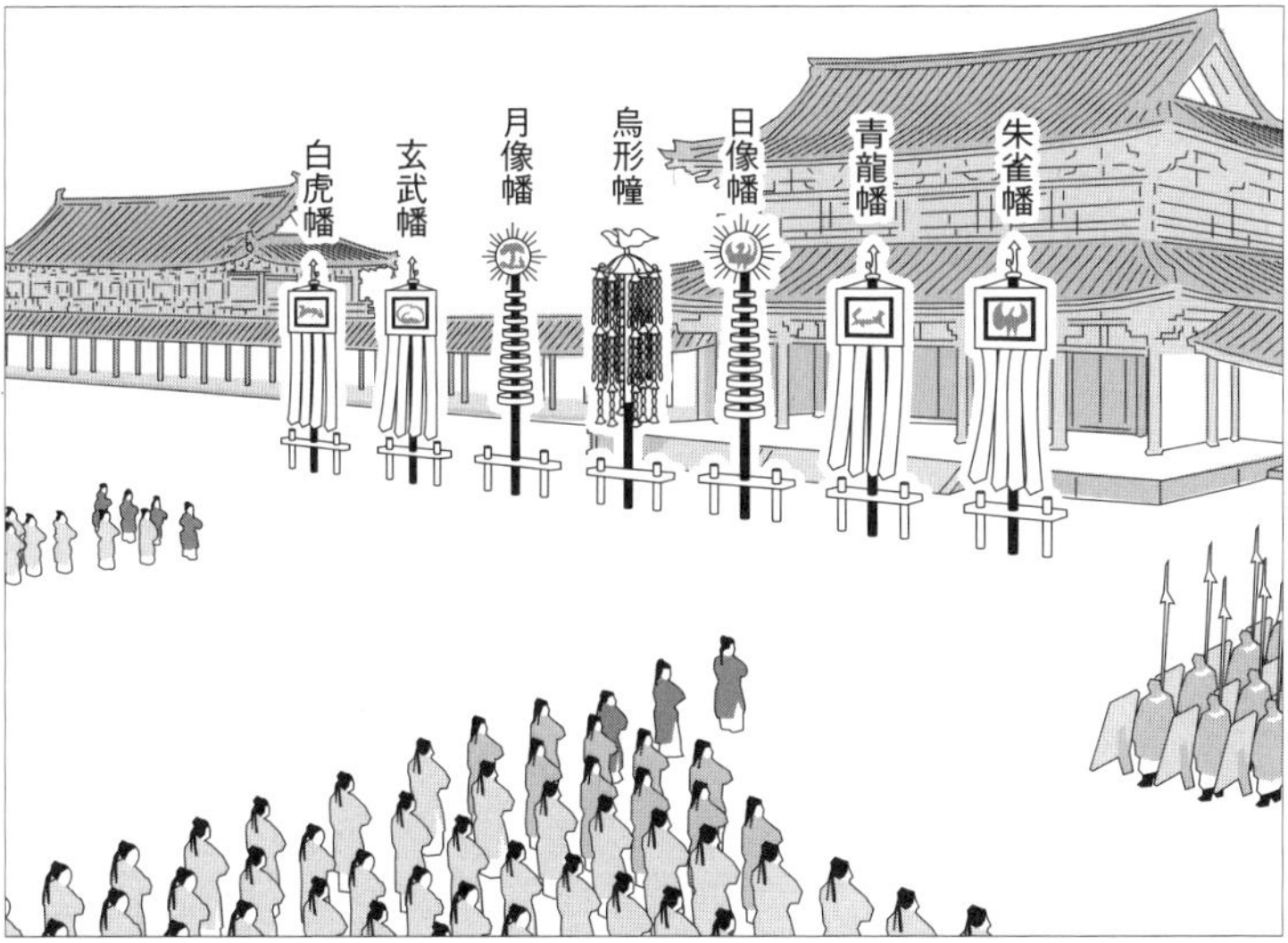

◉**藤原宮における朝賀の儀**（復元図）
儀式に際して朝堂院の正面に幢と幡が立てられる。広場には官人たちが位階《いかい》の順に整列して、大極殿の高御座《たかみくら》に天皇が出御する。外交使節や蝦夷《えみし》・隼人《はやと》たちが加わることもあった。

らりと整列した役人たちや、新羅《しらぎ》からやってきた外交使節から、朝賀の挨拶《あいさつ》を受けたという記事である。その大極殿の正面の広場には、整列した役人や外交使節たちの前に、左から白虎・玄武・月像・烏形・日像・青龍・朱雀の飾りや絵のある、七本の旗竿《はたざお》が立てられていた。

この記事の最後に見える「文物の儀、是に備れり」という一文は、のちの時代になってから、『続日本紀』を編纂《へんさん》した者が記したものだが、この年のこの儀式において備わるようになったという表現から、この年に大きな目標に到達したという評価をしていると読みとれる。歴史書編纂者の目からみても、国家がある段階へ到達した、いわば時代の象徴となる時点として、大宝元年を振り返ることができたのだろう。

人々の間で年号が使われるようになったころ、たしかに時代がある方向に大きく向きを変えたのである。そして、この転換は、日本の長い歴史のなかでも、たいへん大きな意味をもっている。その歴史的な意味については、本書でじっくりと述べていくことにしたい。

五世紀からの四〇〇年

本書で扱っている時代は、おおむね五世紀頃から始まり、九世紀の初頭までである。この四〇〇年ほどの時期は、いったいどのような時代だったのだろうか。比較的よく知られていると思われる出来事を中心にして、この時代の展開を概括的に述べておきたい。

五世紀には、朝鮮半島南部をめぐる外交を有利に進めるために、ヤマト王政権は、南北朝に分裂していた中国の南朝に対して、五代の王が相次いで使者を送り、王は称号を獲得した。いわゆる倭《わ》の五王の遣使である。五王のうちの五番目にあたる倭王「武《ぶ》」は、『日本書紀《にほんしょき》』では雄略《ゆうりゃく》天皇とされている人物で、金石文《きんせきぶん》から五世紀末ごろに統治していたことが知られる。彼は「大王」と呼ばれており、現在の近畿地方を中心としたヤマト王権は、西は九州地方中部から東は東北地方南部あたりまで、支配を及ぼしていた。

朝鮮半島の国々と交渉をもつなかで、多くの渡来人がやってきた。ヤマト王権は、彼らのもつ先進的な文化・技術を利用して、さらに支配を強めるとともに、連合して政権を構成した中央や地方の豪族たちは、政権内での職務を分担した。地方豪族のなかには、九州の筑紫国造磐井《つくしのくにのみやつこいわい》のように、朝鮮半島の新羅《しらぎ》と通じて、ヤマト王権に反乱を起こした者もいたが、鎮圧され、逆に彼のもっていた土地は大王の直轄領である屯倉《みやけ》とされた。

六世紀前半に朝鮮半島から仏教が伝わると、その受容をめぐり政権内で豪族たちの対立が起こった。仏教受容を推進する蘇我馬子《そがのうまこ》らの勢力は、仏教に反対する物部守屋《もののべのもりや》らの勢力と戦いこれを破り、権力を掌握する。この内戦のあと、六世紀末から七世紀初頭にかけては、蘇我馬子と厩戸皇子《うまやどのみこ》（聖徳太子《しょうとくたいし》）が推古《すいこ》女帝を支え、遣隋使《けんずいし》の派遣や、冠位《かんい》十二階、憲法十七条などの施策が行なわれた。

厩戸・馬子・推古の没後、馬子の子孫である蘇我氏本宗家《ほんそうけ》の蝦夷《えみし》・入鹿《いるか》が専制的に権力を握るが、この体制を打破するため、中臣鎌足《なかとみのかまたり》と中大兄皇子《なかのおおえのみこ》が中心となって、六四五年に蘇我入鹿を殺害した。そして、その後に即位した孝徳《こうとく》天皇のもとで、六四六年に難波宮《なにわのみや》で「改新之詔《かいしんのみことのり》」が出される。こうして七世紀なかばから始まった政治改革のなかで、中国の律令《りつりょう》制に倣った中央集権体制の構築が進められていった。

しかし、朝鮮半島での動乱に巻き込まれるかたちで、百済《くだら》を救うために送った援軍は、六六三年の白村江《はくそんこう》の戦いで、唐《とう》と新羅の連合軍に大敗を喫することとなった。これをきっかけに、西日本の対外的な防衛体制が強化されるとともに、はじめて戸籍がつくられるなど、国家支配の制度構築が推進された。中大兄皇子は即位して天智《てんち》《てんじ》天皇となり、一連の施策を推進したが、その没後は、皇位継承問題を発端として、六七二年に壬申《じんしん》の乱《らん》が起こる。

壬申の乱に勝利した大海人皇子《おおあまのみこ》は、即位して天武《てんむ》天皇となり、そのもとでさらに国家体制は整備された。つぎの持統《じとう》天皇の代にもその政治路線は継承され、飛鳥浄御原令《あすかきよみはらりょう》が施行され、新たに造営された藤原京《ふじわらきょう》が都とされる。七〇一年には大宝律令が施行されて、本格的な律令制に基づく国家運営が開始され、和銅《わどう》三年（七一〇）には平城京《へいじょうきょう》へ遷都した。

八世紀には、貴族同士の政治的対立からいくどかの政変や内乱が起きた。長屋王《ながやおう》の変、藤原広嗣《ふじわらのひろつぐ》の乱、橘奈良麻呂《たちばなのならまろ》の変、恵美押勝《えみのおしかつ》（藤原仲麻呂《なかまろ》）の乱、道鏡《どうきょう》の失脚など、権力をめぐって貴族たちの対立が起こるなかで、長期的には藤原氏の勢力が伸張していく。藤原不比等《ふひと》の娘である光明子《こうみょうし》は、天皇の親族出身者以外ではじめて皇后の地位に就いた。聖武《しょうむ》天皇と光明皇后の時代には、諸国に国《こく》分寺《ぶんじ》・国分尼寺《にじ》の造営が命じられたり、大仏が造立《ぞうりゅう》されて東大寺《とうだいじ》がつくられるなど、国家による大規模な仏教事業が推し進められた。

聖武天皇の娘である称徳《しょうとく》天皇の没後、天智天皇の孫であった白壁王《しらかべおう》が即位して光仁《こうにん》天皇となり、その子の桓武《かんむ》天皇の代に、延暦《えんりゃく》三年（七八四）には都が山背国《やましろ》の長岡京《ながおかきょう》へ、さらに延暦一三年には平《へい》安京《あんきょう》へと遷《うつ》された。桓武天皇の代には、東北地方の蝦夷《えみし》との間に大規模な戦争が続き、延暦二一年になってようやく北上《きたかみ》盆地が平定されたが、都づくりと戦争の多大な負担は、人々に重くのしかかった。

以上のようなさまざまな政治的局面のあった時代に、人々はどのように生き、この国はどのように変化していったのだろうか。そのことは、政治事件の展開を追うだけではわからない。この四〇〇年間が、いったいどんな時代だったといえるのか。長い歴史のなかで、この時代の特性を考えるためには、さまざまな分野で起きていることを連関させて考えなければならないだろう。

「立ち上がる国家」のもとで

四〇〇年の間には、九州地方中部から東北地方南部までを配下にもった政権が、その支配を充実させ、また組織としての仕組みを整え、より新しく進んだ文化を広めていく。また、九州南部や東北地方北部へ、版図《はんと》を広げようとしていく。こうして、国家としての体裁が固まり、徐々にその姿が立ち現われてくるのである。

このように、日本という国家が確立し、整えられていく過程として、はじめて立ち上がってくる国家の像を描くことができる。しかしその一方で、「立ち上がる国家」のもとで、人々はどのように生き、どのように暮らしていたのであろうか。じつは、そのことのほうが、私の心をとらえて離さない。「立ち上がる国家」を支えた人々の生きた歴史が、必ずあるはずである。

たとえるならば、立ち上がる巨人のもとで、一人ひとりの存在は芥子粒《けしつぶ》のようにはるかに小さいけれども、懸命に生き抜く人々がいる。巨人からの大きな影響を受けながら、そのもとで人々はどのようにたくましく生き抜いていただろうか。国家に苛《さいな》まれる人々もいれば、国家を支える人々もいる。

この五世紀から九世紀初頭がどのような時代だったのかを明らかにするために、本書では、人々がどのような生活をし、時代がどのような方向へ動かされようとしていたのかということを、意識して考えてみることにしたい。それは、遠い過去に生きた人々の生活であり、生き方であるが、現代の社会につながってくる部分を必ずもっている。いわば、現代社会のある部分を理解するための鍵《かぎ》なのである。現代に生きる私たちにとって、本巻で扱っている四〇〇年ほどの歴史は、どのような意味をもっているのだろうか。そのことをじっくりと考えてみていただければ幸いである。

第一章

文字、時間、歴史

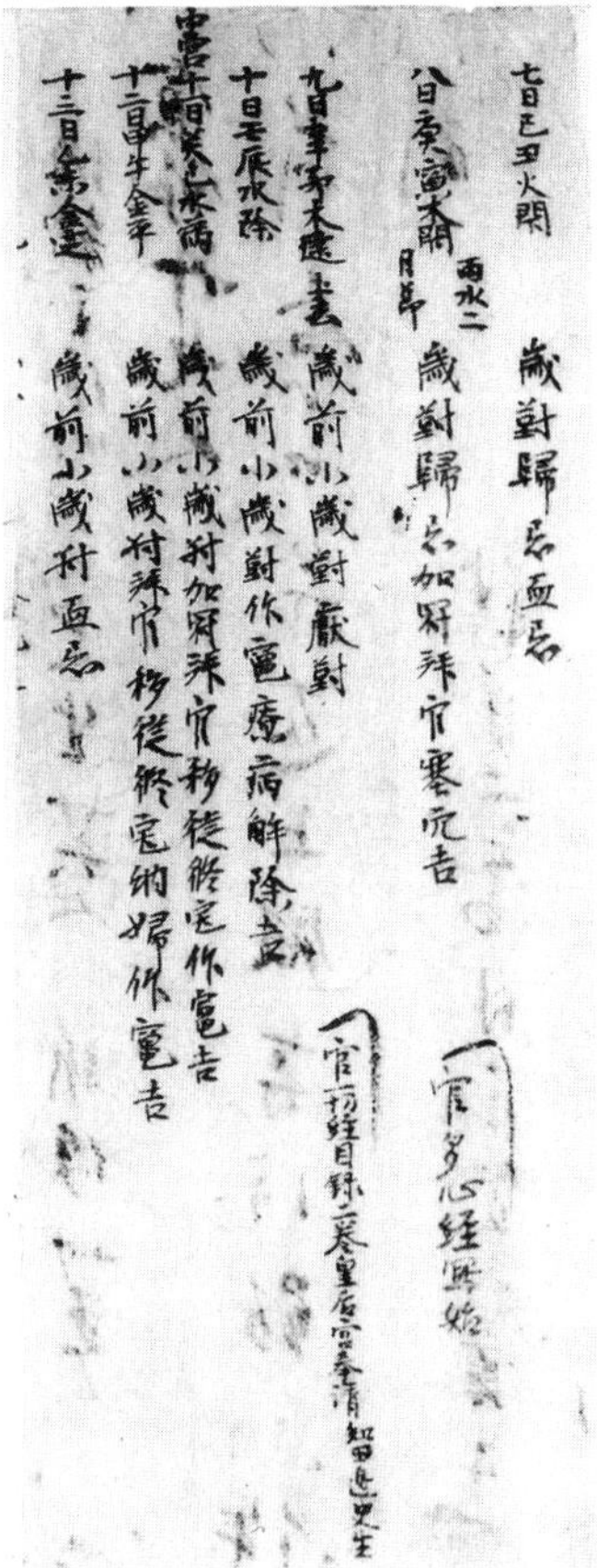

1

文字を使う

日本列島に登場した文字

本書の扱う時代に起きた変化のなかでも、特筆すべきなのは、文字の使用が始まり、普及していったことである。人々は、文字を使うことによって、記録を残し、文章で表現することができるようになった。まさに新たな文明の獲得である。ただし、いつごろから文字を使って文章をつくることができるようになったのか、その過程を明確に伝える史料はない。しかし、断片的にではあるが、発掘調査によって見つかったり、現代まで伝えられたさまざまな遺物を通して、その過程を追うことができるようにはなってきた。本書の始まりとして、まず、文字による表記の獲得の歴史から述べていくことにしたい。

旧石器《きゅうせっき》時代や縄文《じょうもん》時代には、文字は使われていなかった。これまでのところ、これらの時代の遺跡のどこを掘っても、文字の痕跡《こんせき》は出てこない。日本列島に文字が登場するのは、弥生《やよい》時代になってからのことである。

北部九州では、弥生時代中期の墳墓《ふんぼ》に、銘文をもつ鏡が副葬されていることがある。これらの鏡は中国の前漢《ぜんかん》王朝（紀元前二〇二～紀元後八年）のもとで製作されたもので、鏡の背面に、図像や文

◉天平一八年（七四六）の具注暦
写経所での事務において使われた暦。下段に業務のための備忘録や、合点によるチェックの跡がうかがわれる。
前ページ写真

字が鋳出《いだ》されており、なかには数十文字にわたる銘文のあるものも含まれている。これらは、文字の記された「もの」が日本列島にもたらされていた証《あかし》である。ごく限られた範囲の人々であったかもしれないが、彼らはこの鏡の背面の文字を目にしていたのである。日本列島には、その後も中国の後漢《ごかん》（二五～二二〇年）や三国《さんごく》時代（二二〇～二八〇年）の銘文のある鏡が持ち込まれている。

しかし、これらの鏡に鋳出された銘文について、列島内の人々は意味のある文字列としては理解できていなかったようである。中国からの鏡を模倣して製作された仿製鏡《ぼうせいきょう》のなかには、銘文をまねて鋳型に文字を彫り込んでつくられたものがある。しかし、鋳型にまねて彫り込んでいても、鏡本体では左右反転した文字になっていて、正しく鋳出されるようには配慮されていないものがある。さらに、鋳型に文字を彫り込む際に、一文字抜かして文字列を写してしまい、文末になってから、抜かした文字を付け加えているものもある。この場合、当然のことながら、意味の通じる文字順にはなっていない。

このように、日本列島で製作された鏡に鋳出された文字を見るかぎり、製作に携わった人々は、これを文字としては理解していなかったように思われる。彼らは、鏡の背面にある図像の一部として文字を見

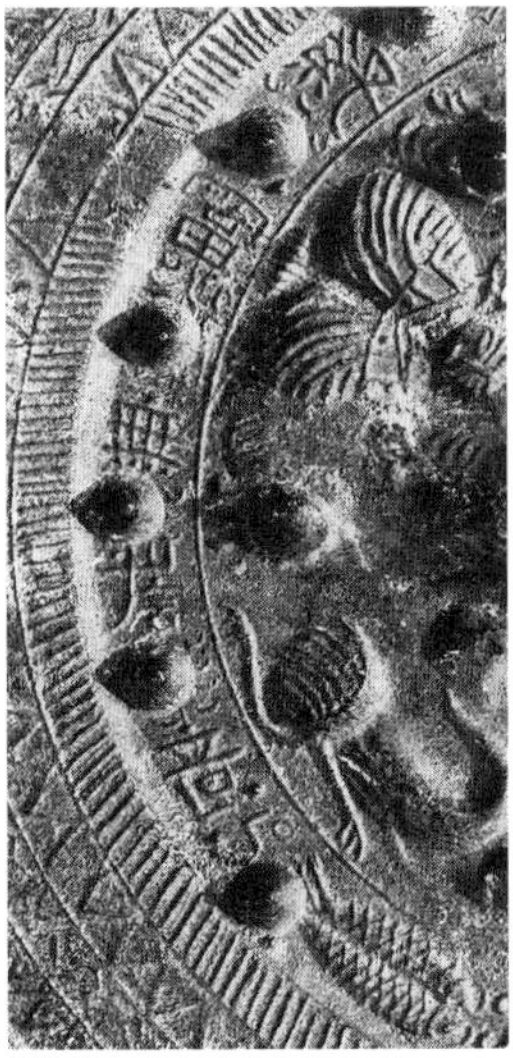

2

◉左右反転した鏡の文字
佐賀県谷口古墳《たにぐちこふん》出土の三角縁神獣鏡《さんかくぶちしんじゅうきょう》。鋳型に正しい向きで彫り込んでいると、鋳出された鏡の文字は反転する。はたして意味のある文として理解できていたかどうか。

ていて、文字列がどのような意味をもって記されているのかはわからないままに、デザインの一部と考えていたのかもしれない。ただし、鏡の背面には必要な、図像の一部あるいは何かの記号とみていたのだろう。いずれにしろ、文字列に意味があると考えていたわけではなさそうである。

中国との外交と文字

銘文のある鏡が中国からもたらされている時期に、中国の歴史書には、日本列島のなかの政治勢力と中国王朝との直接の交流を物語る記事が残されている。『後漢書《ごかんじょ》』東夷伝《とういでん》には、五七年に倭《わ》の奴《な》国が貢物を奉って朝賀《ちょうが》し、光武帝《こうぶてい》から印綬《いんじゅ》を与えられたと記されている。日本列島では、まだ弥生《やよい》時代中期から後期にかけての時期にあたる。また、『三国志《さんごくし》』魏志《ぎし》東夷《とうい》伝《でん》倭《わ》人《じん》の条（通称「魏志倭人伝」）には、二三九年に女王卑弥呼《ひみこ》が使者を派遣して魏に朝貢し、金印紫綬《しじゅ》を与えられたことが記されている。卑弥呼に下賜《かし》された種々の高価な品物のなかには、銅鏡一〇〇枚も含まれていた。

印は中国における文書行政の道具であり、皇帝自身も所持しているほか、皇帝の配下の特定の身分の者に与えられることから、身分を表わす象徴ともなった。そして、印には文字が彫り込まれている。『後漢書』に記されている光武帝から与えられた印とみられる志賀島《しかのしま》（福岡市）出土の金印には、「漢委奴国王《かんのわのなのこくおう》」という文字が彫り込まれているし、卑弥呼がもらった金印には、おそらく「親魏《しんぎ》倭王《わおう》」と彫り込まれていただろう。

しかし、これを与えられた当時の倭の社会では、印を使いこなす技術も習慣も確立してはいなかった。当時の中国における印は、木簡《もっかん》を使って手紙をやりとりする際に封印として使用するものだが、日本国内でのこの時代の遺跡からは木簡は発見されていない。三世紀の遺跡はもちろん、四世紀の遺跡でも、文字を記して手紙をやりとりしたことを物語る遺物は見つかっていないのである。後漢や魏からもらった印は、手紙を封印する用途には使われなかったと思われる。

卑弥呼に対しては、金印賜与《しよ》の際に魏の皇帝からの公式文書である詔書が下された。また、日本列島内における邪馬台国《やまたいこく》と狗奴国《くな》との交戦中の二四七年には、魏王朝による支援の詔書が下され、さらに檄《げき》が送られたことも倭人伝に記されている。檄は木簡に書かれた軍事関係の文書のことで、魏王朝が邪馬台国を軍事的に支援する意志を示したことを意味する。しかし、こうした定型化した文書を使いこなしていない倭においては、大陸からもたらされた詔書や檄文が、はたしてどれほどの意味をもったかは不明である。

こうした中国の歴史書から知られる外交関係からすると、文字文化を高度に操る中国から、文字の記された「文書」が、一方的に日本列島にもたらされたことは認められるだろう。列島内の人々が伝達のための文章を目にする機会が、ごくまれではあるが、起こりはじめたのである。しかし、

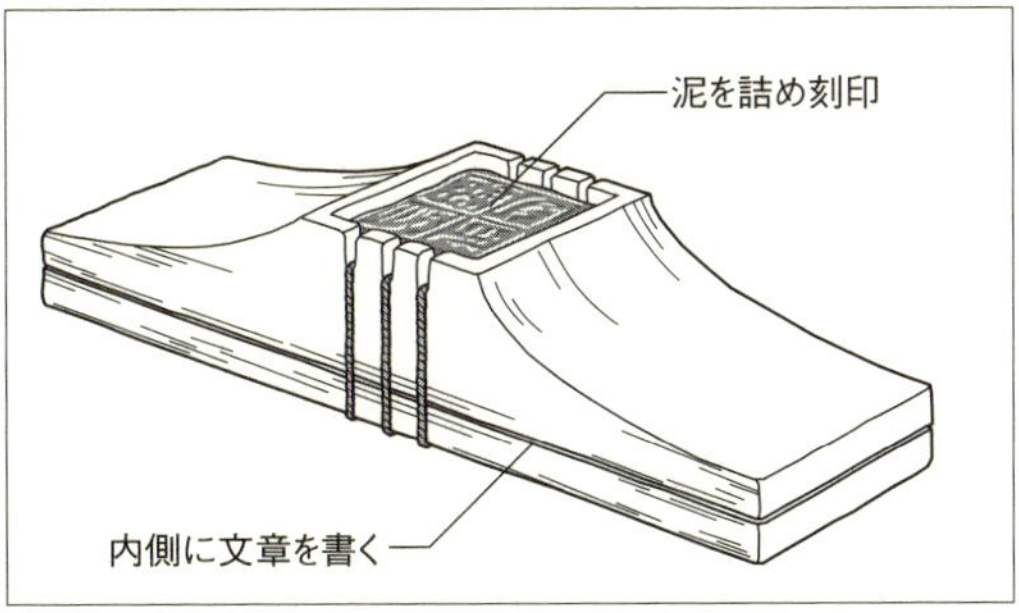

◉中国漢代の木簡の封の仕方
文字を記した面を隠して紐《ひも》でくくり、璽室《じしつ》と呼ばれるくぼみに泥を詰めてから印を捺《お》して封をする。

これは中国との交流のうえでの現象であり、限られた範囲の地域でのことである。そして、まだ文字を自分たちの意思で使いこなすところまでには至っていない段階であろう。

四世紀以前の出土文字資料

『後漢書《ごかんじょ》』や『三国志《さんごくし》』によって判明する状況からは、このように日本列島ではまだ文字を使いこなしていることまではうかがえない。こうしたことから、つい十数年ほど前までは、弥生《やよい》時代の遺跡から文字の記された遺物が出土するとは考えられていなかった。日本列島における文字による意思伝達の開始は、支配者による支配の手段の必要性から、強力な統一政権の成立前後に、文字文明の先進地域である大陸の方法を模倣したり、大陸から連れてきたり、あるいは移住してきた文筆技術者に頼りながら、支配者によって導入されたことに始まると考えられていた。ヤマト王権が列島の広範囲にわたる地域を支配下におさめた五世紀頃になって、文字導入がなされるのではないかと、漠然とみられていたのである。

『日本書紀《にほんしょき》』などの文献によってヤマト王権の成立過程を考えていた歴史研究者の多くは、ほぼこのように考えていた。もち

4世紀以前の文字の記された出土遺物

時期	遺跡名	文字	遺物	記銘方法
2世紀 末ごろ	三重県津市 大城遺跡	□(「奉」もしくは「年」)	高坏	刻書
3世紀 中ごろ	滋賀県長浜市 大戌亥・鴨田遺跡	□(「ト」か)	甕	刻書
3世紀 中ごろ	福岡県前原市 三雲遺跡	竟	甕	刻書
3世紀 後半ごろ	長野県木島平村 根塚遺跡	大	土器片	刻書
3世紀 末ごろ	千葉県流山市 市野谷宮尻遺跡	久	壺	墨書
4世紀 初頭ごろ	熊本県玉名市 柳町遺跡	□□□田	短甲 留具	顔料
4世紀 前半ごろ	三重県松阪市 片部遺跡	□(「田」か)	壺	墨書

ろん私もそのなかのひとりであった。しかし、各地で発掘調査が進むうちに、この見方は修正を迫られることになったのである。

ここ一〇年ほどの各地の発掘調査において、四世紀以前の遺物に文字と考えられそうな痕跡《こんせき》が認められる事例がいくつか見つかっている。前ページの表は、近年出土した、四世紀までの「文字を記した」とみられる遺物の事例である。これらにはそれぞれ、一文字から数文字程度、意図をもって記されたとみることのできる字画がある。

現在までに見つかっているなかで、もっとも古い時期のものとみられるのは、三重県津市の大城《だいしろ》遺跡で出土した、「奉」あるいは「年」のような文字の刻まれた、二世紀前半から中ごろとみられる高坏《たかつき》の破片である。二世紀中ごろといえば、先述した卑弥呼《ひみこ》の時代よりも古い。二世紀や三世紀といった時期に、土器などに文字を記すことが行なわれていたのである。

これらの事例は、いずれも単独の文字が記されただけのものである。熊本県玉名《たまな》市柳町《やなぎまち》遺跡から出土した鎧《よろい》の一種である短甲《たんこう》の留具《とめぐ》の場合も、細長い棒状の木片に書かれた四文字程度の墨痕《ぼっこん》は、墨書《ぼくしょ》の方向からみて、ひとつながりの文言とは理解しにくい。「田」という文字らしいものがひとつ

3

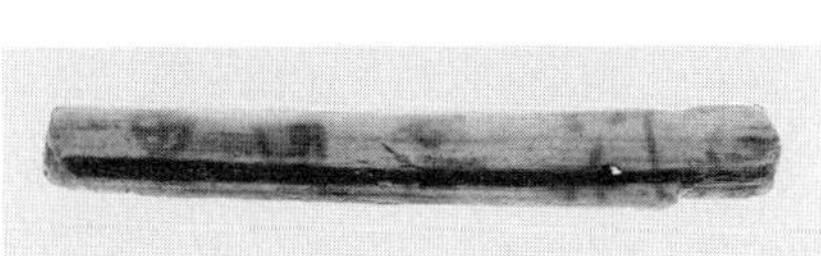
4

◉大城遺跡の高坏断片と柳町遺跡の短甲留具
大城遺跡のもの（上）は高坏脚部に刻書。柳町遺跡のもの（下）は、木製短甲の上下をつなぐ部品に染料のようなもので書かれている。

見られるが、それぞれの墨痕は横一列に並んでいて、この時代に通常考えられる縦書きになっておらず、やはり意味をなす文字列にはなっていない。

これらの文字の、それぞれがもっている意味合いを知ることは難しい。何かしらの意味があって文字を記したとは考えられるが、文字を複数組み合わせて使うところまでの利用はなされていないために、記した者の意図はなかなか測りがたい。おそらくは、これらの土器などの用途に伴って、なんらかの文字を記すということが行なわれたのだろう。

こうした事例によって、二世紀から四世紀には、一文字ないし数文字を土器や鏡に記す行為が、広まりつつあったことが明らかになってきた。しかし、これらが文字なのか記号なのか、それを判別するのは難しい。一文字だけ単独で記された文字は、意味をもつひとかたまりの記号ということもできるからである。文字を組み合わせて熟語にしたり、数文字を並べて文章にしたりする知識は、この段階にはない。先に紹介した仿製鏡《ぼうせいきょう》に鋳出《いだ》された文字列のように、その文字列が文章をなしているということは、理解できていなかったのだろう。しかし、ひとまず、なんらかの意図をもって、文字を記す行為は始まった。文字を使って記録を残すようになるのは、つぎの段階である。

文字を記す方法

ここで、文字を記す方法について整理しておこう。後世に広まっていく紙は、中国の前漢《ぜんかん》の時代の遺跡からはすでに見つかっている。伝説としては後漢《ごかん》の宦官《かんがん》であった蔡倫《さいりん》が発明したとされているが、実際にはもう少しさかのぼることが、出土品によってわかってきた。

中国では紙が普及するより前には、木・竹・布・絹などに文字を記していたことがわかっている。なかでも一般的には木・竹がよく使われていた。竹は幅の細い材しかとれないため、長い文章を記すためには、それを何枚も編綴《へんてつ》していた。紙が普及すると、こうした長文用の素材は木や竹から紙に置き換わっていっただろうが、すべて紙になったわけではない。

中国から朝鮮半島に伝わった際にも、紙と木が併用されていたと考えられ、倭《わ》の社会には、紙と木が併用されるものとして伝わってきたとみられる。すなわち、紙がまだなかったので木簡《もっかん》を使っていたというわけではなく、紙が伝来していても木簡も使っていたのである。もちろん紙が貴重品だったという理由もあるが、屋外で風雨にさらされても破れないなど、木簡のほうが紙より優れている面もあり、紙と木は使い分けられていた。

文字が普及した時期の日常の文筆道具としては、紙と木に筆と墨で書くということが一般的であった。ただ、日本では竹を使うことは普及しなかった。それは、中国南方でよく使われた竹簡《ちくかん》の文化が直接日本に入ってくることがなく、中国から朝鮮半島を経由して、朝鮮半島で選択された木を使う筆記文化が、朝鮮半島で醸成されてもたらされたためと考えられる。

日常の書類には紙や木が多く使われたが、紙や木は数年から数十年もたてば、傷んで崩れてしまう。記した文字をもっと長い間残したいならば、それに適したより硬質な素材を選ぶことになる。こうして選ばれたのが、石や金属ということになるだろう。先に紹介した鏡はもちろん、七世紀末からみられるようになる碑文《ひぶん》も、より長く残ることを考えて石に彫り込んだものといえる。

石や金属に文字を残すには、高度な技術が必要であった。碑に文字を彫り込むことは誰にでもできたわけではない。また、刀剣の銘文には、象嵌《ぞうがん》という技法が用いられており、刀剣の表面に文字を彫り込んだあとに別な種類の金属を埋め込んで、地色とは別の色で文字が浮き上がるようにつくられている。これらは、やはり特別なものと考えられ、日常生活のなかで書き記したものとは違った性格をもっている。

このほか、土を素材とする、土器や瓦《かわら》に文字が記される場合もある。ただし、これも一般的な書類としてのものではなく、土器という道具の使用と関連して文字が書かれている場合や、瓦が生産され屋根に葺《ふ》かれるにあたって必要な情報が記される場合がほとんどである。

文字を記した人々

文字を複数連ねて意味の通るなんらかの文章を残していることが明らかな遺物は、五世紀のものがいくつかある。もっとも古いものは千葉県市原《いちはら》市稲荷台《いなりだい》一号墳から見つかった鉄剣《てつけん》で、五世紀中ごろのものとみられ、残されている文字から推定すると、「王賜」から始まる一二文字ほどの銘文が表裏にわたって記されていたようである。

埼玉県行田《ぎょうだ》市の稲荷山《いなりやま》古墳で出土した鉄剣には、一一五文字の金象嵌《ぞうがん》の銘文があった。「辛亥年《しんがい》」という年を記しており、この年に「乎獲居臣《おわけのおみ》」（「乎獲居巨」と判読してヲワケコと読む見解もある）という人物が、自身が「獲加多支鹵《わかたける》大王」に仕えた由来を示すためにつくらせたという内容である。辛亥年は四七一年にあたると考えられ、五世紀後半にはこうした文章が日本列島内でつくられるまでになっていた。

この鉄剣銘に登場する「獲加多支鹵大王」は、『日本書紀《にほんしょき》』に「大泊瀬幼武《おおはつせわかたける》天皇」として登場し、のちになって「雄略《ゆうりゃく》天皇」と称された人物である。同じ「獲加多支鹵大王」と考えられる人名が熊本県玉名《たまな》郡《ぐん》和水町《なごみまち》の江田《えた》船山《ふなやま》古墳出土の大刀《たち》の銘文にもみられ、ほぼ同時期の銘文と考えられる。また、五世紀から六世紀にかけての時期と考えられる、和歌山県橋本《はしもと》市の隅田《すだ》八幡神社《はちまんじんじゃ》の人物画像鏡にも、四八文字の銘文が鋳出《いだ》されている。

江田船山古墳の大刀では、「无利弖《むりて》」という人物がつくらせたとして、この大刀の由来が記されているようである。また、この刀をつくった者の名前も「伊太和《いたわ》」と記されているようで、一音一文字で表記されているのに対し、書いた者が「張安」と記されていることが注目される。「張」という

5

●江田船山古墳出土銀象嵌銘大刀
刀背に七〇余文字の銘文がある。拡大写真は「无利弖」（上）・「伊太和」（中）・「張安」（下）の人名部分。

姓は、大陸から渡来した人ないしその子孫と考えられ、「ムリテ」「イタワ」という人名とは対照的である。日本列島内の人名にはいまだ姓にあたるものはなかったのであろう。渡来系の人々が作文の作業に携わっていることからすれば、文筆に関する技術も、大陸から渡来した人々とその子孫しか身につけていなかったのだろう。

「獲加多支鹵大王」に相当するとみられる人物は、中国の歴史書『宋書《そうしょ》』にも登場する。『宋書』倭《わ》国伝《こくでん》に、「武《ぶ》」という人物が倭国王となり、四七八年に中国南朝の宋に使者を派遣して、順帝《じゅんてい》に上表文（皇帝に奉った文書）を送ったことが記されている。このような南北朝時代の中国南朝への朝貢は、倭王武よりもさらにさかのぼって四二一年に「讃《さん》」が朝貢していたことが知られ、以後、武に至るまでの五代の王が行なっていたと記録されている。

武の時代以前からも、上表文がつくられていたことになり、それは五世紀前半にさかのぼるという。こうした上表文は、中国王朝での公式文書の様式に準拠してつくられるものであり、文案をつくるにはそうした知識が必要になってくる。おそらく倭王のもとで、中国の公式文書の知識をもった渡来系の人物が、上表文をつくっていたのだろう。

五世紀には、こうして外交文書がつくられるまでになったが、その文書作成じたいは、まだ渡来系の知識人の能力に負っており、文字を使って文章をしたためることができるのは、国内ではまだごく限られた人々にすぎなかった。こうした人々は、特別な技術をもった者として、大王のもとに掌握されていたであろう。文字が広く普及していくのは、さらにこれ以降のことである。

六世紀の文字資料は少ない。このことは、まだ文字があまり普及していないことの反映であろう。しかし、さらに進んで七世紀になると、さまざまな用途に文字の使われた痕跡《こんせき》がみられるようになってくる。たとえば、七世紀の遺跡からは木簡《もっかん》が見つかるようになり、日常的に文字を使う人々が増えてきたことがわかる。

またこの時期になると、紙も使われていた。紙はそのままでは地中では腐ってなくなってしまうため、この時代の遺跡の発掘調査で見つかってはいないが、伝世品があることから、七世紀には紙も使われていることは明らかである。『日本書紀』には、六一〇年に高句麗王《こうくりおう》によって派遣された僧の曇徴《どんちょう》が紙の製法に長《た》けていたことが記されている。曇徴がやってくる前から、紙の製法は国内に伝えられていたが、彼は優秀な技量をもっていたことがとくに注目されたのであろう。国内で生産される紙の質が向上していくきっかけとなったのかもしれない。

文字の使用と社会

では、文字が使われるようになったのは、どのような必要性からであろうか。『日本書紀』に興味深い記述がある。欽明《きんめい》天皇一六年（五五五）に吉備《きび》地方に白猪屯倉《しらいのみやけ》が設置された。屯倉は大王の領有する地方経営拠点であり、田地の耕作のための田部《たべ》として、付近の人々が定められた。白猪屯倉設置から一四年後、田部として当初指定された人々のほかにも、その後に成長して耕作を担える年齢に達した者も出てきたが、「籍《せき》」から漏れて把握されておらず、田部の負担から逃れている人も多いという。そこで、渡来系の人物である胆津《いつ》を中央から派遣して、田部の丁《てい》（成人男子）の籍を調査し、あらためて定めさせた。

ここに見える「籍」とは、のちの戸籍にあたる登録台帳に相当するものだろう。「籍」という文字じたいは、木や竹の札という意味があるが、このときつくられた屯倉の籍が木の札によるものか、紙に書かれたものかはわからない。ただ、いずれにしろ、人々を登録し管理する、そしてその情報を経営に活用していくという、支配や行政の必要から、台帳がつくられていることは間違いない。文字の使用は、人々を支配するための最新の技術として、導入されたのである。また、行政機構は命令系統の整備・進化によって発展する。国家機構の規模が大きくなり、行政としてなされる内容が多くなるほど、文字による記録と伝達が活用される場面が増えていったとみられる。

胆津という人物について、『日本書紀』は王辰爾《おうしんに》の甥《おい》と伝えている。王辰爾は渡来系の人物で、欽明天皇一四年には、蘇我稲目《そがのいなめ》によって、船に対する賦課を計算して記録する任務に動員されている。胆津も同様に渡来系の知識人であり、文字を使って記録を書く能力が評価されていたのだろう。

こうした帳簿を記録して管理するという仕事に動員されているのが、渡来系の知識人であるということは、六世紀中ごろの段階では、まだ文字を駆使して活躍できる人材が、一部の氏族集団に限られていたためである。官僚的な組織はできつつあったが、それを支える基盤は、渡来系の氏族集団が担っていた。こののち、行政組織が拡充していけば、文字を使える人材がさらに求められていくことになる。文字の使用はこうした需要に伴って、七世紀になると急激に普及していく。

時間との関係の始まり

暦を使う

暦《こよみ》は日数の経過を数え、季節の移り変わりを把握するものである。東アジアの先進文明国であった中国では、時間を計り定め、一年の季節の移り変わりの法則性を把握する方法が開発され、独自の暦が発達した。倭《わ》に暦が入ってきたのは、六世紀中ごろのこととされている。倭は、朝鮮半島の百済《くだら》との間に同盟関係があり、百済からさまざまな技術者を交替で招いて、国内での需要に対処していた。百済では中国南朝で開発された暦の技術を使っており、暦はこうした百済からの技術供与の一環として、倭にもたらされたのである。

暦を操るためには、天文などの複雑な計算が必要であり、科学技術としてはかなり高度な知識を必要とした。独自に計算方法を開発するには、まだ倭での科学技術は追いついていない時代であり、中国に対抗して独自に暦をつくりだそうなどという意識はなかったであろう。その後も、暦の技術が国内で独自に開発されて実用になるには、一七世紀末に渋川春海《しぶかわはるみ》が完成させた貞享暦《じょうきょうれき》まで待たねばならなかった。江戸時代になるまで、中国の暦法がそのまま用いられていたのである。

『日本書紀《にほんしょき》』欽明《きんめい》天皇一四年（五五三）の記事には、百済からの医博士・易博士・暦博士らが、交替で倭に滞在するようになったとある。この年、倭は百済に対して、卜書《ぼくしょ》（占いに関する書）や薬物とともに暦書を供与してくれるように要請している。国内にはまだ暦術の書物はなかったのである。

これに応じて百済が暦書を送ったかどうかは定かでないが、推古《すいこ》天皇一〇年（六〇二）に至って、百済僧の観勒《かんろく》が渡来し、暦本と天文・地理の書、それに遁甲《とんこう》・方術《ほうじゅつ》（いずれも占いの術）の書をもたらした。天文や地理の知識、それに遁甲・方術といった陰陽《おんよう》に関する知識は、暦を操るうえで重要となる。ここに、体系的な暦術知識がまとまって国内に入ってきたということができるだろう。

暦の利用

暦は毎年、暦博士によって作成され、暦を必要とする国内の各所に送られて、使用に供されることになる。当初は、百済《くだら》から交替で派遣されてきた暦博士のもとで、技術指導を受けながら暦がつくられたのだろう。観勒《かんろく》が渡来してからは、彼のもっている知識を、国内の渡来系の氏族に学ばせている。最新の高度な技術が到来しても、それに即応して技術を身につけることができたのは、ある程度の知識をもった渡来系の人々であった。暦術は、まずこうした渡来系氏族に受け継がれて、国内へと定着していくようになる。

暦を使う目的は、同じカレンダーを共有することにある。同じ日付を使って仕事をするためのものであり、組織や官僚制が発達するなかで必要になってきた。ひとつの組織のなかでは、同じ暦を共有しなければ意味がない。一国のなかで通用する暦は、一種類に統一されていなければならず、暦を定める最終的な権限は一国の支配者たる君主にある。君主の認可した暦によって、国家組織のなかで暦の日付を共有することになり、暦の日付に合わせて、支配下の人々に行動を強要することにもなっていくのである。ここに、君主は支配下の人々が行動を起こす契機を支配し、時間を支配することとなる。君主による毎年の暦の公布は、国家としての体裁をさらに整えた、ひとつの象徴ということができるだろう。

君主が定めた一年の暦は、見本となるものが書き写されて、さまざまな作業の場に持ち込まれる。現在残っているもっとも古いものは、奈良県明日香《あすか》村の石神《いしがみ》遺跡で見つかった、木簡に書かれた暦である（口絵参照）。八世紀初頭の溝跡から出土したこの暦は、七世紀末の持統《じとう》天皇三年（六八九）の三月と四月の暦が、板の表裏に書き付けられたものであった。暦として不要になったあとで加工して別の用途に使っていたと思われ、中心に穴のあいた円盤のような形で残っている。文字の大きさは約一センチメートル四方であり、この大きさで一か月分の暦をつくるとすれば、長さ四〇センチほどの板が必要になる。おそらくこの長さの板の表側に三月の暦が、裏側に四月の暦が記されていたのであろう。石神遺跡は政治の中心地であった飛鳥《あすか》地方にあり、饗宴施設であったと想定されている。七世紀後半にはすでに、政府の周辺ではこのような板の暦が使われていたのである。

当時の暦は、具注暦《ぐちゅうれき》と呼ばれるもので、一日分の記載に一行をあて、一日ごとに干支《かんし》や吉凶を書き込んである。このほか、満月・新月などの月の満ち欠けや、季節の変わり目を示す節気《せっき》がどの日にあたるのかといった情報も盛り込まれている。一年ごとにまとめてつくられることから、正月から一二月まで一二か月分、閏月《うるうづき》のある年では一三か月分の記載となる。紙に記されたとすると、一

○メートル近い長大な巻物になる。
奈良の正倉院《しょうそういん》には、写経事業の作業場で使われた紙の暦が、三点残されている。暦として使われたあとに、裏側を書類として再利用したものがまとまって残ったために、現在に伝わったものである。天平《てんぴょう》一八年（七四六）、天平二一年、天平勝宝《てんぴょうしょうほう》八年（七五六）のものが部分的に残されているが、このうち天平一八年のものは、誤字・脱字もあり、個人的な書き込みもみられる。おそらく、誰かが自分用に書き写した暦だったのだろう。暦が伝わってから二〇〇年ほどの間に、個人が暦を利用するまでに、暦の文化が浸透したのである。

最新の暦技術への切り替え

暦の技術は進歩する。中国で新しい方式の暦が開発され、新方式に切り替えられると、その技術を享受している周辺諸国でも、中国での切り替えに従って新方式へと切り替えられていった。中国での新しい暦術への切り替えと日本への導入の対応は、次ページの表のとおりである。

日本に暦の技術を伝えた六世紀の百済《くだら》では、中国南朝の宋《そう》で使われていた元嘉暦《げんかれき》を用いていた。その後、中国では六六五年に麟徳暦《りんとくれき》が施行され、日本では持統《じとう》天皇四年（六九〇）に、この方式の暦が取り入れられて「儀鳳暦《ぎほうれき》」と呼ばれた。

先にみた石神《いしがみ》遺跡の木簡《もっかん》は、この前年にあたる持統天皇三年の暦であり、元嘉暦である。儀鳳暦がもたらされた当初は元嘉暦と併用されており、公式の日付にはまだ元嘉暦が用いられていた。しばらくののち、文武《もんむ》天皇二年（六九八）からは儀鳳暦に切り替えられたと考えられている。儀鳳暦は天平宝字《てんぴょうほうじ》七年（七六三）まで使われ、この年に大衍暦《たいえんれき》が採用されて翌年に切り替えられる。天安《てんあん》二年（八五八）には五紀暦《ごきれき》との併用が始まるが、貞観《じょうがん》四年（八六二）には宣明暦《せんみょうれき》に切り替えられた。そして、宣明暦は、江戸時代の貞享《じょうきょう》元年（一六八四）に至るまで、長く使われていくことになる。

中国で最新の技術が導入されたあとに、日本に遅れて伝わり、さらにそれを採用して切り替えるというかたちで、どうしても新技術の導入には時間差が出てしまう。しかも、表でもわかるように、暦における新方式の採用は簡単ではなかったようで、かなりの時間差を経ている。

たとえば大衍暦は、唐《とう》で切り替えられた六年後の天平七年（七三五）に「大衍暦経一巻」「大衍暦立成《りっせい》十二巻」が、唐での留学から帰国した吉備真備《きびのまきび》によって献上されているが、その後二八年間も日の目を見なかったことになる。また五紀暦も、宝亀《ほうき》一一年（七八〇）に遣唐使《けんとうし》の一員として帰国した羽栗翼《はくりのつばさ》が、唐ですでに切り替えられた暦として献上したが、翌

中国での暦術の切り替えと日本への導入

暦　法	中国での採用	日本での採用
元嘉暦	元嘉 22 年（445）	6 世紀中ごろ
儀鳳暦 （麟徳暦）	麟徳 2 年（665）	持統天皇 4 年（690）
大衍暦	開元 17 年（729）	天平宝字 8 年（764）
五紀暦	宝応元年（762）	天安 2 年（858）
正元暦	興元元年（784）	――――――
観象暦	元和 2 年（807）	――――――
宣明暦	長慶 2 年（822）	貞観 4 年（862）
貞享暦	――――――	貞享元年（1684）

年に五紀暦で暦をつくるよう政府が命じても、実際にそれを学ぶ者がおらず、なお大衍暦が使われていたという。

こうした背景には、政治情勢なども関連しているだろう。新たな方式の暦の採用は、君主ないし政治を主導する者の判断に大きく左右されたのである。暦の技術とは、まさに支配体制に管理されたものであり、自由に伝播《でんぱ》していくものではなかった。新しい暦法への切り替えには、なんらかの政治的な契機による強力な意図が必要とされたのである。これらの点からみて、暦を使うようになったことじたいも、古代国家による支配確立のひとつの指標であったということもできるだろう。

時計の導入

こうして、一年を単位としてつくられた暦が、人々の活動の基準となる時代が始まった。暦が普及していくことは、行政機構や官僚制の整備と深くかかわっており、同じ時期、同じ日付に統一して行動をとるために必要な目安となったのである。そして、こうした考え方のうえでは、一日の時間の使い方にも、目が向けられることになる。

人々が決められた時間に何かを行なうためには、時刻を定めることが必要である。時を計り時刻を定める技術が、こうして導入されるようになった。それまでは日時計などを使っていたと考えられるが、これでは雨天や曇天には機能せず、天候に左右されない時計が必要だったはずである。

現在、時の記念日とされている六月一〇日は、天智《てんち》天皇一〇年（六七一）の漏刻《ろうこく》の使用開始の日を現在の太陽暦に換算した日付である。『日本書紀《にほんしょき》』の同年四月二五日の記事に、「漏剋《ろうこく》を新しい台に設置し、時刻を知らせることを始めた。鐘《かね》や鼓《つづみ》を打って時間を知らせるために、はじめて漏剋を実用にした」という内容が見える。

漏刻（漏剋）とは、水が漏れる速度を一定にすることによって水がたまる時間を基準にして時刻を計る、いわゆる水時計である。天智天皇一〇年の記事に見える漏刻が設置されたのは、このときに宮のあった近江大津《おうみおおつ》（滋賀県大津市）と考えられる。この記事に「新しい台」とあるのは、それ以前には別の台に設置していたことを物語る。これをさかのぼる『日本書紀』斉明《さいめい》天皇六年（六六〇）五月の記事に、「皇太子（中大兄皇子《なかのおおえのみこ》）がはじめて漏剋をつくった」とあり、こちらのほうは当時の大王の宮があった飛鳥《あすか》の地（奈良県明日香村）とみてよいだろう。

この漏刻台に相当するとみられる遺跡が、飛鳥の地で見つかっている。この遺跡の地の小字名《こあざな》は「水落《みずおち》」といった。古く漏刻のあったことが、地名の由来として伝わっていたのであろうか。遺跡は水落遺跡と名付けられ、念入りに築造された建物の基礎が見つかっている。土をたたき締めた上に、石を敷いて固められた一辺一一メートルほどの正方形の基礎に、二四本の丸柱《まるばしら》の痕跡《こんせき》があった。それぞれの柱の直径は四〇センチメートルほどで、この時期の宮殿建築としても第一級の大きさのものである。

柱の数や太さ、基礎の構造からみると、重量のかかる建物であったことが想像され、二階建てだったのだろう。基礎には、柱を支える礎石が、通常の建物と違って土中に埋め込まれており、また木樋《もくひ》も埋め込まれていて、水を通す構造になっている。外部から水を引き、また外部に水を出す導水管と配水管の役割を果たしていたものだろう。

この基礎の上に、土台となる約二メートルの大きな石が設置され、その上に漆《うるし》塗りの木箱が置かれた状態で見つかった。唐《とう》では七世紀前半に呂才《りょさい》という人物が四段式の漏刻を発明したとされる。宋《そう》代の書物に載せられた呂才の漏刻の図面では、複数段の箱に水を通して水流を一定に保ち、水を受ける壺《つぼ》の内部水量が徐々に増えるのを利用して、時間を計る構造になっている。水落遺跡の漆塗りの木箱は水を受ける容器とみられ、装置へ導水するための細い銅管も見つかっており、時代的にみても呂才の漏刻と同様の構造が想定される。

時を知らせる

漏刻で測定された時刻は、どのような手段で広く知らされたのだろうか。水落《みずおち》遺跡の建物では、一階には漏刻が置かれ、二階に時刻を知らせるための設備があったと考えられる。先に紹

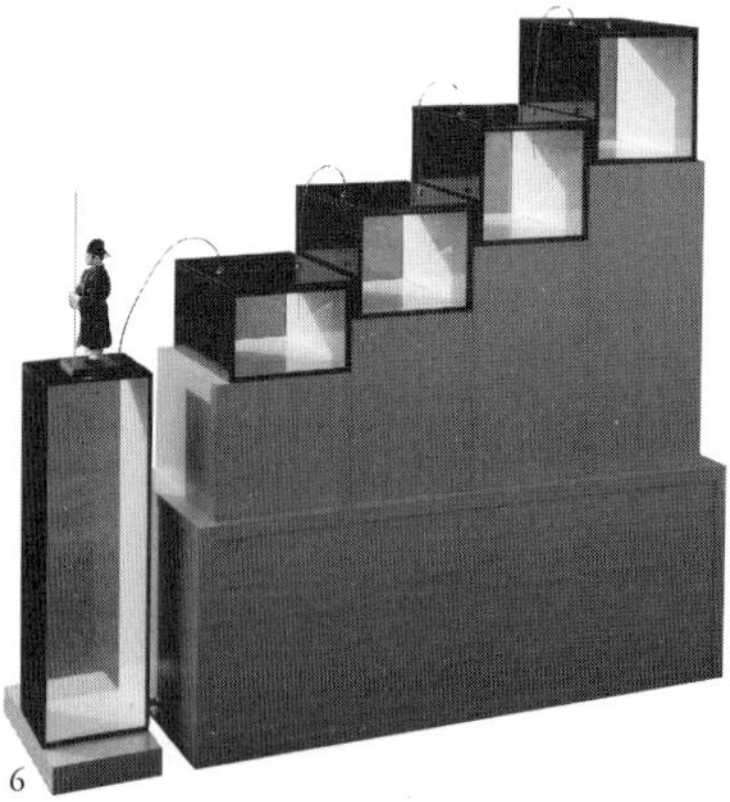

6

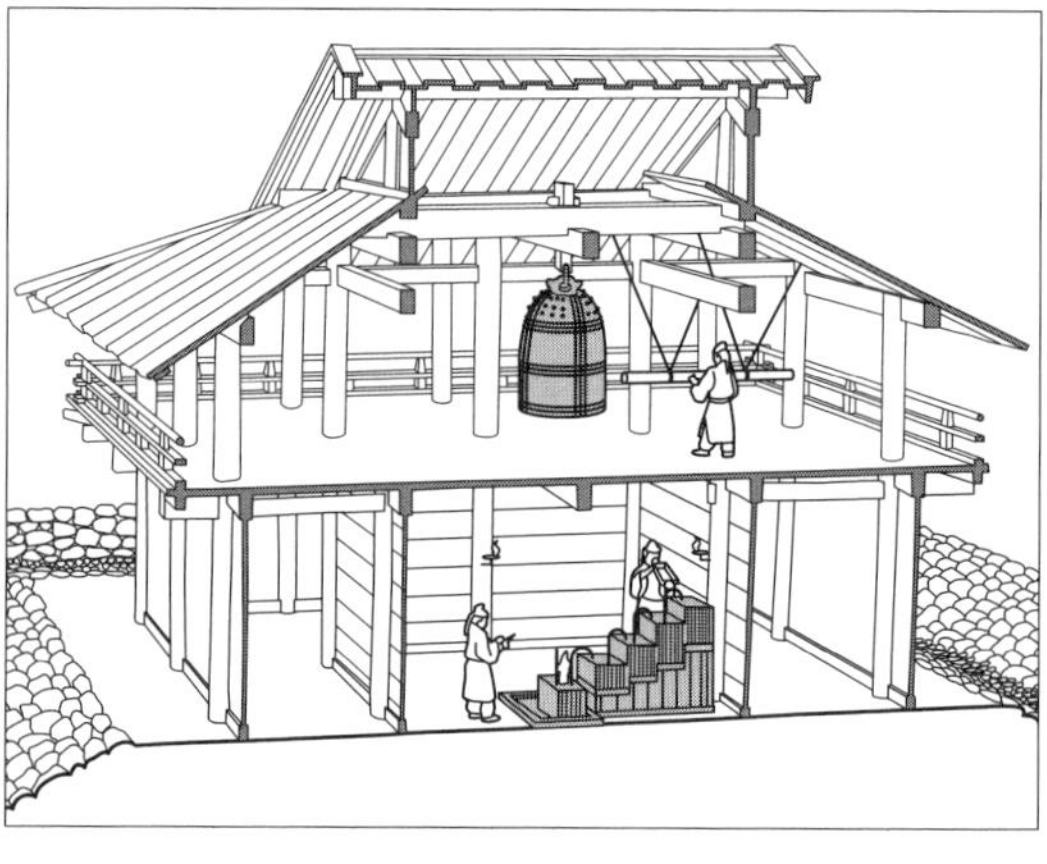

介した『日本書紀《にほんしょき》』天智《てんち》天皇一〇年（六七一）の記事にも、鐘《かね》・鼓《つづみ》で時刻を知らせたとあり、こうした大きな音を出すものを使って広い範囲に時刻を知らせる機能が、漏刻台にはあった。

それ以前の舒明《じょめい》天皇八年（六三六）七月に、役人たちが出勤する合図を鐘で行なおうとした記録があるが、このときは実現しなかった。ただし、鐘が時刻を知らせる手段として有効であることは、すでにこの時期から認識されていたようである。

漏刻がはじめてつくられた七世紀や、その後の八世紀における、鐘や鼓の打ち方については不明であるが、一〇世紀前半に律令《りつりょう》の施行細則をまとめた『延喜式《えんぎしき》』には、打ち方の詳細が載っている（次ページの表参照）。おそらく漏刻設置当初でも、同じように、回数で時刻の違いを識別したのだろう。

鐘をつく木の大きさも『延喜式』に見え、直径二八センチメートル、長さ四・八メートルにもなる。この木の大きさから推定される鐘の大きさは、口径一・二メートル、高さ二メートルにもなる大鐘である。鼓についても、平安《へいあん》時代の貞観《じょうがん》八年（八六六）の記録によれば、漏刻の修理の際に兵庫《ひょうご》の大鼓を借りたというから、軍事作戦の際に広野で合図を伝える大鼓と同じほどの大きさだったのだろう。漏刻の置かれた飛鳥《あすか》の地では、遠くまで響き渡る鐘や鼓の音が、人々の生活のなかの音として、新たに加わることとなったのである。

◉漏刻台復元図（右）**と漏刻復元模型**（左）
水落遺跡の遺構・遺物をもとに、呂才の漏刻を参考にして復元。最下段の水槽に浮きと一体になった物差しがあり、時間がたつと物差しが浮き上がり、その目盛りを読み取って時刻を計る。

飛鳥の漏刻台設置から数十年のち、八世紀の平城《へいじょう》京《きょう》での様子をうたったものではあるが、『万葉集《まんようしゅう》』につぎのような歌がある。

皆人《みなひと》を　寝よとの鐘は　打つなれど　君をし思へば　寝《い》ねかてぬかも　（六〇七番）

時守《ときもり》が　打ち鳴《な》す鼓　数《よ》みみれば　時にはなりぬ　逢《あ》はなくも怪《あや》し　（二六四一番）

もう寝る時刻だと知らされても、恋しい人を思うと寝られない……。聞こえてくる鼓の音を数えたら、約束の時間になった……。人々は、鐘や鼓の音の数で時刻を知り、日常生活の基準とするようになったのである。人々は耳で時間を知るようになった。

平城京では、寺院でも時を知らせる鐘が打たれていた。『日本霊異記《にほんりょういき》』につぎのような説話がある。ひとりの盲目の男が、薬師寺《やくしじ》の東に住んでいたが、毎日薬師寺の東の門や都の巷《ちまた》で布を広げて、往来の人々から施し物をもらいながら、千手観音《せんじゅかんのん》に祈って視力が得られることを願っていた。正午の鐘が鳴るのを聞くと、鐘の聞こえた寺へ入っていき、正午を過ぎると僧侶《そうりょ》は食事をとらないので、

『延喜式』における鼓と鐘の打ち方

時刻	鼓の回数	鐘の回数	時刻	鼓の回数	鐘の回数
子の１刻（23:00）	9	1	午の１刻（11:00）	9	1
２刻（23:30）		2	２刻（11:30）		2
３刻（0:00）		3	３刻（12:00）		3
４刻（0:30）		4	４刻（12:30）		4
丑の１刻（1:00）	8	1	未の１刻（13:00）	8	1
２刻（1:30）		2	⋮	⋮	⋮
３刻（2:00）		3			
４刻（2:30）		4			
寅の１刻（3:00）	7	1	亥の１刻（21:00）	4	1
⋮	⋮	⋮	２刻（21:30）		2
			３刻（22:00）		3
			４刻（22:30）		4
巳の１刻（9:00）	4	1			
２刻（9:30）		2			
３刻（10:00）		3			
４刻（10:30）		4			

＊…は省略

食べ残しをもらっていたという。この人物が実在したとはかぎらないが、諸寺院で正午に鐘をついて合図にしていたことは事実だろう。現代の都会ほど機械音のない時代に、お昼になるとあちこちの寺の鐘がいっせいに聞こえる。音が時を告げることは、今よりもはるかに象徴的であった。

時間を記録する

文字の普及によって、記録を残すようになると、時間を記録することも行なわれる。ある書類を作成した際に、それが何年何月何日に作成したものだったかは、その書類にとって重要な情報である。あとからその情報を参照する場合には、それがいつの時点の情報だったのかによって、判断が変わってくるからである。手紙のやりとりや、貢納物《こうのう》の納入、帳簿への登録、役所の仕事の記録などに際して、年月日の情報が必要になってくる。

さらに、緊急の命令を伝える場合など、命令を発した時刻を記すことさえするようになる。平城《へいじょう》京《きょう》で見つかった木簡《もっかん》のなかには、急いで箱を六つ調達するように主人の命令を受けた執事が、命令を木簡に書き記して召し使いに送る際に、「三月五日」と日付を書いたうえで、さらに「巳《み》時四点」と丁寧に時刻まで書いたものがある。

巳時は午前九時から一一時までの間で、その間を四つに分けた三〇分ごとが「点」とされる。したがって、巳時四点は午前一〇時三〇分から一一時までの間ということになる。「緊急の命令としてこの時刻に発したからな」という、威圧すら感じられる命令書である。

地方の役人が書き記した事例もある。秋田城は奈良時代から平安時代にかけて現在の秋田市に置かれた役所である。出《で》羽国《わのくに》の北半分（秋田県のほぼ全域）を統括できるほどの充実した施設に、中央から送られた人たちを含め、役人から下働きまで多くの人々が勤務していた。そこから、六〇キロメートルほど南の蚶形駅家《きさかたうまや》（象潟《きさかた》町）に派遣された役人からの報告書が見つかっている。

釜の調査に派遣されたこの役人は、報告書を卯《う》時に出張先の蚶形駅家から発信した。さすがに蚶形駅家には漏刻はなかっただろうから、日の出直後から日時計で時間を見たのかもしれない。卯時は午前五時から七時の間にあたる。朝一番の仕事をこなして、秋田城にいる上司に送った報告書だった。時計が普及すると同時に、人々が時刻に追われる日常も始まったのである。

7

◉**発信の時刻を記した報告書**
秋田城にいる出《で》羽介《わのすけ》（出羽国の次官）にあてた上申文書の末尾に、「五月二日卯時自蚶形駅家」（五月二日卯時、蚶形駅家より）と記されている。（秋田城跡第一〇号漆紙文書）

年号制の開始

年を記すことが行なわれたなかで、「はじめに」でも紹介したように、八世紀になって大宝律令《たいほうりつりょう》の施行とともに、年号の使用が始まった。いや、むしろ正しくは、使用が命じられたといったほうがよいだろう。詳しくは第二章で述べていくことにするが、年号の使用は、年月日を記すという行為以上に、君主との関係をもつものである。月日は、一年間という周期のなかで日付として意味をもつが、一年を超える長い時間のなかではどの年のどの月日なのかが問題となる。年を記す場合には、当初は干支《かんし》が用いられていた。

干支は、甲《こう》・乙《おつ》・丙《へい》・丁《てい》・戊《ぼ》・己《き》・庚《こう》・辛《しん》・壬《じん》・癸《き》という順序に定められた十干《じっかん》と、子《し》・丑《ちゅう》・寅《いん》・卯《ぼう》・辰《しん》・巳《し》・午《ご》・未《び》・申《しん》・酉《ゆう》・戌《じゅつ》・亥《がい》という順序に定められた十二支《じゅうにし》の文字を組み合わせて、

六十干支表

51	41	31	21	11	1
甲寅《きのえとら》《コウイン》	甲辰《きのえたつ》《コウシン》	甲午《きのえうま》《コウゴ》	甲申《きのえさる》《コウシン》	甲戌《きのえいぬ》《コウジュツ》	甲子《きのえね》《カッシ（コウシ）》
52	42	32	22	12	2
乙卯《きのとう》《イツボウ》	乙巳《きのとみ》《イツシ》	乙未《きのとひつじ》《イツビ》	乙酉《きのととり》《イツユウ》	乙亥《きのとい》《イツガイ》	乙丑《きのとうし》《イツチュウ》
53	43	33	23	13	3
丙辰《ひのえたつ》《ヘイシン》	丙午《ひのえうま》《ヘイゴ》	丙申《ひのえさる》《ヘイシン》	丙戌《ひのえいぬ》《ヘイジュツ》	丙子《ひのえね》《ヘイシ》	丙寅《ひのえとら》《ヘイイン》
54	44	34	24	14	4
丁巳《ひのとみ》《テイシ》	丁未《ひのとひつじ》《テイビ》	丁酉《ひのととり》《テイユウ》	丁亥《ひのとい》《テイガイ》	丁丑《ひのとうし》《テイチュウ》	丁卯《ひのとう》《テイボウ》
55	45	35	25	15	5
戊午《つちのえうま》《ボゴ》	戊申《つちのえさる》《ボシン》	戊戌《つちのえいぬ》《ボジュツ》	戊子《つちのえね》《ボシ》	戊寅《つちのえとら》《ボイン》	戊辰《つちのえたつ》《ボシン》
56	46	36	26	16	6
己未《つちのとひつじ》《キビ》	己酉《つちのととり》《キユウ》	己亥《つちのとい》《キガイ》	己丑《つちのとうし》《キチュウ》	己卯《つちのとう》《キボウ》	己巳《つちのとみ》《キシ》
57	47	37	27	17	7
庚申《かのえさる》《コウシン》	庚戌《かのえいぬ》《コウジュツ》	庚子《かのえね》《コウシ》	庚寅《かのえとら》《コウイン》	庚辰《かのえたつ》《コウシン》	庚午《かのえうま》《コウゴ》
58	48	38	28	18	8
辛酉《かのととり》《シンユウ》	辛亥《かのとい》《シンガイ》	辛丑《かのとうし》《シンチュウ》	辛卯《かのとう》《シンボウ》	辛巳《かのとみ》《シンシ》	辛未《かのとひつじ》《ジンビ》
59	49	39	29	19	9
壬戌《みずのえいぬ》《ジンジュツ》	壬子《みずのえね》《ジンシ》	壬寅《みずのえとら》《ジンイン》	壬辰《みずのえたつ》《ジンシン》	壬午《みずのえうま》《ジンゴ》	壬申《みずのえさる》《ジンシン》
60	50	40	30	20	10
癸亥《みずのとい》《キガイ》	癸丑《みずのとうし》《キチュウ》	癸卯《みずのとう》《キボウ》	癸巳《みずのとみ》《キシ》	癸未《みずのとひつじ》《キビ》	癸酉《みずのととり》《キユウ》

一番目から六〇番目までの順序を示す方法である。これをあてはめて年を示せば、六〇年分は順序を示すことができるのである。六〇年分あれば、日常的には事足りたのであろう。六〇年数えると干支はまたもとに還《かえ》ってくる。六〇年を還暦というのは、これによる。

干支は、さらに日付を示す場合にも使われた。一か月は三〇日程度であるから、六〇通りの順序が付けられる方法ならば、日付を表わすことが可能になる。こうして、三月の甲子《かっし》の日とか、閏《うるう》一二月の乙亥《いつがい》の日というような書き方で、日付を表わすこともあった。

干支での年の表記は、六〇年たつとまた同じ表記になる。いわば個性のない記号として使われるものであった。しかし、七〇一年に始まった年号制度は、あるまとまった数年間に対して、固有の呼び方を確立させることになる。君主が定めた年号を、支配下の人々が一律に使うということは、人々がある時代を共有することにほかならない。それまでにも、江田《えた》船山《ふなやま》古墳出土の大刀《たち》の銘文に「天の下治《し》らしめしし獲《わ》（加多支《かたけ》）鹵《る》大王の世」と見えるように、君主が誰であったのかを示して、その時代を表現することはあった。年号は、これよりも簡易に、ある数年間の時代を明示することができるようになる。君主は、年号を定め、使用を義務づけることによって、人々の生きている「時代」をも支配する存在となったのである。

年号の使用が始まり、ここに、古代国家における時間の制度の諸要素が出そろった。文字による記録という技術とともに、時間を掌握することは、支配者によって導入された、国家の基礎となる新たな文明だったのである。

日本の「歴史」の始まり

歴史書の始まり

現代の私たちが過去からの歴史を意識するとき、まず第一に念頭におくのは、歴史書としてまとめられた書物だろう。もっとも古い歴史書は、『古事記《こじき》』の編纂《へんさん》材料になったとされる「帝紀《ていき》」と「旧辞《きゅうじ》」である。『古事記』序文には、天武《てんむ》天皇のもとで始められた歴史書の編纂事業において、諸家に伝わっている「帝紀」を撰《えら》び録《しる》し「旧辞」を検討したと語られている。『日本書紀《にほんしょき》』では、天武天皇一〇年（六八一）に、「帝紀」と「上古諸事《じょうこのしょじ》」を記《しる》し定めることが始められたと伝えられている。「帝紀」と組みになって扱われていることから、「上古諸事」は「旧辞」と同内容のものを指していると思われる。「帝紀」と「旧辞」については、古くは口誦《こうしょう》で伝えられていた内容が、六世紀頃に筆録されたものであろうと考えられている。

国内で歴史書が編まれたもっとも古い記録は、推古《すいこ》天皇二八年（六二〇）のことで、厩戸皇子《うまやどのみこ》と蘇《そ》我馬子《がのうまこ》が協議して、『天皇記《てんのうき》』『国記《こっき》』『臣《おみ》・連《むらじ》・伴造《とものみやつこ》・国造《くにのみやつこ》・百八十部并公民等本記《ももやそとものおあわせておおみたからどものほんき》』を筆録したと伝えられている。『天皇記』は歴代天皇の系譜や、王位の継承に関する記述、『国記』は国政に関する記述、『臣・連・伴造・国造・百八十部并公民等本記』は中央・地方の諸氏族や支配下に置かれた人々についての記述であろう。

これらの書物は、蘇我氏の邸宅に保管されていたようで、皇極《こうぎょく》天皇四年（六四五）に蘇我入鹿《いるか》が中《なか》臣鎌足《とみのかまたり》や中大兄皇子《なかのおおえのみこ》らによって殺害されたときに、馬子の子で入鹿の父である蘇我蝦夷《えみし》が、自身に危害が及ぶ前に焼いてしまおうとした。このとき、船恵尺《ふねのえさか》という渡来系の人物によって『国記』は火の中から救い出され、中大兄皇子に献上されたという。書物じたいは、現代ではすでに失われており、どのようなものであったのか詳細はわからない。

『日本書紀』の成立

推古《すいこ》天皇の時期から六〇年ほどのちの天武《てんむ》天皇一〇年（六八一）になって、前代の天智《てんち》天皇の子であった川島皇子《かわしまのみこ》と天武天皇の子の忍壁皇子《おさかべのみこ》を中心として一二人のメンバーが選ばれ、「帝紀」と「上古諸事」を記《しる》し定めることが始められた。六世紀での「帝紀」「旧辞」を始まりとして、七世紀前半の『天皇記』『国記』『臣・連・伴造・国造・百八十部并公民等本記』をつぎの段階と考えるならば、七世紀末に新たに開始されたこの歴史書編纂《へんさん》事業は、第三の段階ということができる。

途中紆余曲折《うよきょくせつ》を経たのであろうが、編纂事業開始から三九年の歳月を経た養老《ようろう》四年（七二〇）になって、ようやく『日本紀《にほんぎ》』が完成し元正《げんしょう》天皇に奏上された。現在『日本書紀』として伝わるこの書物は、当初は『日本紀』と呼ばれており、持統《じとう》天皇の代までの歴史、すなわち六九七年までの歴史をまとめている。

『日本紀』の完成によって、後世に伝えていく書物としての歴史書は、ひとつの到達点を迎えた。

『日本紀』が扱った時代は、これ以後には編纂の対象とはなっていない。つまり、『日本紀』は、これが扱っている時代についての決定版の歴史書として、ひとつのスタイルを完成させたのである。これ以降、日本は歴史書をもつ国家となり、『日本書紀』に記された以降の時代については、九世紀まで何度か歴史書をまとめる営みを繰り返していく。国家が主体となって、歴史書を編纂するプロジェクトチームを組織し、国家の立場による「国史」を編纂していくのである。この編纂事業によって、『日本書紀』以降、『続日本紀《しょくにほんぎ》』『日本後紀《にほんこうき》』『続日本後紀』『日本文徳天皇実録《にほんもんとくてんのうじつろく》』『日本三代実《にほんさんだいじつ》録《ろく》』という五つの「国史」がまとめられた。今日これらをあわせて「六国史《りっこくし》」と呼んでいる。

「倭」から「日本」へ

中国の歴代王朝から、日本列島の地域は長らく「倭《わ》」と呼ばれてきた。しかし、この「倭」は、自称したのではなく、中国側からの呼び方として記録に残されている。もちろん、倭の五王が中国

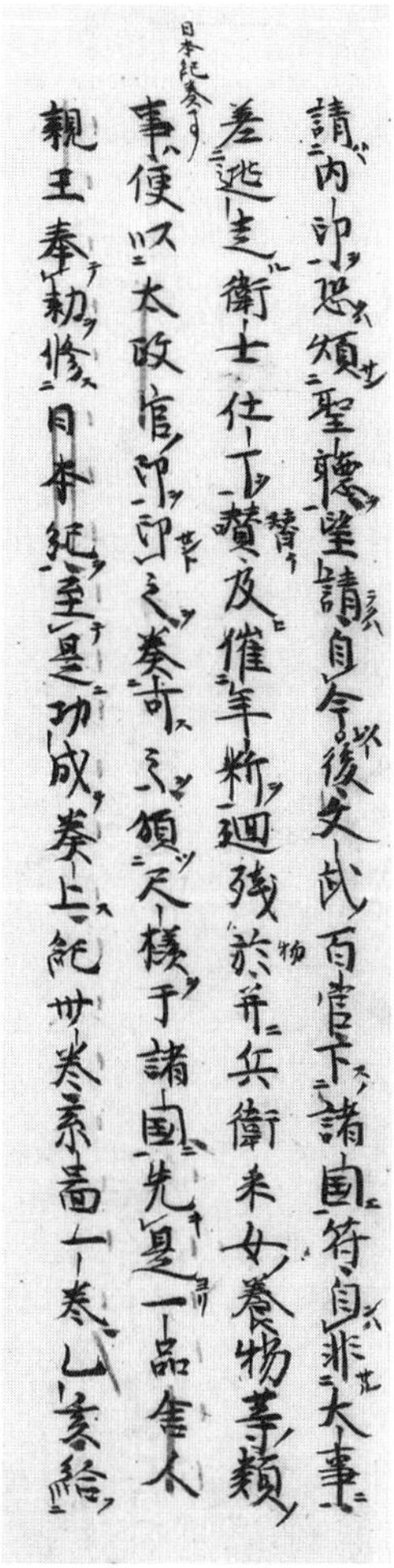
請内印恐煩聖聴望請自今後文武百官下諸国符自非大事
差逃走衛士仕丁替及催年料廻残物并兵衛采女養物等類
事便以太政官印印之奏可之頒天様于諸国先是一品舎人
親王奉勅修日本紀至是功成奏上紀卅巻系図一巻

8

◉『日本書紀』の完成を伝える記事　『日本書紀』が完成し、奏上されたことを記す。当初は『日本紀』という書名であり、現在は失われている系図一巻も付属していたことがわかる。『続日本紀』養老四年五月二一日条（谷森《たにもり》本）。

南朝に朝貢していた時期には、上表文などでみずからを「倭国王」と称しているようだが、これも中国王朝のもとでの国際秩序に従い、他称に合わせて用いていたと考えるほうがよいだろう。七世紀初頭に遣隋使《けんずいし》が渡った際にも、まだ隋王朝からの呼称は「倭」であった。

「日本」という国名が使われたことがわかるのは、八世紀初頭に派遣された遣唐使《けんとうし》についての記録が最初である。大宝《たいほう》二年（七〇二）に日本をたった遣唐使の一行は、中国の楚州《そしゅう》に着岸し、やってきた唐人からどの国の者かと尋ねられた際に、「日本国の使い」であると答えた。中国の人々はこのとき「海の東に大倭国があるらしいが……」と反応している。それまで「倭」としてきた国と、いま「日本」と名のった国が、同じなのか、別の王朝なのか、中国からすれば事情がすぐには飲み込めなかったであろう。六七一年以来、唐との使者の往来はなく、このときの遣唐使は三一年ぶりの外交交渉であった。その三一年の間に、「日本」と自称する方針を定めたことになる。

このような、「倭」から「日本」への転換は、まさに『日本書紀』編纂の時期と重なる。つまり、みずからの国の歴史を『日本紀』『日本書紀』と呼び、自国の称として「日本」の語を使うようになったのは、ほぼ同じ時期にあたっている。

振り返れば、『天皇記』『国記』『臣・連・伴造・国造・百八十部并公民等本記』が編纂された七世紀初頭の時期も、国家観をゆるがすことがあった。遣隋使の派遣によって、大帝国に接触し、それまでにすでに一〇〇〇年以上もの歴史を編纂してきた中国文明における国家観に触れることがあったのである。しかし、このときは新たな国号を自称するまでにはならなかった。七世紀のうちに、東アジアにおける激動の時代と、国家の制度の整備を経て、はじめて自国をひとつの国家として自覚し、対外的な自称として「日本」を使うようになったのである。

国家の歴史としての歴史書

そもそも、歴史書はどのような意識をもって編纂《へんさん》されるのだろうか。中国における歴史書は『史《し》記《き》』に始まるが、これを叙述した司馬遷《しばせん》は、伝説上の天子である黄帝《こうてい》から始めて、自身の生きている同時代の前漢第七代皇帝である武帝《ぶてい》の時代（紀元前一四一〜紀元前八七年）までをまとめた。その後、この跡を継いで前漢《ぜんかん》の時代の歴史が後漢《ごかん》の時期にまとめられ、『漢書《かんじょ》』ができた。そして、これを前例に、歴代の王朝の歴史がまとめられるようになる。

『日本書紀』が範とした歴史書をつくるという行為は、中国王朝がつくりだした文明の一環である。ひとつの国の歴史として、それまでの出来事をまとめて書物としていくことは、その書物に描かれる世界を、ひとつの国家として位置づけることになる。「自分たちの国」に対する意識が高くなってきたからこそ、こうした歴史書を編纂する気運ができるのであり、またその編纂作業を通して、よりいっそう、他国から独立した「自国」という存在の意識が強まっていくことになるだろう。

歴史書の成立に関しては、それが国家によって必要だと認識され、国家のプロジェクトとして編纂チームが組織されてできあがったということも、あわせて考えておかなければならないだろう。歴史書とは、過去の出来事の展開をまとめたものであるが、その歴史とは、編纂を行なっている時代がどのようにして実現したのかという、編纂時点までのつながりとして語られる。

『日本書紀』のなかでは、あまたの神たちの時代からどのようにつながって、編纂が行なわれている七世紀末から八世紀初頭の時期に至っているのかが、編纂時点の国家の君主である天皇の存在を軸として叙述される。いわば、編纂時点での国家体制を大前提として肯定し、その国家体制がいかに正当、ないし正統なものであるのかを、説明する書物なのである。

『日本書紀』としてのちに完成した歴史書の編纂が開始されたのは、先に述べたように天武《てんむ》天皇一〇年（六八一）であった。編纂が始められ、進められたこの時代において、歴史をまとめるということがどのような意味をもっていたのか。できあがった『日本書紀』は、その問題をそのまま背負って生まれた書物である。

即位前の天武天皇（大海人皇子《おおあまのみこ》）は、天智《てんち》天皇の弟として政治を補佐し、有力な後継者とみられな

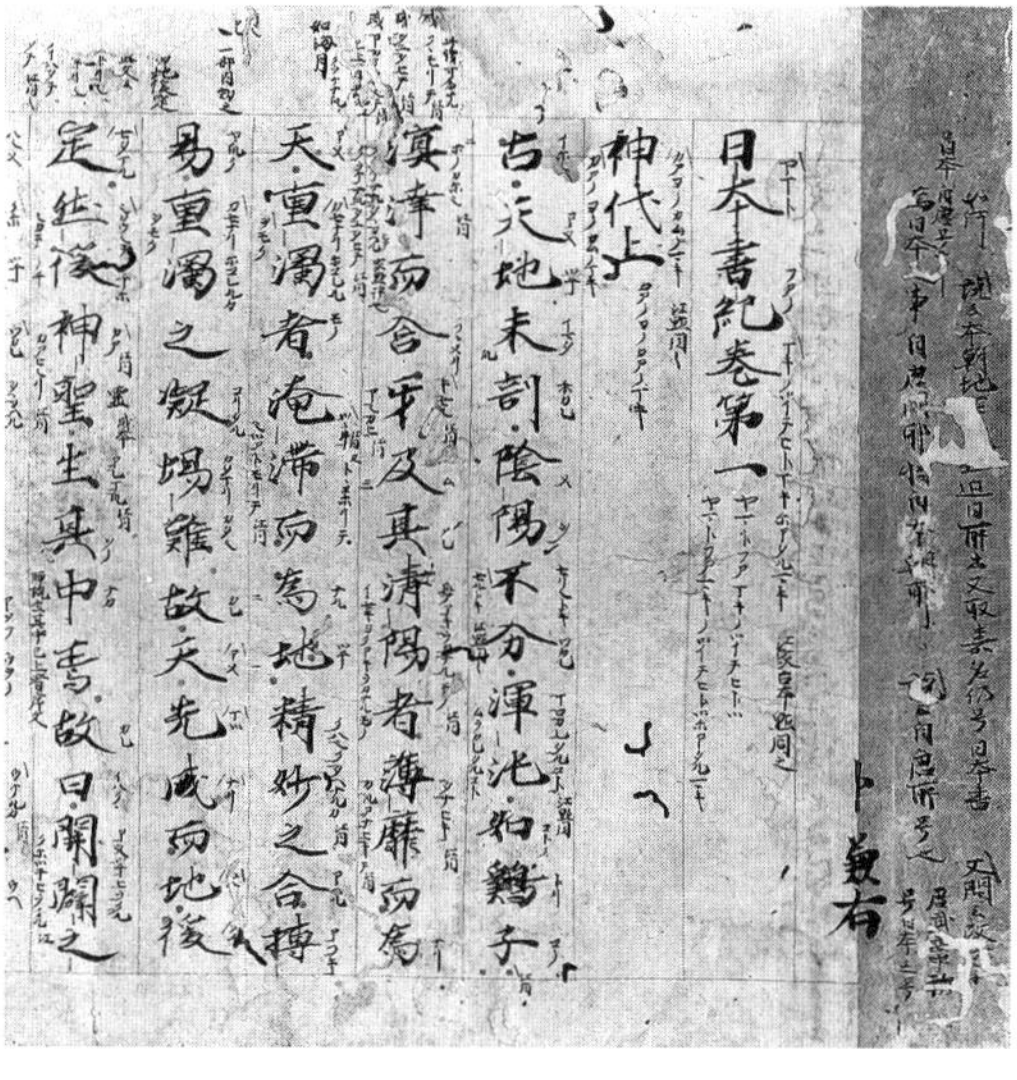

◉『日本書紀』巻一　神代上　巻頭部分（吉田本）　鎌倉時代の弘安九年（一二八六）卜部《うらべ》兼方《かねかた》の写本。歴史書は、このようにして書き写され、写本の形で伝えられた。小さい文字で、後世の研究による訓《よ》み方が注記されている。

9

がらも、天智天皇の没後にはその息子である大友皇子《おおとものみこ》が政権を継ぐかたちとなった。大海人皇子は彼を推す人々に盛り立てられながら、六七二年の皇位継承をめぐる大友皇子との内戦（壬申《じんしん》の乱《らん》）に勝利して政権を奪取した。即位した天武天皇にとって、自身の地位の正統性、さらには行なっている政治の正当性を述べていく意味があっただろう。

さらに広い視野からは、七世紀の激動の時代のうちに進められてきたさまざまな政治改革や、先進文明を模倣した官僚制や統治技術の導入が、どのように積み重ねられて現在の国家体制に至ったかを、編纂時点の視点から説いておく必要があったのである。国家がひとつの体制を確立したことの象徴として、私たちの時代に伝えられてきた『日本書紀』の意義があるだろう。

天皇制の確立

『日本書紀』は、天武《てんむ》天皇の時代における歴史書編纂《へんさん》の目的と、その時代の国家体制のあり方を背負って、生み出された書物であることを述べてきた。この時期、天皇を中心とした国家体制は、日本の歴史のなかでひとつの頂点を迎えている。

壬申《じんしん》の乱《らん》という内戦に際して、中央豪族たちは勢力を二分して戦った。激戦の結果、これに勝利して即位した天武天皇にとっては、味方となった豪族だけが残り、もとの中央豪族たちの半分は消えてしまったのである。このことによって、天武天皇はそれまでの天皇よりも、豪族勢力との関係においては相対的に強い権力をもつことになった。

また、戦乱における指導力を発揮したことによって、勝利のあとには強いカリスマ性をもった君主として、味方となった豪族たちを率いていくことになる。いわば、天皇権力の絶対化が達成されていた時期であり、その時期に中国の律令《りつりょう》制に由来するさまざまな制度を導入し整備していくことによって、中国の皇帝に似た側面を身につけ、天皇を頂点とする国家体制が確立していったのである。

天武天皇の時期に、近代にイメージされる古代天皇制といわれる支配体制が確立していくのであり、天武天皇時代の意義はきわめて大きいと考えなければならないだろう。

天皇統治体制を支える「歴史」の創成

『日本書紀』に描き出された過去に対する観点、すなわち歴史観・歴史認識は、天武《てんむ》天皇の時代の国家体制へつながる歴史として、編纂《へんさん》し語られたものである。日本列島の創成から書き起こされた神話の部分は、歴史書を生み出した時代の天皇へとつながってゆくように叙述されている。それまで、さまざまに伝えられてきた神々の物語は、歴史書の編纂過程で再編されたのだろう。同時期にまとめられたと伝えられる『日本書紀』と『古事記』では、神話の筋道は必ずしも同じではない。これは、天武天皇の段階までには、本来統一されていた話ではなかったことを示している。神話の整理・編成は、天武天皇を支える体制の正統化のための由来譚《ゆらいたん》として、『日本書紀』じたいの目的に添うかたちで神話を整理しているのだろう。

この歴史書編纂は天武天皇が没したときには完成していなかった。絶対的存在であった天武天皇に対して、その跡を継いだ持統《じとう》天皇も、別な意味で絶対的存在であったといえる。持統天皇が即位した事情は、天武天皇との間の子である草壁皇子《くさかべのみこ》が即位を待たずに亡くなったことによって、孫の軽皇子《かるのみこ》が成人するまで、天智《てんち》天皇の皇女としての資格によって即位したとする見方が通説である。この時期も夫の天武天皇の時期からの律令《りつりょう》制の整備は継続した事業として進められており、国家は同じ方針で充実していく途上にあった。持統天皇は、天武天皇とともに壬申《じんしん》の乱《らん》の戦場をくぐり抜け、苦楽をともにした存在である。天武天皇即位に伴う皇后の地位にあっても、そのカリスマ性は天武天皇に次ぐものであったろう。

天武・持統・不比等を中心とした系図

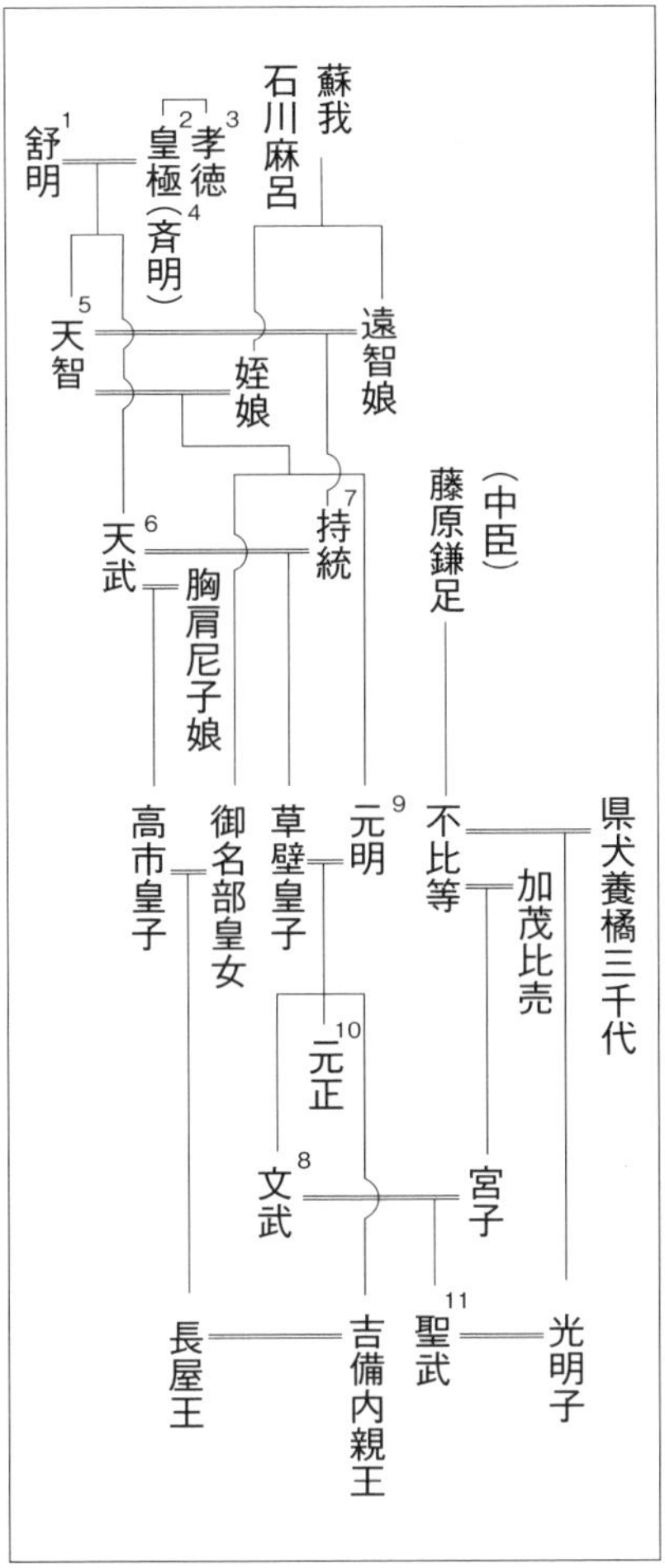

六九七年に軽皇子へ譲位したことによって、持統は太上天皇《だいじょう》となった。しかし、このことは同時期に天皇としての存在が二人いる政治体制を生み出すことになる。軽皇子が即位して文武《もんむ》天皇となっても、譲位した持統太上天皇の存在は陰に隠れることはない。文武天皇の政治状況を後見し、あるいは補佐するかたちで、持統太上天皇は、自身が天皇の位にあった時期の貴族たちとともに、政治に大きく関与していたとみられる。彼女が命令を発すれば、太上天皇からの命令であるが、これもまた文武天皇からの命令と同じく、詔《しょう》や勅《ちょく》として扱われることになる。大宝律令制《たいほうりつりょうせい》が用意され、それが施行されていく、日本の歴史上でも重要な律令制整備期において、いわば二人の君主が存在したような状況があったのである。

このように持統天皇が権力をもった時期を経て、『日本書紀』はできあがっている。すなわち、編纂の開始された時点での天武天皇体制の正統化というだけでなく、天武・持統体制の正統化のための書物として、『日本書紀』はできあがったと考えることができるだろう。持統天皇は、天智天皇の皇女であることは先に述べた。このことは、少なからず『日本書紀』の歴史観に影響を与えているように思われる。

天武天皇は、天智天皇が指名した後継者を否定するかたちで、内戦を戦い、多くの犠牲を払って勝利し王権を掌握した。いわば前代の王権を簒奪《さんだつ》したという評価もできる。『日本書紀』では、三〇巻からなる構成のうち、わずか一か月あまりにしか満たない壬申《じんしん》の乱《らん》の戦闘記録に、一巻分（巻二八）の大部分を割いており、歴史を描き出すうえで壬申の乱を重視していることは明らかである。

そうであれば、前代の天智天皇を否定した叙述がなされそうに思われるのだが、『日本書紀』での天智天皇の業績は、即位前の中大兄皇子《なかのおおえのみこ》の時期のものも含めて否定的に描かれてはいない。軍事同盟関係にあった百済《くだら》を救援する目的で大陸に出兵し、六六三年の白村江《はくそんこう》の戦いでの大敗という結果をもたらした政治方針についても、中大兄皇子に関するかぎり否定されてはいないのである。

それだけではない。『日本書紀』における乙巳《いっし》の変《へん》（六四五年）における蘇我入鹿《そがのいるか》殺害からの「大化改新《たいかのかいしん》」といわれる一連の政治過程においては、ずっと中大兄皇子・中臣鎌足《なかとみのかまたり》の活躍が描かれている。持統天皇の時期に、そのもとで頭角を現わし政治手腕を見せたのが藤原不比等《ふじわらのふひと》であったが、鎌足は彼の父である。持統と不比等のそれぞれの父の業績を、肯定的に評価する立場から、『日本書紀』は歴史像を語り、編纂時点における体制の由来としているのである。いわば、中大兄皇子（天智天皇）も中臣鎌足も正統化されているということになる。『日本書紀』における歴史像は、持統天皇の父であった天智天皇の業績を顕彰することも行ない、天武天皇から持統天皇の時期にわたるひと続きの国家体制を擁護しているのである。

歴史認識の再生産

こうして成立した『日本書紀』は、編纂《へんさん》された時点での歴史認識を語り、その歴史認識を再生産していくことになる。完成して奏上された翌年の養老《ようろう》五年（七二一）には、講書が行なわれた。講書とは朝廷で行なわれた公式の講義のことであり、できあがった『日本紀』の内容を広く伝えるねらいがあっただろう。講書は、その後しばらくは行なわれていなかったが、九世紀前半の弘仁《こうにん》三年（八一二）からは、一〇世紀なかばまで約三〇年おきに行なわれた。

大がかりな講書の形式ではなくとも、貴族たちが日常的にこの歴史書に触れる機会は多々あっただろう。天武《てんむ》天皇・持統《じとう》天皇ののち、その子孫が数十年にわたって天皇の位を継いでいく間、『日本書紀』は、それぞれの時期における「今」の政治体制を擁護するものとしての機能をもちつづける。このような意味で、天武・持統体制期の国家観・歴史像を維持していくうえで、大きな役割を与えられ、またその役割を果たした書物なのである。いったんできあがった「国史」という存在は、単純には測りがたいほどの影響力をもっている。八世紀から九世紀にかけて、律令《りつりょう》制に規定された国家体制のもとにあった人々は、無意識のうちに、大きな影響をこうむっていたのではないだろうか。

このことは、現代の私たちにとっても、見過ごしがたい問題をはらんでいる。『日本書紀』の歴史像に擁護された政治体制が長く続いたことによって、現代に生きる私たちがこの時代を見るときには、彼らが生きていた時代に再生産された国家観・歴史認識によって叙述された史料を使っているのであり、間接的に影響をこうむっているのである。

また、七世紀以前の史実を探ろうとするとき、私たちにとって頼りにせざるをえないのが、『日本書紀』である。七世紀以前の時代について、これほどの情報量をもっている書物はほかにない。これに頼って分析を進めるうちに、達成された国家像として天武・持統体制をとらえてしまいがちであることは否《いな》めないであろう。そのことは、『日本書紀』の術中に陥っている側面がなくもない。

現在につながる古代史研究の基礎は、江戸時代における国学の成果のなかから生まれてきた。『日本書紀』の研究においては、それ以来の通説となっていることもある。明治時代以降の近代歴史学は、その成果を受け継ぎながら発展してきたが、結果として国学以来、『日本書紀』の論理に影響されている面も少なからず残されている。信頼度が高く比較できるようなほかの史料が少ない時代について、『日本書紀』の世界観を客観的にとらえるのは、なかなか難しいことでもある。『日本書紀』の成立によって、日本は伝えることのできる「歴史」をもった。しかし、それは素朴単純な時代順の物語なのではない。成立時点での国家体制を大きく背負った書物として、その後の社会に継続して影響を与えつづけることになったのである。

コラム1　奈良時代の人口

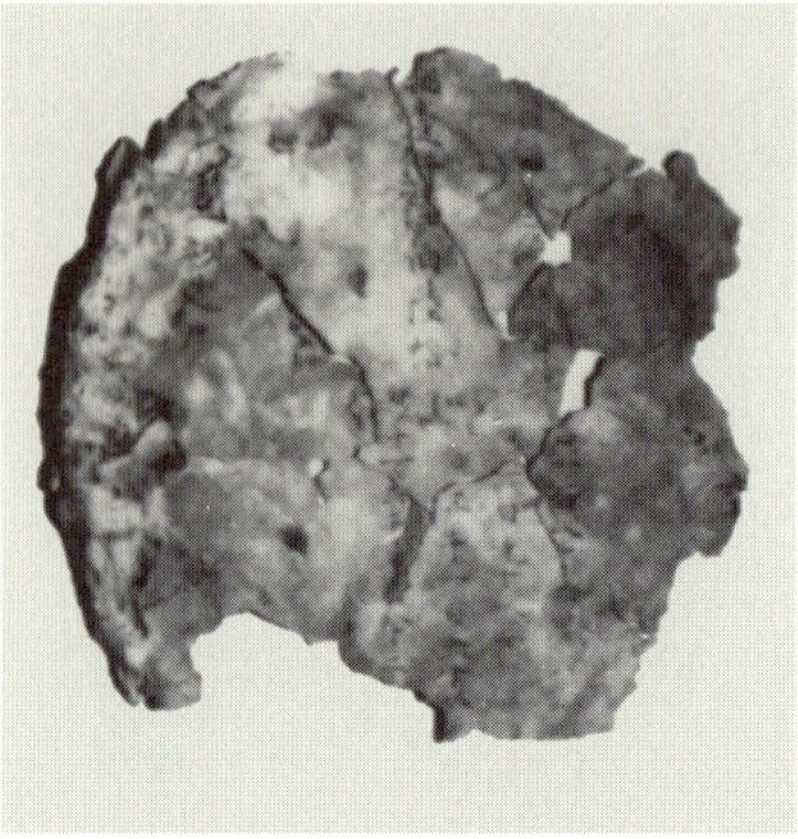

◉人口集計の文書
鹿の子C遺跡二三七号漆紙文書。常陸国府の工房群で、国府で不要になった書類が漆塗り作業現場で使われた。

奈良時代の日本は、どのぐらいの人口だったのだろうか。

現在これを計算するうえで有力な史料となっているのが、茨城県石岡《いしおか》市鹿《か》の子《こ》C遺跡から見つかった漆紙文書《うるしがみもんじょ》である。この文書は、八世紀末ごろの常陸国《ひたちのくに》における神戸《かんべ》などの戸の扱いごとに人口を集計したものらしい。これをもとに、当時の常陸国の人口は、約二二万四〇〇〇〜二四万四〇〇〇人と推計されている。

さらに、『延喜《えんぎ》式《しき》』に規定されている全国の出挙《すいこ》稲《とう》額と常陸国の出挙稲額を使って比例計算し、いく分かの修正を加えると、全国の人口は六〇〇万人前後となり、現在の日本の人口一億二〇〇〇万人の約二〇分の一にあたる。

皆さんがもっていたイメージと比べて、はたして多かっただろうか、少なかっただろうか。

第二章

東アジアのなかの日本列島

1

朝鮮半島諸国とのつながり

朝鮮半島諸国と鉄資源

第一章でも触れたが、倭《わ》の王が中国南朝と交渉をもったのは、五世紀のことであった。南朝との交渉によって獲得しようとしたもの、それは称号である。倭王の讃《さん》は、朝鮮半島の高句麗《こうくり》や百済《くだら》に倣って、官爵の授与を宋《そう》王朝に願い出て称号を与えられたが、この称号はおそらく「安東《あんとう》将軍倭国王《しょうぐんわこくおう》」であったと考えられ、同時期の高句麗王が「散騎常侍督平州諸軍事征東大将軍」、百済王が「使持節都督百済諸軍事鎮東大将軍」であるのに比べてみれば、はるかに格下であった。これ以降、珍《ちん》・済《せい》・興《こう》・武《ぶ》の四人の倭王も次ページの表のような称号獲得の交渉を行なっている。

五人の倭王がこのような称号獲得をめざした外交は、朝鮮半島の諸国に対する倭の立場を、東アジアの中心である中国王朝に認めさせる意味合いがあった。倭王は、自称では百済を含めた支配権を主張するのだが、宋王朝から百済の支配権が認められたことは一度もない。宋から見るかぎり、倭よりも百済のほうが、一貫して高く評価されていたのである。倭は、朝鮮半島南部で百済と新羅《しらぎ》に挟まれた加耶《かや》（加羅《から》）諸国とは、五世紀初頭から交流があり、加耶諸国と友好関係を築きつつあった百済との関係も、加耶南部の勢力を介して結びついたと考えられる。

●年号と干支を並記した木簡
「大宝元年」と「辛丑《しんちゅう》」を並記しており、年号制の開始時点における過渡的な表記である。（福岡市元岡《もとおか》・桑原《くわばら》遺跡出土）
前ページ写真

一方、百済は倭と連携して、北からの脅威となっていた高句麗に対抗していた。現在、奈良県天《てん》理《り》市の石上神宮《いそのかみじんぐう》に伝わる七枝刀《しちしとう》（七支刀）には、三六九年に百済王が倭王のためにつくらせた旨の銘文があり、四世紀における交流の痕跡《こんせき》を物語っている。また、中国吉林《きつりん》省に残る、著名な高句《こうく》麗《り》好《こう》太王《たいおう》（広開土《こうかいど》王《おう》）碑《ひ》には、三九一年以来、百済と提携した倭が、高句麗と数度の戦闘に及んだが、いずれも高句麗が撃破したと、高句麗側の視点で記されている。

四世紀末から五世紀初頭にかけて、百済は倭や加耶諸国と提携して、高句麗・新羅に対抗していた。五世紀前半の四二七年に高句麗は平壌《へいじょう》に遷都して南下を進め、五世紀なかばには新羅が高句麗

倭の五王が宋から受けた称号

交渉年	倭王	自称	獲得した称号
四二一	讃		（不明）
四二五	讃		（不明）
四三八	珍	使持節・都督倭百済新羅任那秦韓慕韓六国諸軍事・安東大将軍倭国王	安東将軍倭国王
四四三	済		安東将軍倭国王
四五一	済		使持節・都督倭新羅任那加羅秦韓慕韓六国諸軍事・安東将軍倭国王
四六二	興		安東将軍倭国王
四七八	武	使持節・都督倭百済新羅任那加羅秦韓慕韓七国諸軍事・安東大将軍倭国王	使持節・都督倭新羅任那加羅秦韓慕韓六国諸軍事・安東大将軍倭王

から離反して独自の動きを見せるようになり、百済と新羅が提携して高句麗に対抗する構図も生まれた。このような動きの間にも、倭はつねに百済と連携して行動しており、宋との外交交渉も、百済に導かれるかたちで進められた可能性が高いだろう。

五世紀の倭にとっての朝鮮半島諸国は、資源と文化の輸入先であった。鉄器の材料として需要のあった鉄は、朝鮮半島から輸入されていた。『日本書紀《にほんしょき》』では百済の王が谷那《こくな》の鉄山の鉄を倭に末長く献上することを申し出て、七枝刀と七子鏡《ななこのかがみ》を献上したと語られている。この伝承の内容が、七枝刀の贈られた背景であったのなら、それは四世紀後半にあたることになる。

倭王は四世紀以来の百済とのこうした関係を維持するなかで、鉄資源を獲得し、それを国内統治に活《い》かしていったのである。倭王武《ぶ》の上表文に知られる「祖禰《そでい》みずから甲冑《かっちゅう》を擐《つらぬ》き」という、武威に秀でた王のイメージは、鉄製の武具によって武装することではじめて可能となったのであり、朝鮮半島からの鉄資源が、倭王による国内統治を支えていた。

五世紀の朝鮮半島と倭

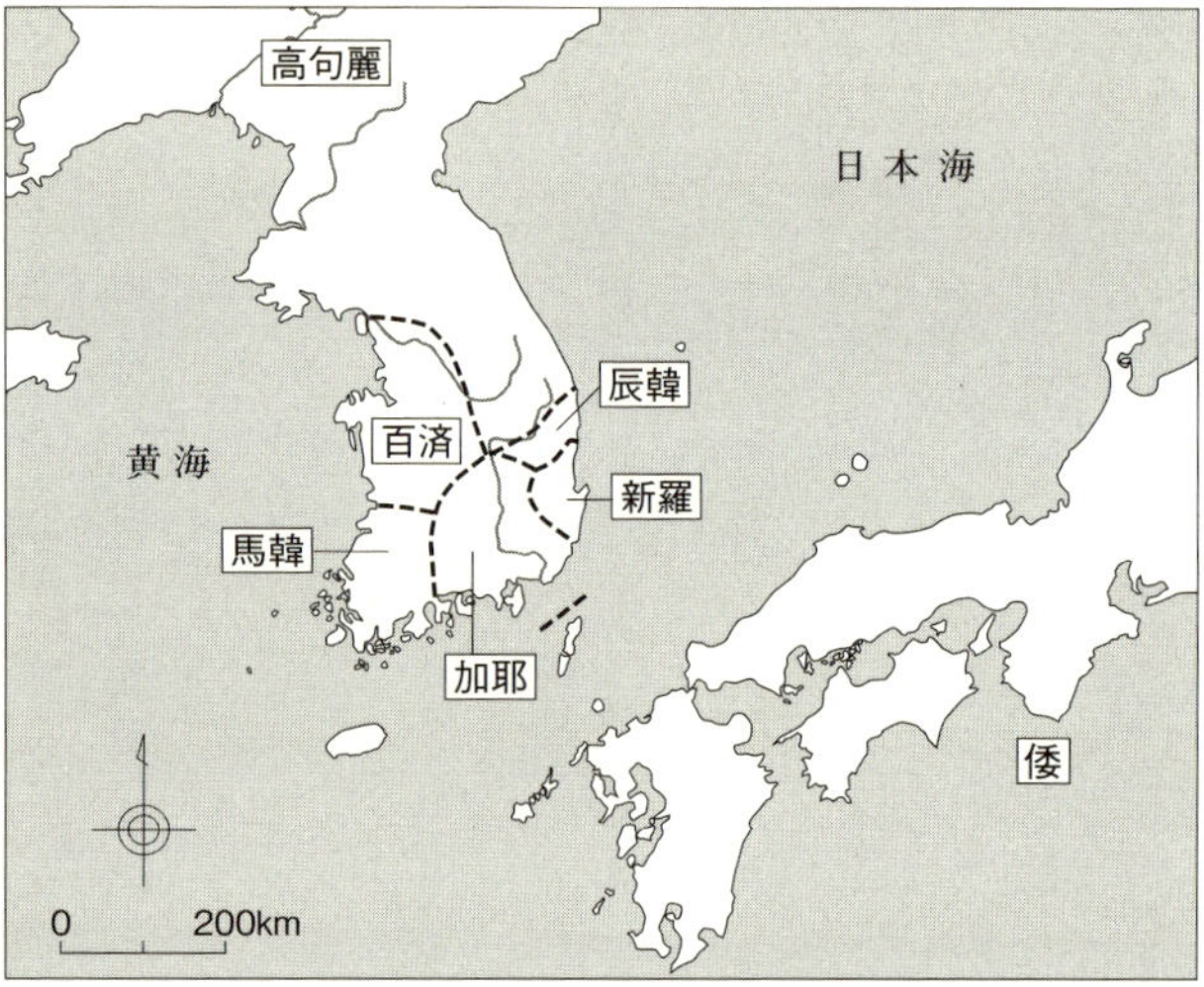

刀剣に象嵌された銘文

先に触れた七枝刀《しちしとう》には六一文字の銘文があり、難読であるために諸説分かれている部分もあるが、表側には「泰和《たいわ》四年五月十六日、丙午《へいご》正陽《せいよう》、百練鉄の七支刀を造る。生みて百兵を辟《さ》く…」と記されており、この刀を持っていると、敵対する多くの兵を退けることができるという意味が示されている。ここに見える泰和四年は、三六九年と考えられており、四世紀の百済《くだら》では、刀にこうした文句を記す文化があったことがわかる。

五世紀から六世紀にかけての、日本の古墳から出土した刀剣には、このように銘文が残されている事例があるが、そのなかには、この刀を持っているとよいことがあるという、いわゆる吉祥句《きつしょう》が書かれていることが多い。

第一章で紹介した熊本県玉名《たまな》郡和水町《なごみまち》の江田《えた》船山《ふなやま》古墳から出土した大刀《たち》にも、つぎのような銘文が記されている。

「天の下治《し》らしめしし獲《わ》□□□鹵《る》大王の世、典曹《てんそう》に奉事せし人、名は无利弖《むりて》、八月中、大鉄釜を用

2

◉石上神宮に伝わる七枝刀
特異な形で、刀身の両面に等間隔で六一文字が記される。「泰和」は、東晋の年号「太和」と音が通じるとみて、三六九年とするのが通説。

い、四尺の廷刀を幷《あ》わす。八十たび練り、九十たび振《う》つ。三寸上好の刊刀なり。此の刀を服する者は、長寿にして子孫洋々、□恩を得るなり。其の統《す》ぶるところを失わず。刀を作る者、名は伊太和、書する者は張安なり」

文中の「獲□□□鹵大王」は、埼玉県行田市《ぎょうだし》の稲荷山《いなりやま》古墳で出土した鉄剣の銘文にみられる「獲加多支鹵《わかたける》大王」とみられ、倭王武《わおうぶ》（『日本書紀』における雄略《ゆうりやく》天皇）に相当する、五世紀後半の人物である。

また、千葉県市原《いちはら》市の稲荷台《いなりだい》一号墳から見つかった五世紀中ごろのものとみられる鉄剣にも、文字が欠けている部分はあるが、表側には「王賜□□敬□《〔安カ〕》」、裏側には「此廷□□□□」と記されていたと考えられている。五世紀の王が与えたものとしての、この刀の裏側の銘文は、おそらくこの廷刀を持っている者によいことがあるという吉祥句が続くのであろう。

さらに、東京国立博物館に保管されている一本の大刀（右の写真）にも銘文がある。刀身は途中で折れてしまっているが、残っている刀身の背の部分に象嵌《ぞうがん》されている。じつは、この刀は朝鮮半島から出土したものである。象嵌された文字は、稲荷山古墳出土の鉄剣の雰囲気にも似ており、刀剣に象嵌で文字を記すということが朝鮮半島と共通した技術であることを強く印象づける。

そこに記された文章も「…畏《おそ》れざるなり。□此《こ》の刀の主をして、富貴高く遷《うつ》り、財物多からしむ

3

◉朝鮮半島出土の有銘環頭大刀
刀背に銀象嵌による銘文が残るが上部は刀身が欠損しており、文の途中から文末にかけてが知られる。

るなり」となっており、やはり吉祥句である。刀剣に吉祥句を記すという行為も、朝鮮半島と共通の文化ということができるだろう。もともと日本列島内には鉄資源は少なく、鉄刀や鉄剣の生産じたいも朝鮮半島のほうが盛んであったと考えられることから、刀剣に銘文を象嵌する技術が、朝鮮半島から伝えられたものであることは、疑う余地はない。

木簡と文字文化

朝鮮半島からは、ほかにもさまざまなものが伝わった。第一章で扱った文字を書く技術はそのひとつであるが、書き記す素材である木簡《もっかん》については、近年になって、朝鮮半島と日本との共通性がクローズアップされてきている。

日本では、木簡といえば八世紀の都であった平城京《へいじょうきょう》から見つかっている大量の木簡が著名であるが、その前段階の七世紀代の木簡の様相が、ここ二〇年ほどの間に、各地の発掘調査によって明らかになってきた。これと並行して、韓国でも発掘調査が進み、朝鮮半島諸国の木簡の姿も明らかになってきている。現在、韓国の木簡も三〇〇を超える点数に達し、形態や書式の傾向を知ることができるようになった。こうした比較研究が進みはじめると、日本における七世紀から八世紀初頭の木簡は、朝鮮半島諸国の木簡と共通する要素が多いことがわかってきたのである。

例として、荷札木簡《にふだもっかん》を取り上げてみよう。八世紀の日本の木簡の場合、荷札木簡の形態としては、細長い材を基本として、荷物にくくりつける紐《ひも》をかけるため、切り込みを入れたものが多くみられる。この場合、下の写真の①のように両端に切り込みを入れるか、あるいは②のように上端に切り込みを入れて下端はそのままにする、あるいは③のように上端に切り込みを入れて下端を尖《とが》らせるといった加工がなされているが、切り込みを入れる場所としては、上端が優先される傾向がある。

そうしたなかで、七世紀末から八世紀初頭の木簡のなかには、④のような下端にだけ切り込みを入れた事例が見つかっている。数としては多くはなく、また時期も八世紀初頭を下るものはない。八世紀前半のうちにこの形態は姿を消していったのであろう。それにしても、下端にのみ切り込みを入れた木簡が、なぜ古い時期だけにみられるのか不思議であった。

ところが、加耶《かや》地域にあたる韓国慶尚南道咸安《キョムサンナムドハマン》の城山山城から見つかった六世紀なかばごろの木簡群のなかに、⑤のような下端に切り込みを入れた荷札木簡が多く見いだされ、日本の木簡とのつながりが見えてきたのである。韓国で六世紀に使われていた、下端に切り込みを入れる形式の荷札は日本にも伝わってきたが、八世紀前半に日本で荷札木簡の形態が整理されていくなかで、駆逐されていったと考えられる。日本の古い時期の木簡は、朝鮮半島との共通性を色濃く残してい

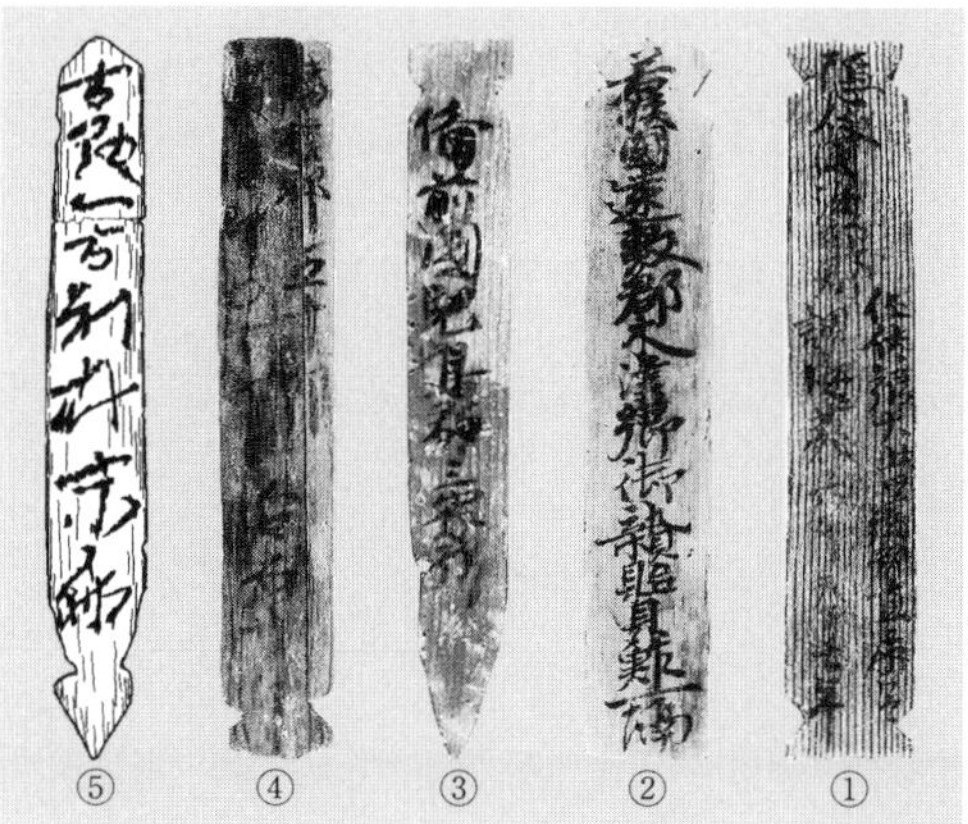

●荷札木簡の切り込みの例
①上下端の例、②上端の例（①②ともに平城京跡出土木簡）、③上端にあり下端は尖らせる例（平城宮木簡三二一号）、④下端の例（平城京木簡七六号）⑤韓国城山山城出土木簡（模式図）。

ることから、日本の木簡の文化は、そもそも朝鮮半島から伝わったものであることが明らかになってきたのである。

朝鮮半島の漢字用法の影響

漢字の使い方に関しても、近年になって、韓国で新たに見つかった木簡《もっかん》や金石文《きんせきぶん》の点数が増加することによって、日本への影響が具体的にわかるようになってきた。

日本には、同じ漢字でも中国と異なる意味を表わす文字がある。たとえば「鎰《いつ》」は、中国では金属の重さの単位を示すが、日本では八世紀前半には鍵《かぎ》の意味で使われており、その後もこの用例はずっと続く。平安《へいあん》時代の一〇世紀に編集された『倭名類聚抄《わみょうるいじゅしょう》』では、鍵は「鑰《やく》」と記すべきで、俗に「鎰」の字で記すのは間違いだと説明している。中国での漢字の使い方の知識がより深まった一〇世紀には、鍵に「鎰」の字をあてるのは、漢字本来の使い方からみて正しくないという認識に達したのであろう。

このことに関連する、韓国での出土遺物がある。新羅《しらぎ》の都であった慶尚北道《キョンサンプクド》の慶州《キョンジュ》において、七世紀後半に造営された宮殿苑地の雁鴨池《アナプチ》から、「合零闉鎰」という文字を刻んだ鍵が出土している。これによって、すでに新羅で「鎰」を鍵の意味で使っており、この用法が日本に入って定着したらしいことがわかってきた。

また、中国にはない「椋」の字が、日本で「倉《くら》」と同義で使われることが多く、長い間この字は日本でつくられた国字と考えられてきた。しかし、新羅でも「椋」と記した木簡や墨書された硯《すずり》が見つかり、現在では、この字は高句麗《こうくり》でつくられたと推定されて、それが百済《くだら》や新羅でも受容され、漢字文化が体系的に日本列島に伝わった際に、そのなかのひとつとして入ってきたと考えられるようになった。このように「鎰」や「椋」の日本での用法は、いずれも、朝鮮半島で定着した漢字の使い方が日本に入ってきたことによる。

文章表現に関しても、日本と朝鮮半島の文物とで共通する要素がみられる。朝鮮半島の言語は中国語とは異なっており、固有の言語に対して漢字を使って表記する方法が独自に模索されてきた。朝鮮半島の文物には、もちろん中国風の漢文で記されたものもあるが、固有の言語を表記するために工夫された一種の変体漢文のものもみられる。代表的な事例として、新羅の壬申誓記石《じんしんせいきせき》がある。原文はつぎのような順序で漢字が並んでいる。

壬申年六月十六日二人幷誓記天前誓今自
三年以後忠道執持過失无誓若此事失

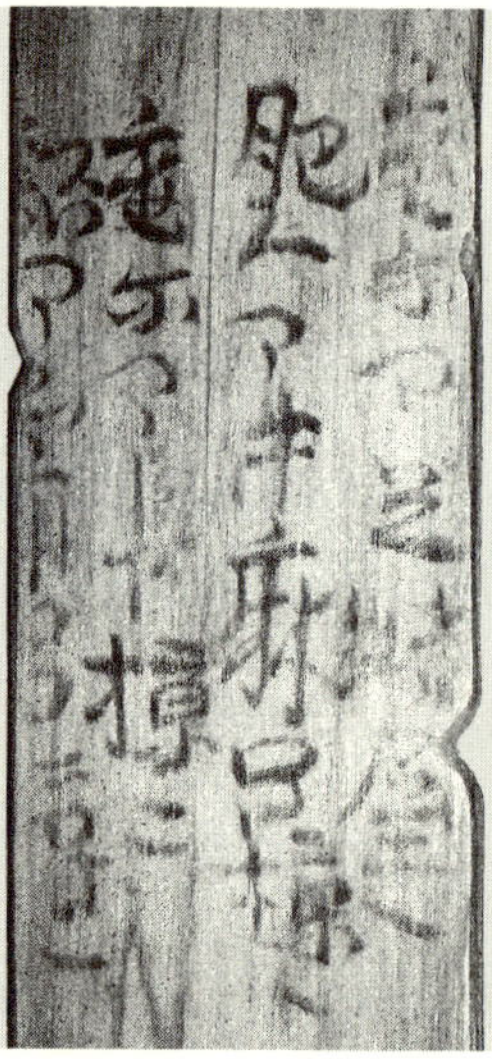

◉伊場《いば》遺跡（静岡県浜松市）二一号木簡に見える「椋」
七世紀の帳簿様の大型木簡。個人名の下に「椋」（=倉・蔵）と「屋」に関する情報が書き上げられている。

天大罪得誓若国不安大乱世可容
行誓之　又別先辛未年七月廿二日大誓
詩尚書礼伝倫得誓三年

この文字列は、一部分を除いて頭から漢字の並んでいる順番に、日本語の訓をあてて読んでいくと、つぎのような文章になる。

「壬申《じんしん》年六月十六日に、二人幷《なら》びて誓い記す。天の前に誓い、今より三年以後、忠道を執持《しつじ》し、過失无《な》きを誓い、若《も》し此《こ》の事を失すれば、天に大罪を得んことを誓い、若し国安からず大いに乱世たれば、まさに行なうべきを誓えり。又別に先の辛未《しんび》年七月廿二日に大いに誓い、詩・尚書《しょうじょ》・礼・伝を倫《つ》いで得んことを誓うこと、三年」

中国語では動詞のあとに目的語が配されるのに対して、新羅語は日本語と同様の語順で文章がつくられるため、日本語の訓で読めばそのまま読むことができるのである。このことは、新羅で使われていた表記方法が、日本語の漢字表記にも応用できることを示している。

日本でも、七世紀末から八世紀初頭の木簡に、これと似たような表記がみられる。滋賀県野洲《やす》市の西河原森ノ《にしがわらもりの》内《うち》遺跡から見つかった七世紀の木簡のひとつには、つぎのような文章が記されている（これまでの研究によって推定されている文字も含めて示す）。

〔表〕椋直伝之我持往稲者馬不得故我者反来之故是汝卜部
〔裏〕自舟人率而可行也　其稲在処者衣知評平留五十戸旦波博士家
（椋直《くらのあたい》伝う。我が持ち往《ゆ》く稲は馬得ぬ故、我は反《かえ》り来ぬ。故是《かれここ》に、汝卜部《なんじうらべ》、自ら舟人率て行くべきなり。其《そ》の稲の在処《ありどころ》は、衣知評《えちのこおり》の平留五十戸《へるのさと》の旦波博士《たにはのふひと》の家ぞ）

壬申誓記石も西河原森ノ内遺跡の木簡も、ともに文末に「之」字を使っているが、これは中国にはない用字である。さらに、文の切れ目に空格《くうかく》（一字分ほどの空白）をつくり、話が切れることを示している。こうした筆記のうえでの共通要素を見るかぎり、日本語を漢字で記すための方法は、最初は朝鮮半島での方法を取り入れながら形成されたと考えられる。

遣隋使の時代

四世紀以来、倭《わ》と朝鮮半島諸国、ことに百済《くだら》との関係は密接であり、協力関係は長く続いてきた。そうしたなかで、六世紀末に新たな動きが起こる。中国では北周《ほくしゅう》の軍閥集団のなかから出た楊堅《ようけん》（文帝《ぶんてい》）が、新たな王朝として隋《ずい》を建て、五八九年には南朝の陳《ちん》も滅ぼして、ここに、二七〇年ぶりに南北を統一した強大な王朝が登場した。この状況は、おそらく百済を介して倭に伝えられただろう。百済は、五八九年には隋に朝貢し冊封《さくほう》下に入っている。高句麗《こうくり》・新羅《しらぎ》も、それぞれ五九一年・五九四年に隋に朝貢した。おそらくこうした状況を把握したうえで、倭も隋と直接の外交関係をもつ必要を認識し、使者を送ることにしたのであろう。

推古《すいこ》天皇八年（六〇〇）に、倭の使者は隋に到着し宮殿に詣《もう》でた。迎接《げいせつ》担当者が尋ねた風俗についての質問に対し、倭の使者は倭王が天や日と兄弟である旨を答えたという。しかし、この妙な回答に対し、隋の文帝は「まったく理屈が通っていない」として、訓令し改めさせた。

以上のような、六〇〇年の使者派遣の記録は、中国側の歴史書である『隋書《ずいしょ》』倭国伝《わこくでん》に残されているが、じつは日本側にはこのときの記録が残っていない。端的にいえば、『日本書紀』に残されなかった遣隋使の記録は、倭の側が意図的に抹消した可能性が高いのである。六〇〇年の使者は、対隋外交の準備不足を露呈し、文帝から訓令されるという結果に終わった。外交政策の失敗である。使者の帰還ののち、政治を主導していた厩戸皇子《うまやどのみこ》（聖徳太子《しょうとくたいし》）と蘇《そ》我馬子《がのうまこ》はあわてたに違いない。この直後から国内にさまざまな動きがみられることは、対隋外交の対策としての面が強い。

『日本書紀』では六〇三年に、冠位十二階《かんいじゅうにかい》が制定されたことを伝えている。中国との外交のうえでは、

隋成立時の東アジア関係図

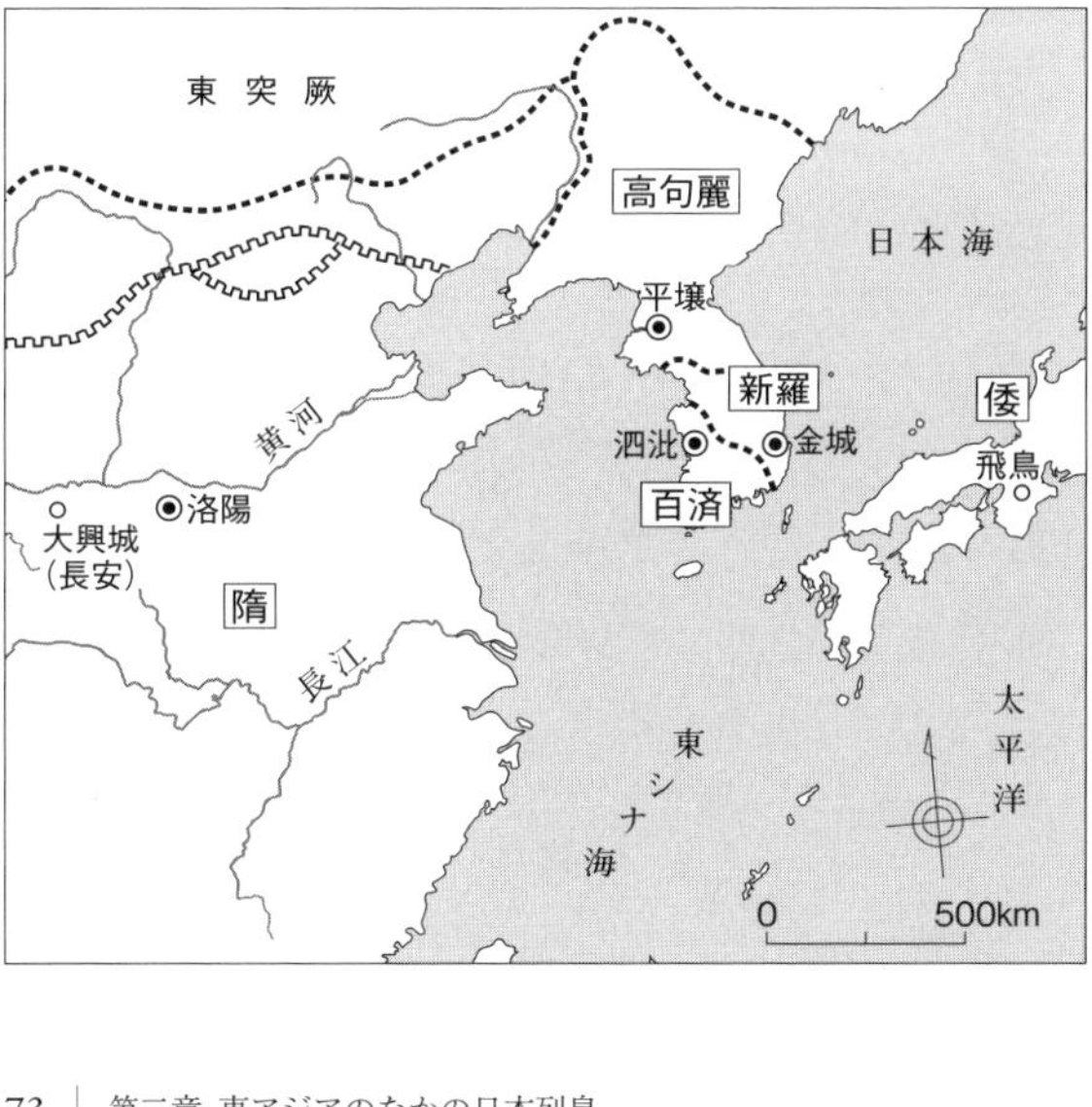

自国でどの程度の身分をもっている者が使者として出向いたのかが、その国の評価にもかかわってくる。しかし、六〇〇年の時点では、使者の倭国内での地位を示す客観的な指標は何もなかった。冠位十二階制は、政府内での個人の格付けをつくりだしたものであり、対隋外交の失策による衝撃を契機としていたのであった。近年の研究では、この冠位十二階は、百済の冠位制度をもとにしてつくりあげられたとされている。すでに交流のあった百済の知識を借り、対隋外交に向けた対策を講じていったのであった。

六〇七年に派遣された小野妹子《おののいもこ》は、二年前から皇帝となっていた煬帝《ようだい》を怒らせることになる。『隋書』によれば、倭からの国書は「日出ずる処《ところ》の天子、書を日没する処の天子に致す。恙《つつが》なきや云々」となっていた。煬帝は皇帝として天命を受け、天から地上世界の支配を託された唯一の存在である天子として、君臨していた。この世界観をまったく無視したような外交文書が、どのような印象を与えただろうか。

煬帝は外国使節の迎接を担当する鴻臚卿《こうろけい》（鴻臚寺の長官）に対して、「蛮夷《ばんい》の書に無礼があれば、二度と聞き届けなくてよい」と言っている。隋にとっては、今回の使者は無礼千万だが、隋と対立する高句麗への牽制《けんせい》という効果も考えたうえで、今後の外交関係を長い目でみようと考えたのだろう。翌年、帰国する小野妹子らに伴わせて裴世清《はいせいせい》を倭に送り、国書をもたらした。結果としては、倭にとって収穫はあったことになる。

六〇七年以降、倭からは隋に留学生・留学僧が送られ、直接に中国で学ぶ機会ができた。彼らの得た知識によって、朝鮮半島を媒介としない、中国文明の直輸入の道が開かれるが、こうした機会を得たのはまだごくひと握りの者たちである。国内の政治を動かしている大多数は、朝鮮半島系の知識をもつ人々であり、朝鮮半島からやってきた人々とその子孫、そして彼らのやり方を学んだ人たちだった。中国直輸入の知識が国内で活《い》かされるには、まだ時間を必要としていた。

百済の滅亡

隋《ずい》との直接外交を開始し、東アジアでの新たな外交関係を展開しはじめた倭《わ》にとって、七世紀なかばからは大きな試練が訪れた。隋国内の反乱が大規模化するなかで、煬帝《ようだい》が殺害されて隋が倒され、六一八年に李淵《りえん》によって新たな王朝である唐《とう》が建てられた。唐もまた強力な帝国として確立し、東に接していた高句麗《こうくり》との関係も微妙なものとなっていた。

高句麗は、以前に隋とも対立しており、隋は数度の遠征軍を派遣しながらも、高句麗側の抵抗によって遠征はことごとく失敗に終わっていた。隋が滅亡し王朝が唐に変わっても、高句麗の地位は安泰ではなかった。六四三年、新羅《しらぎ》が、高句麗と百済《くだら》によって唐への入国路を妨害されていると唐に訴えた。これ以後、国内の唐風化を進めることによって急速に唐との関係を改善した新羅は、唐と協力して、高句麗と同盟関係にあった百済を攻撃するに至るのである。

百済は長らく対抗関係にあった新羅と抗争を繰り返してきたが、唐の参戦はこの二国間の対立関係を大きく傾けることになった。六五九年四月に唐が参戦を決定したあと、六六〇年三月に唐の水軍と新羅の陸上軍が百済を挟み撃ちにし、七月には義慈王《ぎじおう》が降伏して、わずかの期間で百済は追いつめられ、国家の崩壊を迎えたのである。そのあとには唐の占領軍が駐留することになった。
百済政府が瓦解《がかい》してのちも、旧百済勢力は抵抗運動を続けていた。その中心であった僧道琛《どうちん》は、長年良好な関係であった倭に国家再興への助力を要請した。これを受けて倭は百済救援を決定し、斉明《さいめい》天皇が筑紫《つくし》（九州）の朝倉宮《あさくらのみや》に遷《うつ》って陣頭指揮をとるという、異例なほどの態勢を構築する。

しかし、旧百済勢力内でも内紛があり、重臣であった鬼室福信《きしつふくしん》が道琛を殺害して復興運動の中心となった。そして、義慈王の子で六三一年に人質として倭に来ていた豊璋《ほうしょう》の擁立を要請してきた。倭はこれに同意し、六六一年九月に豊璋を旧百済へ返して、援軍を順次派遣していく。派遣された倭の援軍は、九州や瀬戸内海沿岸をはじめ、遠くは陸奥国《むつのくに》までが徴兵対象となっており、文字どおり国家の総力をあげていた。豊璋の帰還に先立つ七月に斉明天皇は朝倉宮で没し、中《なか》大兄皇子《のおおえのみこ》が以後の指揮をとることになる。

百済救援の軍隊が大陸に渡り、旧百済勢力と倭国の連合軍が、唐と新羅の連合軍と各地で衝突していたころ、百済復興運動の内部では豊璋と鬼室福信が対立し、豊璋が福信を殺害するという事件が起きていた。六六三年八月、朝鮮半島西側の白村江《はくそんこう》で、ついに両陣営が大規模に激突する戦闘があり、百済・倭の連合軍は唐の水軍に大敗して、多くの戦死者を出す結果となった。この戦いを境に、百済救援の倭軍は、一路退却を余儀なくされたのである。

白村江の戦い後の新羅との関係

大陸からの追撃を恐れた倭《わ》は、筑紫《つくし》に大宰府《だざいふ》を築いてここを拠点に防衛線を張る。対馬《つしま》から九州北部、瀬戸内海沿岸、さらに大和《やまと》の西にあたる生駒《いこま》山地の高安城《たかやすじょう》や近江《おうみ》の三尾《みお》城まで、朝鮮半島から畿内・近江を結ぶ間に点々と分布する朝鮮式山城《やまじろ》は、旧百済《くだら》から日本に身を寄せた人々の協力を得て造営された。緊急時に逃げ込むための城と考えてよいだろう。朝鮮三国では山城をつくる技術

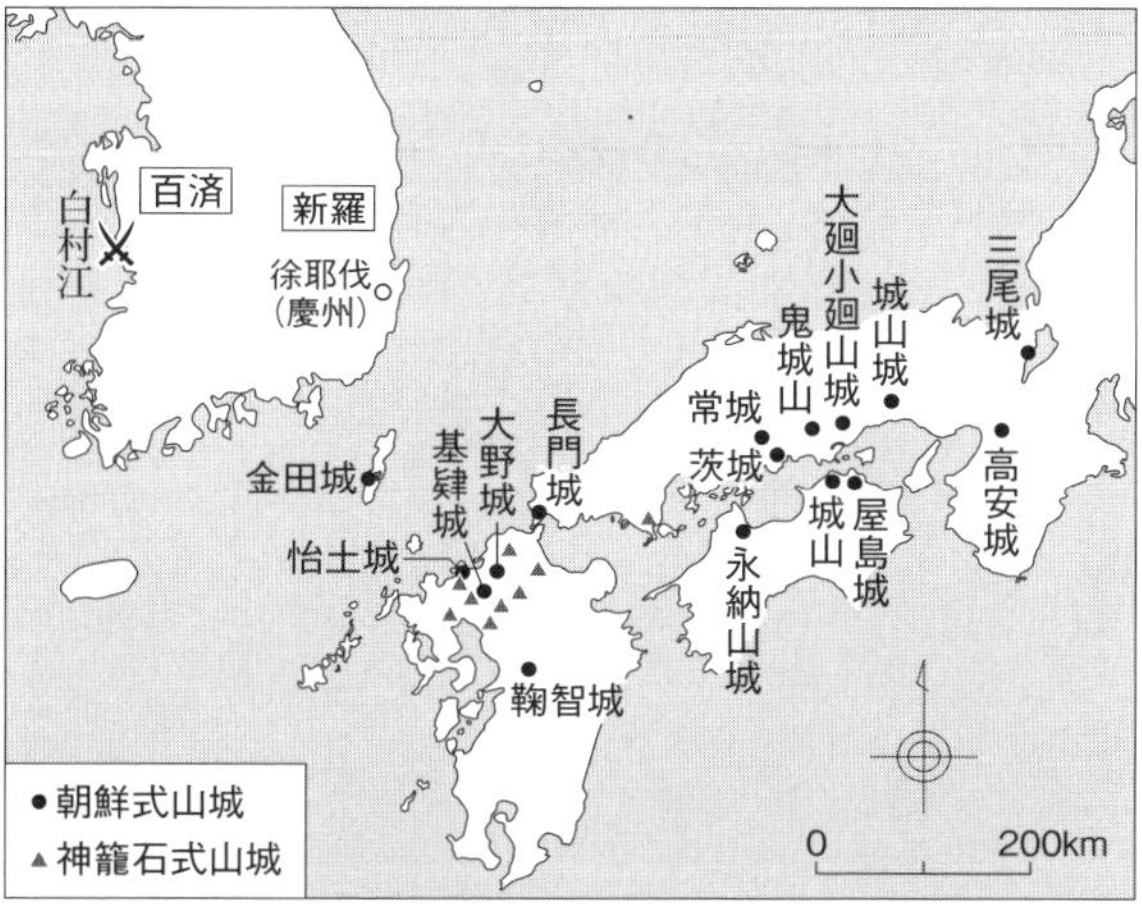

6

◉朝鮮式山城の分布と大野城の百間石垣

朝鮮式山城のほかにも、これに先行する時期の神籠石《こうごいし》式山城と呼ばれる、切石《きりいし》で山を取り巻いた古代の山城が、北部九州を中心として分布する（上）。朝鮮式山城では、大野城《おおのじょう》（福岡県大野城市）の百間石垣《ひゃっけんいしがき》のように、それまでの倭にはみられなかった、大規模に石を積み上げた城壁が残されている（下）。

が発達しており、倭では百済からの技術者の知識・技術を利用して、防衛線を築いていった。

敗戦後の諸問題の処理は、外交上の重要な課題であった。戦闘は終わっても、その後の外交関係をいかに築いていくかは、どのような戦争の場合にも大事な問題となる。旧百済の地を占領した唐軍からは、郭務悰《かくむそう》が使者として倭に派遣され、戦後処理の交渉が行なわれた。

一方、倭と新羅との関係は、唐軍が旧百済地域駐屯の方針を変えないために、新たな展開を迎えることとなる。六六八年には唐・新羅連合軍によって高句麗が滅ぼされたが、朝鮮半島統一をめざす新羅にとっては、戦後に長く駐留を続ける唐軍が、統一を阻害する要因となりはじめた。戦時に同盟関係にあった唐との対立が深まりはじめ、敵対関係にあった倭とは、唐との対抗関係上、接近して良好な関係を求めるようになる。相互に外交使節の往来が活発となり、新羅からは学語生《がくごしよう》が、倭からも新羅学問僧が派遣され、彼らの往来を通して、天武《てんむ》天皇の時代には多くの先進技術が新羅から入ってくることとなった。

好転した新羅と倭との関係は、東アジアの国際関係に新たな展開をもたらした。後方に不安材料がなくなった新羅は、ついに唐軍との全面衝突に及び、唐軍を退却させて、六七六年に朝鮮半島を統一することに成功した。韓国ではこの戦争を新羅・唐戦争（羅唐《らとう》戦争）と呼んでいるが、新羅が唐軍を退却させるまでに至った背景として、倭と新羅が友好的な関係にあったことは重要である。倭にとっては、新羅の協力を得て、さまざまな分野の技術を国内に導入していく契機となった。

朝鮮半島方式から中国方式へ

八世紀に手を加えられた改新之詔

倭《わ》にとって、四世紀以来の外交のうえでは、百済《くだら》との関係がもっとも密であったが、六世紀以降には新羅《しらぎ》や高句麗《こうくり》とも交流の盛んな時期があった。いずれにしても、国家の立ち上がってくる時期において、朝鮮半島諸国からは、時に応じて多大な知識を享受してきたということができる。このことは、本書で扱っている時代の大きな流れのなかで、どのように位置づけられるだろうか。

国家のさまざまな制度の整備が進んだ七世紀について、これまではその国家体制の展開の歴史は、八世紀初頭に整備される大宝律令《たいほうりつりよう》制を念頭において意義づけられてきた。中国唐《とう》王朝の律令を範とした法制が整えられるとともに、それに応じた行政機構と行政運営方式が確立することによって、日本でも律令制による国家体制が成立する。そこに至る一貫した方向性をもった、国家体制の整備の過程として、七世紀、ことにその後半の時期における歴史的展開が描かれてきたのである。

たしかに、八世紀初頭に成立した大宝律令には、唐の律令をもとにして改変を加えた条文が多くみられ、唐の国家体制を手本として、それに日本の実情を加味した様相を呈している。しかし、七世紀段階の制度は、結果的に過渡的であったとしても、中国唐王朝の律令制度をめざす一貫した方向のものと考えて、はたしてよいのだろうか。近年の研究の進展からすると、新たに意義を考え直すべき段階を迎えているのではないかと思われる。これまでの研究の問題点をあげるとすれば、それは大化改新《たいかのかいしん》の評価についての影響力が大きかったことだろう。すなわち、「改新」という政治改革の方向性を、中国的律令制の開始、ないし萌芽《ほうが》ととらえる考え方が主であったが、その見方に問題点が内包されていると私は考える。

いわゆる大化改新は、『日本書紀《にほんしょき》』の孝徳《こうとく》天皇二年（六四六）正月の記事に見える改新之詔《かいしんのみことのり》から始まる政治改革を指す。この前年に起きた、中臣鎌足《なかとみのかまたり》や中大兄皇子《なかのおおえのみこ》を中心としたメンバーによる蘇我《そが》入鹿《いるか》殺害事件は、政治体制の変革につながる事件ではあるが、それだけをもって「大化改新」と呼ぶことは正しくない。現在、この政変はこの年の干支《かんし》によって「乙巳《いっし》の変《へん》」と呼ぶことが定着してきている。学校における歴史教育の場では、六四五年を大化改新の年として教えることが長く行なわれてきたが、「改新」と呼ぶべき政治改革の中心は、むしろ行政方式の転換を示した六四六年の「改新之詔」のほうにあるといってよい。そもそも、「改新」という語は、『日本書紀』の「改新之詔」にしか出てこないのである。

この「改新之詔」が、大宝律令の知識にもとづいて『日本書紀』編纂《へんさん》段階で手を加えられたものであることは、すでに研究者の間で誰もが認めるところとなっている。改新之詔に描かれた重層的な地方行政単位である国—郡《こおり》—里のうち、「郡」は七〇一年の大宝律令施行直前まで実際には「評《こおり》」と表記されていることが、藤原宮《ふじわらきゅう》跡出土の木簡《もっかん》など、各地の七世紀段階の木簡によって例外なく証明された。それが、もっとも大きな根拠である。

改新之詔は、八世紀の大宝律令制下で、現行法である大宝律令の条文を組み込んでつくられたものであった。ただし、大宝律令制下の条文や制度だけでは説明できない内容もあり、なんらかの改革を示した内容の命令に手を加えたのではないかと思われる。改新之詔の存在じたいをすべて『日本書紀』編纂者の虚構とする見方もあるが、私自身はそれには及ばないのではないかと考えている。

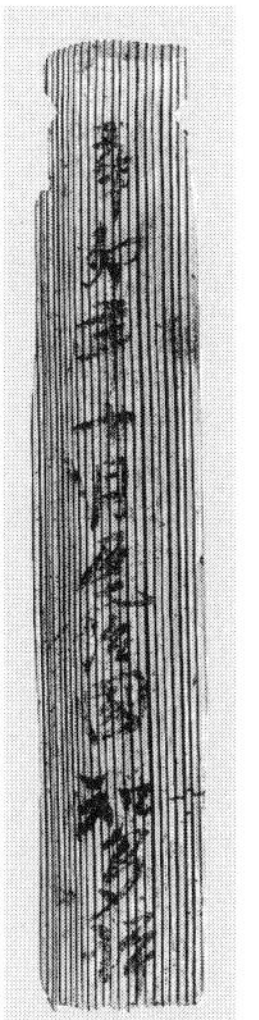
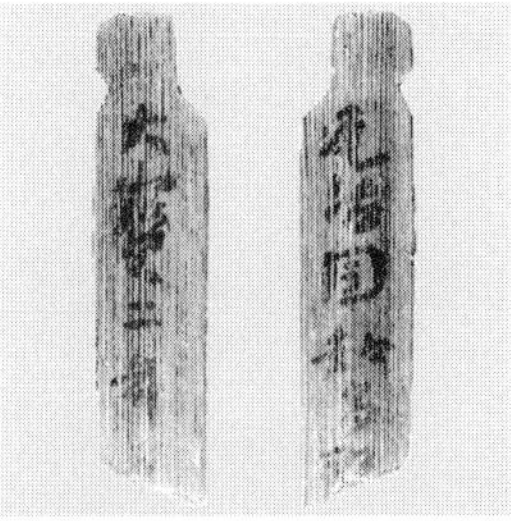

7

◉「評」から「郡」への転換　辛卯年（六九一）の「尾治《おわり》国知多評」（右）と大宝二年（七〇二）の「尾治国知多郡」（左）の表記が見える藤原宮木簡。地方行政単位が、大宝律令制によって「評」から「郡」となった。

大宝律令施行における路線転換

『日本書紀』の改新之詔《かいしんのみことのり》に描かれている行政制度の諸要素は、八世紀の中国的な律令制につながるかのようにみえるが、それは『日本書紀』編纂《へんさん》段階で八世紀の大宝律令《たいほうりつりょう》条文を挿入したために、見かけ上そう描かれているのである。そうであれば、六四六年段階での行政制度は、実際にはどのようなものだったのだろうか。

大宝律令が施行される前には、さまざまな面で、朝鮮半島から学んだ方法が活《い》かされていた。文書を記す方法は、朝鮮半島から学んだ方法を基盤にしており、遣隋使《けんずいし》の外交を契機として導入された冠位十二階《かんいじゅうにかい》の制度も、朝鮮半島での知識をもとにしている。また、七世紀なかばに形成された地方行政単位である評は、朝鮮半島諸国の行政組織にも「評」の制度がみられることとの関係が指摘されている。

七世紀段階では、さまざまな面で、朝鮮半島から学んだ知識をもとに、行政制度の整備が進められたということができるだろう。百済《くだら》からは、七世紀なかばまでの良好な関係によって、多くの知識を取り入れたであろうし、朝鮮半島のなかで力のあった高《こう》句麗《くり》からの影響も認められる。また、七世紀末に新羅《しらぎ》との良好な関係が構築された時期には、新羅からのさまざまな知識がもたらされたと推測される。

ところが、こうした朝鮮半島の制度を取り入れて整備してきた七世紀における基本路線に対して、七〇一年に施行された大宝律令によって多くの制度が大きく変化する。たとえば、地方行政単位の「評」は、「郡《こおり》」の字に改められた。朝鮮半島での行政組織の単位としてみられた「評」から、中国で地方行政組織の名称として使われてきた「郡」に、用字を変えている。また、官人の身分を示す冠位も位《い》階《かい》となり、徳目を示す漢字で個々の冠位を示

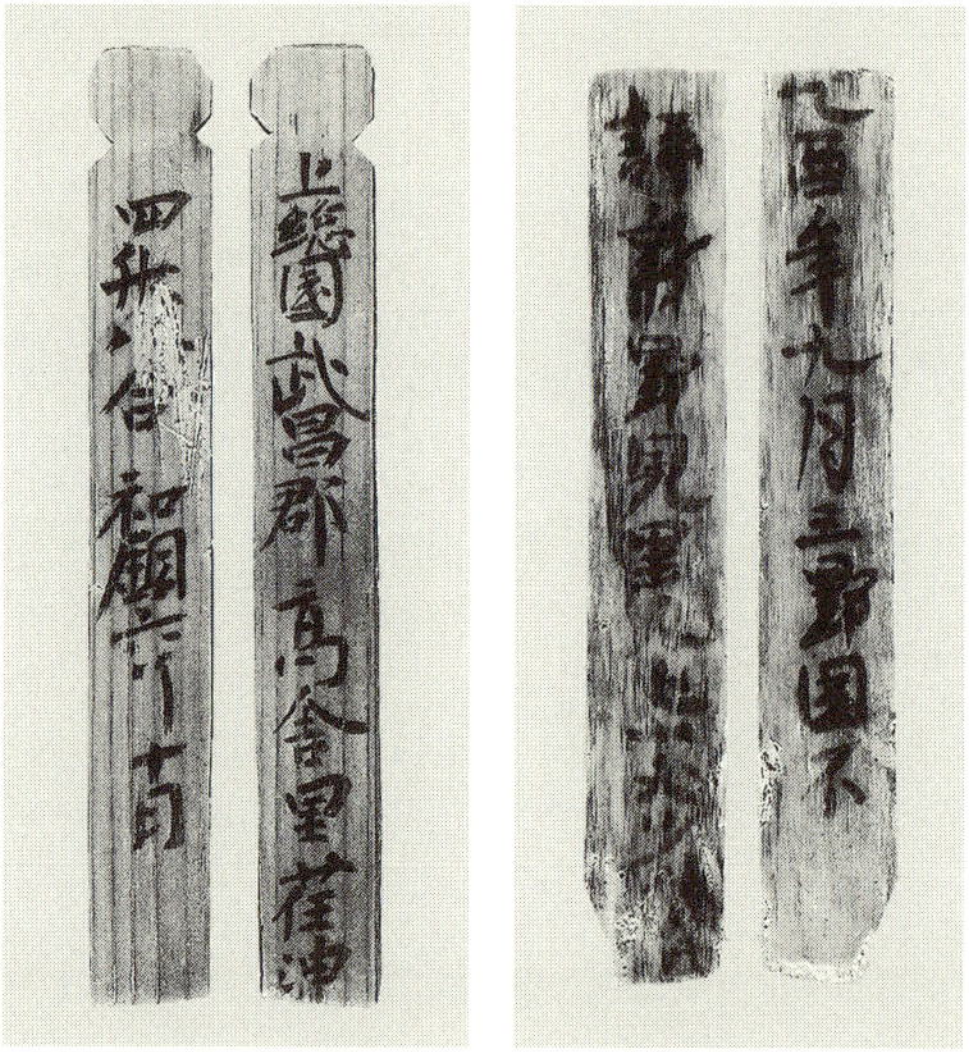

8

◉年月日を記す位置の転換
七世紀には文書の冒頭に年月日を記していたが（右／石神《いしがみ》遺跡出土木簡）、これは中国の古い書式が朝鮮半島を経由して入ったものである。大宝律令施行後は文末に記すようになり（左／平城京木簡二一七〇号）、唐の様式と同じになる。

す方式から、数値で上下関係を示す方式に変わった。これも、中国での方式を採用した結果である。また、文書の書式も変化した。文書に年月日を記す場合は、それまで冒頭に書いていたが、文末に配置するようになる。これもまた、中国で行なわれている方式に改められた。

このようにさまざまな分野で、これまで朝鮮半島の方式に準拠していたやり方が、中国で当時行なわれていた方式へと変えられている。つまり、大宝律令の施行は、政府の指針として、さまざまな面で同時代の中国の方式を基準とすることにした大転換であった。朝鮮半島を向いて文明を享受してきた日本が、東アジアの中心である中国に直接向いて、同時代の中国の姿と同じになろうという指針をもったのである。遣隋使の派遣以来、七世紀の間に一〇〇年ほどの歳月をかけて蓄積してきた中国文明への理解によって、朝鮮半島経由の中国文明でない、同時代の中国に倣うための準備が可能になってきていたのであった。

年号の開始

さて、本書の「はじめに」で触れた年号の問題について述べることにしたい。各地で出土した木簡《もっかん》などで見るかぎり、七世紀代には干支《かんし》による年の表記しかしておらず、年号を使っていなかったことは明らかである。『日本書紀《にほんしょき》』では大化《たいか》元年（六四五）を年号の開始とするが、当時の都のあった難波宮《なにわのみや》から、大化四年にあたるはずの年を「戊申《ぼしん》年」と書いた木簡が見つかっている。政府のお膝元《ひざもと》でさえ、年号を使っていない。出土文字資料からは、最初の年号が「大宝《たいほう》」であることは、もはや動かせない事実である。
もっとも、年号の開始当初は、過渡的な表記も交じっていたようである。都から遠く離れた福岡市の元岡《もとおか》・桑原《くわばら》遺跡群では、「大宝元年辛丑《しんちゅう》十二月廿二日」と冒頭に年号と干支を並記した木簡が見つかっている。先に触れたように、七世紀には年月日は干支を用いて文頭に書いているが、大宝律令施行後は年号を使って文末に書くようになる。元岡・桑原遺跡群出土の木簡のような書き方は、過渡期にみられたごく短期間の現象なのであろう。

七〇一年の大宝律令施行当時、新羅《しらぎ》は独自の年号を使っていない。東アジアのなかで年号を定めていたのは中国王朝のみであった。日本はこの中国王朝と同じことをしようとしたのである。中国での年号の歴史は古い。前漢《ぜんかん》の時代（紀元前二〇二～紀元後八年）にはすでに始まり、その使用も定着していた。当時の中国においては、年を表記する際に年号を使うことは当たり前のことでもあった。一方、日本では律令《りつりょう》のなかに興味深い条文が規定されている。令には儀礼のあり方などを定めた儀制令《ぎせいりょう》という編目があるが、その最後に「およそ公文に年を記すべきは、皆年号を用いよ」という条文がある。

大宝律令以降の日本の律令条文には、それぞれのもとになった唐《とう》の律令条文があり、それに手が加えてあるか、まったく同文である場合が多い。しかし、この年号使用の条文に対応する唐の令は

9
◉難波宮跡出土の「戊申年」木簡
七世紀なかばの六四八年にあたる年紀。当時、政府のあった難波宮においても「大化」の年号を用いていなかった証拠。

不明である。そもそも中国では儀制令に年号使用の条文を立てるまでもないほど当たり前のことで、唐令にはこの条文がなかったところを日本で独自に立てた可能性が高い。この条文が儀制令二六か条の最後の条文であることも、日本で末尾に付加された規定だとすると説明がつく。「はじめに」で紹介した年号制採用についての『続日本紀《しょくにほんぎ》』の記事を、もう一度ここでも見ておくことにしたい。

対馬嶋《つしまのしま》、金を貢《たてまつ》る。元《げん》を建《た》てて大宝元年と為《な》す。

大宝の年号が、あたかも対馬からの金の貢上《こうじょう》を祝して定められたかのように記されているが、事実はおそらくそうではないだろう。先に述べたように、年号制の採用も、一貫した同時代の中国方式への転換のひとつの要素である。たまたま金が見つかったからということで、いきなりはじめて年号の使用が始まるわけではない。年号の開始は、新しく定めた令には織り込みずみのことだったのである。中国方式の採用へ向けて律令が準備される段階で、年号の採用もじっくりと準備がなされ、この年に満を持してすべての転換がなされたというのが、私の推測するところである。

ちなみに、このとき対馬から金が見つかったという報告は虚偽であったことが、のちに発覚した。日本で最初に金が見つかるのは、天平《てんぴょう》二一年（七四九）の陸奥《むつ》からの報告を待たねばならない。大宝の年号制定に合わせるために、いろいろ無理をしたのであろうか。

大宝の遣唐使と平城遷都

大宝律令《たいほうりつりょう》の施行の年に、久しく派遣されていなかった遣唐使《けんとうし》が派遣される。いや、正確には、その年に出発しようとしたものの、天候に恵まれず、翌大宝二年（七〇二）の六月に唐に向けて出帆したのであった。彼らの一行は無事に長安《ちょうあん》での任務を終えて、執節使《しっせつし》の粟田真人《あわたのまひと》は慶雲《きょううん》元年（七〇四）に帰国、副使《ふくし》の許勢祖父《こせのおおじ》は慶雲四年に帰国した。大使の坂合部大分《さかいべのおおきだ》はつぎの養老《ようろう》元年（七一七）の遣唐使が渡唐するまでとどまり、養老二年にようやく帰国する。

彼らは、大宝律令施行を達成した日本の進む方向を自覚し、その目で唐を見てきたはずである。同時代の中国方式に準拠するのが国家の指針であり、めざすべきものの実際の姿を目にして、日本が修正すべき点があれば詳しく見聞してきたに違いない。彼らが帰国したころから、さまざまな修正策が講じられることになる。そのなかでもっとも大きな修正策は、都のつくりかえであった。

日本で本格的な中国風の都として造営されたのは、藤原京《ふじわらきょう》が最初である。藤原京以前の飛鳥《あすか》の地は宮殿や寺院が多く建てられてはいたが、整然とした碁盤の目に沿って宅地が区画されるまでの広さはなかった。『日本書紀《にほんしょき》』には「飛鳥京」という言い方がみられるが、中国風の政治都市としての都にはなっていない。藤原京は、発掘調査によって、その中心にあたる藤原宮の造営が天武《てんむ》天皇の時代（六七二〜六八六年）にさかのぼることが明らかとなった。『日本書紀』では持統《じとう》天皇が遷都したとして登場するが、造営事業じたいは天武天皇の時期から続いていたのであった。

その天武天皇がつくろうとしていた藤原京の姿が、ここ二〇年ほどの発掘調査の進展によって、

藤原京・平城京と『三礼図』の都・長安城との比較

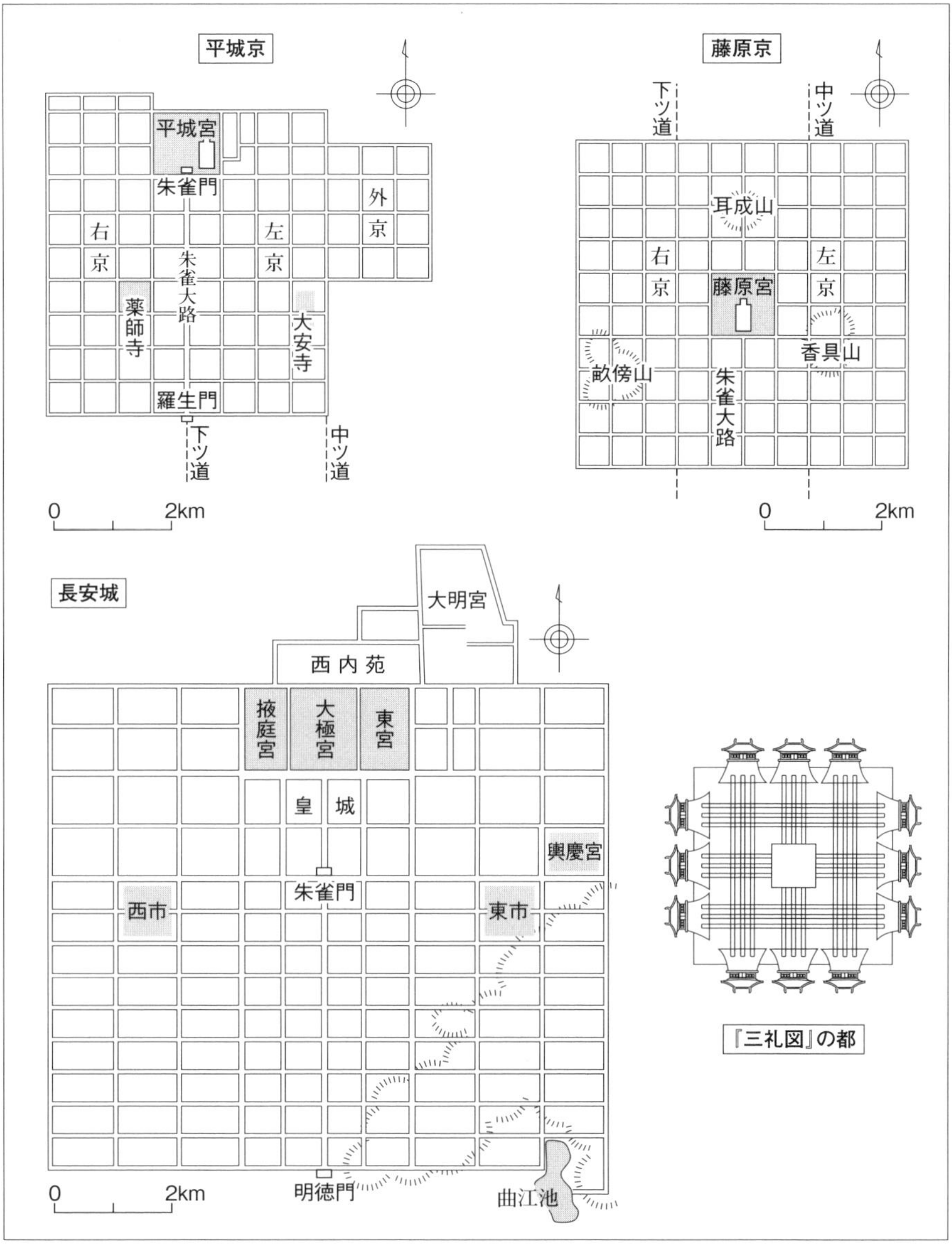

明らかになってきた。藤原京の碁盤の目に走る道路が、いったいどこまで延びているか、その範囲のわかる遺跡が見つかってきたからである。現在考えられている藤原京は、前ページの図の右上のように、藤原宮が中心に位置する四角四面の都である。二〇年前までは、大和《やまと》盆地を走る古くからの道路を基準線として設計されたと考えられていたため、もっと狭い範囲が想定されていた。発掘調査の結果、都の想定範囲は約三・五倍に広がったことになる。このことは、藤原京が手狭《てぜま》になったので平城京《へいじょうきょう》へ遷《うつ》ったとする見方では説明できないことを意味する。藤原京の範囲には山が含まれているので単純比較はできないが、むしろ平城京のほうが狭いぐらいである。

近年、注目されているのは、その平面プランである。藤原京は中央に宮殿が配置される。これは、中国の古典である『周礼《しゅらい》』考工記《こうこうき》に記された考え方に近い（前ページ『三礼図《さんらいず》』の都の図を参照）。いわば、中国の古典に描かれた、理想的な都の姿を実現させたものといえる。一方、平城京は都の北辺中央に宮殿が配置される。この時代の中国の都である長安《ちょうあん》では、これと同じく宮殿が中央北辺に位置している。すなわち、中国古典の知識による理想的な都から、同時代の中国の都と同じスタイルへ、都の模範を変更したといえそうである。

天武天皇の時代には、すでに国内に入っていた中国古典の知識や、新羅《しらぎ》経由の知識によって、理想の都を中国古典の世界に求めていたのであろう。しかし、大宝律令の施行によって、同時代の中国方式を基準としたあとに遣唐使として長安を訪れた一行は、帰国後に長安に似せたスタイルの都をつくることを提案したと考えられる。

じつは、長安の平面プランは、七世紀に派遣されていた遣唐使でも、見ることはできたはずである。しかし、そのときにはそうした都の形態に関心がなかったのだろう。やはり、大宝律令施行時点での問題関心が、当時の中国の姿に向いていたために、藤原京との違いに気づいたのに違いない。

書風も変わる

同じ時期の問題として指摘されている点は、ほかにもいくつかあるが、文化面にかかわる点をひとつ取り上げておくことにしたい。

書道史のうえでは、この時期に書風が変化することが指摘されている。七世紀から八世紀初頭にかけては六朝風《りくちょう》の書が書かれていたが、八世紀前半の七三〇年頃になると、初唐風《しょとう》に変化していく。正倉院文書《しょうそういんもんじょ》のなかの大宝《たいほう》年間や養老《ようろう》年間の戸籍は六朝風の書であるが、天平《てんぴょう》年間以後に諸国から中央に提出されたさまざまな帳簿の類は、新しい書風に変化していることが指摘されている。さらに、写経の書風や、平城宮《へいじょうきゅう》跡・平城京跡で出土した木簡《もっかん》の書風についても、少なくとも和銅《わどう》末年（七一五）頃までは古い六朝風を残しており、つぎの養老年間（七一七～七二四）を転換期として、神亀《じんき》年間（七二四～七二九）から初唐風の書が普及していくという見解も出されている。こうした書風の変化が、諸国から中央に提出される公式文書や荷札木簡においてみられることから、地方での行政機構や文書処理体制の整備が、養老・神亀年間の政策として進められ、中央における先進的な初唐風の書が中央から地方へもたらされるようになったとみられている。

もちろん、地方への書風の広がりは、中央と地方との関係を含めて説明しなければならないが、中央でどの時期に初唐風の書が広まったのかも、考えなければならない問題である。中央でも和銅末年にならなければ初唐風の書が広まらなかったということは、やはり大宝律令《たいほうりつりょう》施行に伴う中国方式への転換との関連性を考えざるをえない。

七世紀に広まっていた書風は、朝鮮半島から学んだ六朝風のものであったが、大宝の遣唐使《けんとうし》によって持ち帰られた初唐風の書蹟《しょせき》によって、日本国内では初唐風の書がめざされるようになったようである。

八世紀前半の七一〇年代から七二〇年代にかけて、日本国内のさまざまな分野において、古い中国風から新しい中国風への転換が起きているのは、朝鮮半島を介して学んだ古い中国風のものから、中国で同時代になされているものへという指向の変化を示しているだろう。こうしてみると、政治面から文化面に至るまで、八世紀初頭に大きな指向性の転換、ひいては価値観の変化があったといえるのではないだろうか。これまで数百年

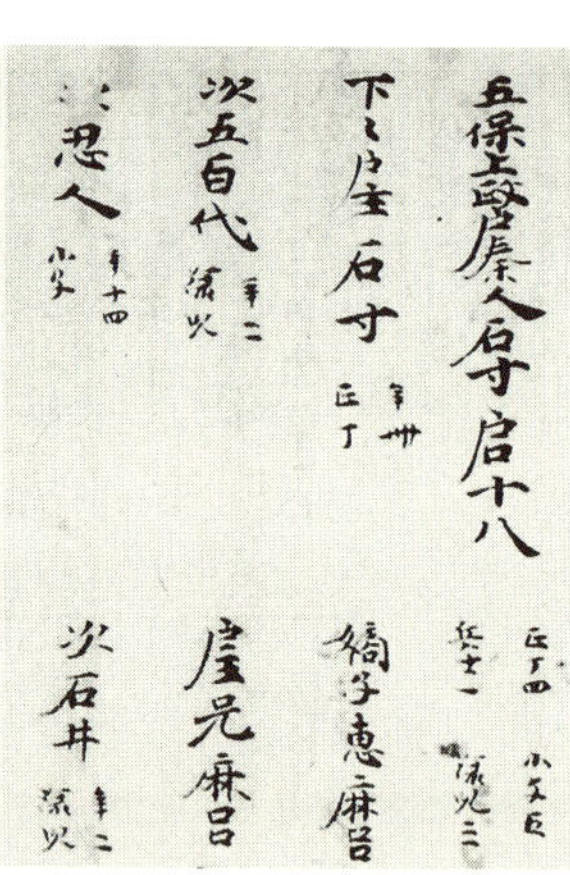

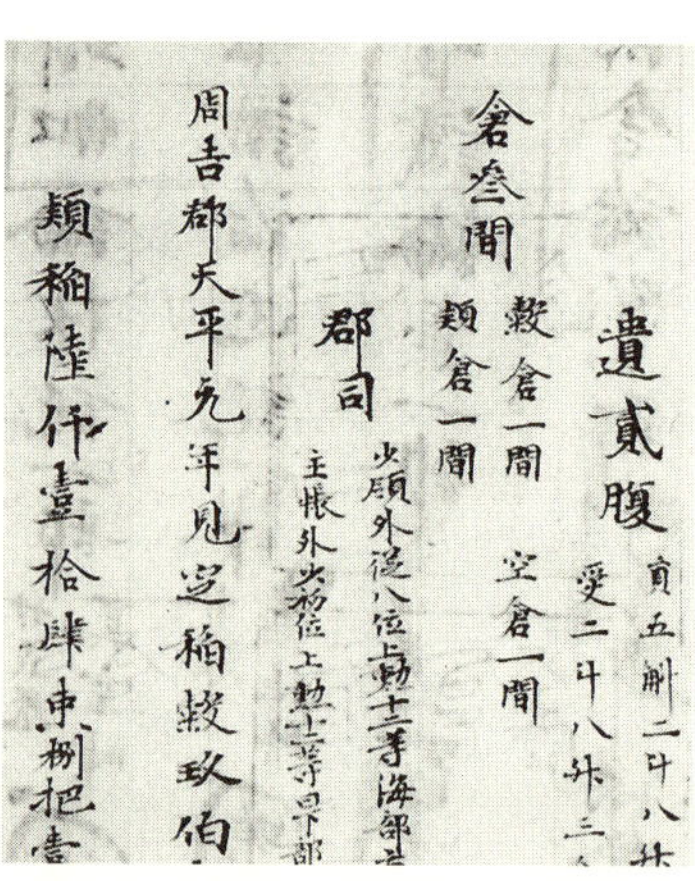

10

◉六朝風の文書と初唐風の文書

六朝風（右／大宝二年御野国《みののくに》加毛《かも》郡半布里《はにゅうり》戸籍）では、「人」字の右はらいの筆の引きに特徴がある。初唐風（左／天平四年度「隠伎《おき》国正税帳」）では、字画右上の屈角の筆法が顕著で、丸みを帯びた六朝風と対照的。

にわたって朝鮮半島を向いて文明を摂取してきた日本列島が、同時代の中国を向いて学ぶようになったのである。

東アジアの八世紀と日本

唐・新羅・渤海

隋《ずい》による中国の南北朝統一から、その後に成立した唐《とう》の影響を大きく受けて、それまで三国鼎立《ていりつ》の様相を呈していた朝鮮半島が激変したことについては、すでに触れた。それまでも、中国の政治情勢の大きな変化は、周辺諸国に少なからず影響を与えてきた。倭《わ》に対しても、中国王朝の動向は大きな影響を及ぼした。たとえば、三世紀における三国時代の中国で、魏《ぎ》が蜀《しょく》に勝利したことが、魏の東方戦略の拡大につながり、卑弥呼《ひみこ》が魏に遣使するという事態を引き起こしたのである。また、六世紀末の隋による南北朝統一という状況に対応するかたちで、朝鮮半島の諸国は隋に使節を送ったが、倭もこの機会に遣隋使を送ったのであった。このように、中国・朝鮮半島・日本列島は、東アジアのなかで互いに連鎖しながら、影響を与えてきた。

七世紀なかばから後半にかけての東アジアの動乱期を経て、八世紀前半になると、中国や朝鮮半島では、国家同士の攻防がおさまり、比較的安定した体制を迎えるようになる。すなわち、六七〇年から六七六年にかけての新羅《しらぎ》と唐の戦争のあと、朝鮮半島は新羅が統一を果たして安定を迎える。さらに、六九八年には新羅の北に渤海《ぼっかい》が成立して、七〇五年からは唐とも国交をもつに至る。東アジアにおいては、唐・新羅・渤海・日本の四か国がそれぞれの版図《はんと》を占める状況が、二〇〇年ほどの間、続いていくこととなった。

しかし、比較的安定していたといっても、国家間の国際関係には、さまざまな問題が起こっている。「日本」と自称するようになった国家がどのような国際環境のもとにあったのか、以下では唐、新羅、渤海の順にそれぞれとの関係を述べていくことにしたい。

遣唐使の展開

六〇〇年に始まった遣隋使《けんずいし》は、六一四年まで四回にわたり使者が送られたが、王朝が唐《とう》に変わっても、日本は遣唐使を派遣して国交を保ちつづけた。遣唐使は六三〇年の派遣に始まり、八三八年まで計一三回、唐本国に送られている。七世紀における中国文明摂取の進行によって、八世紀からは同時代の唐の姿に範をとった体制が築かれた。同時代の中国のありさまを把握するために、遣唐使の果たした役割は大きい。彼らは文字どおり命がけで唐へ渡り、命がけで帰ってきたのであった。

歴代の遣唐使船のうち、すべてが無事に往復できたのは、三回しかない。無事故ではすまないかもしれないことは当然予想され、乗船する者たちにとっては、つねに不安を抱えた旅であった。

八世紀の遣唐使は、表のように、平均すると約一九年ほどの間隔をあけて派遣されている。日本と唐との間には、二〇年に一度は朝貢するという約束もあったようであり、ある程度の間隔をあけて定期的に朝貢するものと考えられていた。その間の期間に、留学生・留学僧は唐にとどまって、

遣唐使の入唐と帰国

入唐の年	通称	船数	留学生・留学僧	帰国の年	帰国留学生・留学僧、渡来者
舒明天皇二年（六三〇）				舒明天皇四年（六三二）	
白雉四年（六五三）		1		白雉五年（六五四）	
白雉五年（六五四）		2		斉明天皇元年（六五五）	
斉明天皇五年（六五九）		2		斉明天皇七年（六六一）	
天智天皇八年（六六九）				（不明）	
大宝二年（七〇二）	大宝の遣唐使		道慈、弁正	慶雲元年（七〇四）	
養老元年（七一七）	養老の遣唐使	4	阿倍仲麻呂 吉備真備、玄昉	養老二年（七一八）	道慈、秦朝元
天平五年（七三三）	天平の遣唐使	4	普照 栄叡	天平六年（七三四）	吉備真備、玄昉、袁晋卿 皇甫東朝、皇甫昇女 李元環、道璿、菩提僊那 仏哲、李密翳
天平勝宝四年（七五二）	天平勝宝の遣唐使	4	行賀	天平勝宝五年（七五三）	普照、鑑真らの一行
天平宝字三年（七五九）		1		天平宝字五年（七六一）	
宝亀八年（七七七）	宝亀の遣唐使	4		宝亀九年（七七八）	喜娘
延暦二三年（八〇四）	延暦の遣唐使	4	最澄、空海、橘逸勢	延暦二四年（八〇五）	最澄、空海、橘逸勢
承和五年（八三八）	承和の遣唐使	4	円載、円仁	承和六年（八三九）	

先進文化の吸収に励んだのである。
大宝《たいほう》の遣唐使によって、長安《ちょうあん》の姿についての認識が深まり、平城《へいじょう》遷都へとつながったように、遣唐使の往来は、そのつど新たな課題をもって唐へ渡り、課題を学んで持ち帰るということの繰り返しであった。そうした見方からいえば、留学生・留学僧たちは、どの時期の者たちもただ漠然と先進文化を学んでいたというわけではないだろう。

大宝の遣唐使に従って渡唐し留学した僧侶《そうりょ》のなかに、道慈《どうじ》がいる。大宝の遣唐使は、同時代の中国の姿のなかに日本の修正すべき課題を見いだすことが任務であった。しかも、七世紀なかば以来の四三年ぶりの入唐《にっとう》留学の機会であり、七世紀なかばにおける状況とは違った仏教界の課題をもって留学に臨んだであろう。

一五年に及ぶ唐での研鑽《けんさん》のうちに、道慈は、唐で学問に励んでいる僧侶一〇〇人のなかに選ばれて宮中に招かれたこともあった。帰国後、彼は国内で秀でた僧として活躍したが、『愚志《ぐし》』という書物を著わして、唐と異なって、経典に従っていないことが多い日本の仏教界を批判し、僧尼《そうに》の質を向上させるために、戒師《かいし》を唐から招請することを提案したという。

養老《ようろう》の遣唐使に従って七一八年に帰還した道慈が、唐での姿

遣唐使の航海路

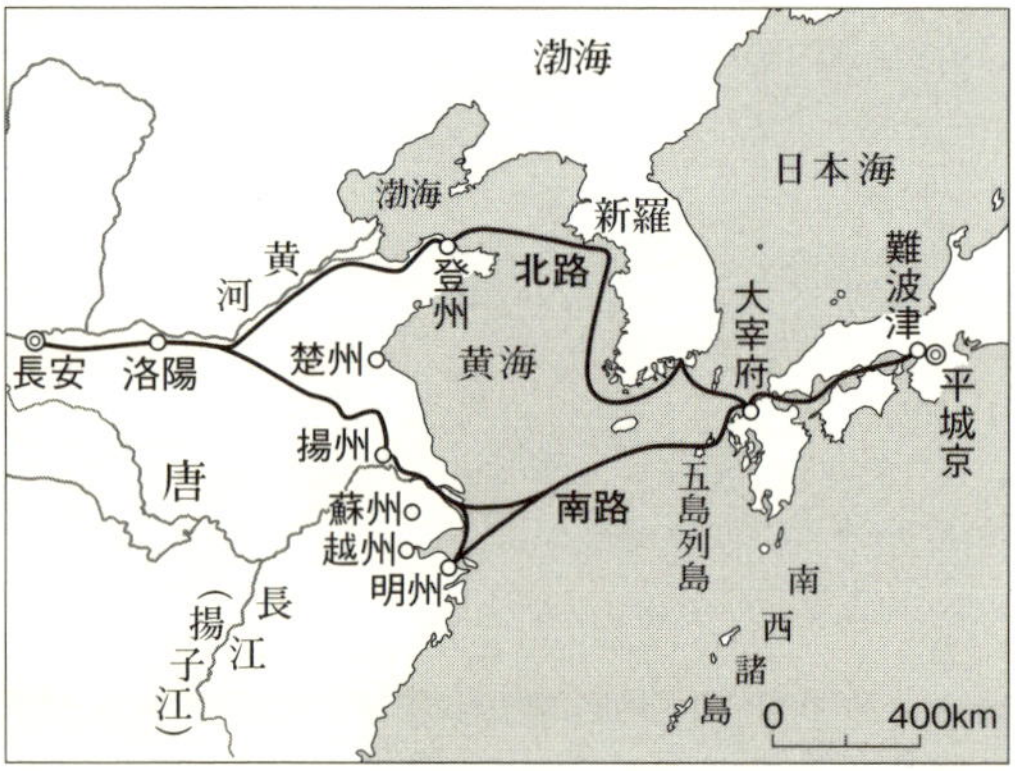

を念頭におきながら日本の仏教界を正そうと努力するなかで、僧侶に戒律を授ける資格のある戒師を唐から招く計画が発案される。これは養老の遣唐使帰還後、天平《てんぴょう》の遣唐使派遣までの間に発案され、天平の遣唐使とともに入唐した栄叡《ようえい》と普照《ふしょう》が、戒師に招くべき唐僧を探すことを託されたのであった。そして、つぎの天平勝宝《てんぴょうしょうほう》の遣唐使が帰還する際に、戒師として日本に渡ることを承諾した鑑真《がんじん》の来日が七五三年に実現する。

このように、それぞれの時期に国内で問題になっていることを背景として、つぎの遣唐使に託す課題が設定されていったとみられる。養老の遣唐使に従って留学した吉備真備《きびのまきび》は、天平の遣唐使に従って帰国した際に、唐礼《とうれい》、暦書《れきしょ》、音楽関係の書物と基準音階の楽器、強力な弓矢を聖武《しょうむ》天皇に献上した。律令《りつりょう》法典だけではまかなえない中国の社会秩序の規範となる礼に関する書物、最新の暦術、体系的な音楽の知識、日本にない武器というように、今の日本に足りないものを選んで収集し、献上したのである。なかでも音楽関係のものが体系的に集められた点は、真備がそのような課題を抱えて勉強していた可能性も高

11

●海を渡る遣唐使船
七世紀には一艘や二艘で渡海することが多かったが、八世紀にはほぼ四艘に固定化した。推定三〇mほどの長さの船の中に、一二〇〜一六〇人ほどがひしめきあう。(『東征絵伝《とうせいえでん》』)

い。養老の遣唐使派遣の時点では、宮廷での音楽分野に中国の知識を導入することが課題となっていたのであろう。

二〇年に一度とはいえ、正式な朝貢が目的の使節である。唐の役人からは外国使節として丁重な応対を受け、都にのぼって皇帝に謁見《えっけん》する。正月に都に滞在していれば、他国の使節とともに元日朝賀《ちょうが》の儀式に出席することもある。代表者としては、それにふさわしい者が選ばれた。大宝の遣唐使で執節使《しっせつし》という大使よりも格上の役をつとめた粟田真人《あわたのまひと》は、唐の人々から「好く経・史を読み、属文《しょくぶん》を解し、容止《ようし》温雅《おんが》なり」と称《たた》えられた。一国の代表たるにふさわしい、唐人に通用する高い教養と、温雅と称えられた性格や見栄《みば》えをもつ者が、選《よ》りすぐられていたのであろう。

しかし、なかには外交の場でのトラブルもうかがわれる。天平勝宝の遣唐使が元日朝賀に参加した際には、列席の諸国のなかでの席順をめぐって、日本の副使《ふくし》であった大伴古麻呂《おおとものこまろ》がひと悶着《もんちゃく》起こした。この日に用意された席次は、新羅《しらぎ》、吐蕃《とばん》（チベット）、大食《ター ジ》（イスラム帝国）、日本……という順であった。古麻呂は日本に朝貢する新羅が上位にあることは受け入れがたいとして猛然と反論し、その場の席次を新羅と交換してもらったという。本来ならば、唐がいったん決めた処遇である席次を交換することじたいがめずらしい。外交のうえではまず通りえない無理であるから、いわばだだをこねたのに等しいが、その場を取りしきった唐の担当官の機転と新羅使の融通で、穏便におさまった格好である。しかし、天平勝宝年間に新羅との対抗関係に神経をとがらせていた日本にとっては、こうした処遇にも国の体面がかかっていた。彼らは一国を背負って行動していたのである。

日本から朝貢のかたちで遣唐使が送られたのに対し、唐からの国使《こくし》はまれである。百済《くだら》救援の戦争のあとに戦後処理のために唐からの使者が来日したことはあるが、日本へ誰かを送り届けるといった任務でもないかぎり、唐からの使者が来ることはなかった。新羅のように冊封《さくほう》関係にあれば、唐から使節が送られてくることはあったが、日本は唐の冊封関係にはなく、朝貢のみの外交は日本から出発して往復するだけであった。しかも、冊封下にはなくても、現実には朝貢として唐に対してへりくだる形式しかとりえず、対等とはなりえない外交関係であった。

新羅との外交

七世紀後半の新羅《しらぎ》と唐《とう》の戦争以来、新羅は日本と良好な関係を築き、八世紀の前半までは使節の往来も頻繁にあった。七世紀末に遣唐使を派遣せずにいた時期、日本は新羅に学問僧を送るなどしてさまざまな文化を吸収し、その状況下で大宝律令《たいほうりつりょう》制への転換を準備したのであった。新羅が唐風化政策として先に取り入れていたものを参照しながら、間接的な唐風化を進めていたのであろう。大宝律令施行後に、国家の指針は唐に向いたが、新羅との外交関係は維持されていた。日本は新羅に対して朝貢形式を要求し、日本に臣従させることを強《し》いたが、八世紀初頭まで新羅はこの形式をいとわず、使節の往来が続いていた。天武《てんむ》天皇即位段階から数えると、五〇年間に二六回も新羅からの使者がやってきており、日本からも一五回使者を派遣している。

この関係に変化をきたすのは、新羅の北に接する渤海《ぼっかい》と日本の外交が始まったころからである。

新羅と渤海の関係は、時に対立をみることがあり、また渤海が唐と対立することによって、唐は新羅との関係を改善した。その結果、良好であった日本と渤海の関係を牽制《けんせい》して、新羅が日本への臣従を嫌う様相を見せることが頻繁になってきた。天平《てんぴょう》六年（七三四）にやってきた新羅使は、自国の国号を「王城国《おうじょうこく》」と改めたことを告げたために、朝貢物とともに強制的に返された。これ以後、八世紀のうちに九回ほど新羅からの使節派遣があったが、約束事と違うとか無礼であるというような理由をつけて、ほとんどが日本から追い返された。

そもそも、日本が新羅に朝貢を要求したのは、その関係を既成事実として、東アジアの国際関係のなかで新羅よりも上に立ち、国内において自国優位の意識を形成するためであった。しかし、唐との関係では日本よりも新羅のほうが優遇されることは多々あり、また新羅も当初は日本の要求に合わせて朝貢形式を続けたものの、実際に日本に臣従する意志はまったくなかったであろう。日本が中国と同じように「中華《ちゅうか》」として新羅や渤海を従えるという考え方は、日本国内でしか通用しない論理であり、一歩外に出れば、新羅はもちろん唐においてもまったく通用しないものであった。

新羅との外交関係の悪化に伴って緊張が高まり、天平四年からしばらく、辺境防衛の指揮官司である節度使《せつどし》を要所に配置して軍備を強化した。天平九年には、日本から派遣された遣新羅使が、新羅が無礼であったことを報告した。このときの政府内の意見では、新羅を征伐せよとの意見も出たという。しかし、日本から赴いた遣新羅使についても、たとえば天平勝宝《てんぴょうしょうほう》五年（七五三）の使者小《お》野田守《ののたもり》について、新羅側の歴史書『三国史記《さんごくしき》』は「慢《まん》にして無礼」と記している。

天平宝字年間《てんぴょうほうじ》（七五七〜七六五）に藤原仲麻呂《ふじわらのなかまろ》が専制権力を握ると、彼は国内の不満をそらす目的もあり、天平宝字三年に新羅征討計画を立てる。当時の唐には七五五年の安史《あんし》の乱《らん》以来、新羅を救援する余力はないと判断し、七五八年に来日した渤海使との交渉によって、渤海との連携を模索したうえで征討計画が考え出されたようである。しかし、仲麻呂政権の瓦解《がかい》によって、この計画は実行されずに終わった。

外交関係が不調ななかで、私的な新羅商船の来航が増えはじめる。国家同士の体面上の問題が残りながらも、舶来品への需要は続いていたのである。新羅使が来日する際に、同行者が物品を持参し、交易が行なわれていたが、新羅使が筑紫の大宰府《だざいふ》から放還《ほうかん》されることが続くと、商人との間での交易は大宰府近辺で行なわれることとなった。九世紀以降も、新羅商船が九州に来航し、現地で交易を行なうことが続いていく。交易で得たのは、新羅国内の産品にとどまらず、新羅商人が唐や東南アジアでの中継貿易で手に入れた、西アジアや東南アジアの物品であった。日本国内では入手の難しい薬物・香料・染料・顔料《がんりょう》などが、新羅商人の手を経由してもたらされていたのである。

新興国、渤海との外交

高句麗《こうくり》の滅亡後、高句麗遺民は中国東北部の営州《えいしゅう》に移された。渤海《ぼっかい》は、則天武后《そくてんぶこう》の治下の六九八年に営州で李尽忠《りじんちゅう》と孫万栄《そんばんえい》らの起こした反乱をきっかけとして、大祚栄《だいそえい》が営州から逃れた高句麗遺民集団を率いて興《おこ》した国であり、当初は震国《しんこく》と自称し、唐との関係は安定していなかった。七一三年に唐から大祚栄が渤海郡王に冊封《さくほう》されて以後、渤海という国号を使うようになる。七一九年に大祚栄が没し、跡を継いだ大武芸《だいぶげい》は、周辺の靺鞨《まつかつ》諸部族を従えて領土を拡張し、七二七年に日本に使節を派遣してきた。

渤海からの国書では、自国を高句麗の後継と称して日本に対する外交を積極的に進める意志を示した。日本はこの主張を認めるかたちで、高句麗の継承国として渤海に対応するようになる。一〇世紀に朝鮮半島で高麗《こうらい》王朝が誕生するよりも前は、高句麗を「高麗」と呼んだこともあり、日本では渤海に派遣する使節(遣渤海使)を「遣高麗使」と呼ぶこともあった。

七三〇年には、大武芸と対立した弟の大門芸《だいもんげい》が唐《とう》に逃亡したことから、その後唐との紛争状態が続き、唐が新羅《しらぎ》に命じて渤海を攻撃させることもあったので、唐・新羅との対抗上、渤海は日本への朝貢形式での外交を続けた。しかし、安史《あんし》の乱《らん》で唐が弱体化すると、日本との関係はおもに交易を目的とするように変化していく。渤海からの交易品としては、貂《てん》や熊《くま》など北方に棲息《せいそく》する動物の皮革が中心であったが、唐との交易を通じて得たものをもたらす場合もあった。また、平城京《へいじょうきょう》跡では、渤海産とみられる黒色陶器が出土しており、陶器の輸入もあったようである。

遣唐使や新羅使・遣新羅使が、大宰府《だざいふ》を経由して往来したのに対し、渤海使は日本海を渡って、おもに日本海沿岸の越前《えちぜん》・能登《のと》・出羽《でわ》などの諸国にたどり着いた。ただし、その到着地が北にずれれば蝦夷《えみし》の地に漂着することとなる。最初にやってきた神亀《じんき》四年(七二七)の渤海使は、漂着した地の蝦夷から攻撃されて、一六人が殺害され、わずかに八人だけが出羽国にたどり着いた。延暦《えんりゃく》五年

8世紀における新羅・渤海と日本との往来

7世紀後半から良好な関係となった新羅と日本は、8世紀前半にもその関係を保ち、使節が頻繁に往来していた。一方で、渤海は727年に初めて日本に使節を送り、良好な関係を築きはじめる。日本と渤海の関係が密接になるにつれて、日本と新羅の関係は悪くなっていき、外交上のトラブルがたびたび発生するようになる。8世紀後半には、往来の回数も減っていく。

＊使者を送り届ける目的のみの往来は省く

年	新羅 日本	備考	渤海 日本	備考
703	→ ←	新羅が孝昭王の喪を伝える 日本が新羅王に錦や絁を贈る		
704	←			
705	→	新羅が調を貢上		
706	←			
709	→	新羅が方物(産物)を貢上		
712	←			
714	→			
718	←			
719	→ ←	新羅が調と騾馬を貢上		
721	→	元明太上天皇崩御により、大宰府から新羅使を還す		
722	←			
723	→			
724	←			
726	→	新羅が調を貢上		
727			→	渤海使が初めて来日する。蝦夷の地に漂着し、24 人中16人が殺害される
732	→ ←	新羅が珍しい動物などを日本に贈る		
734	→	新羅が国号を王城国と称したため、日本が新羅使を放還		
736	←	新羅が日本の使者を放還		
738	→	日本が新羅使を大宰府から放還		
739			→ ←	渤海使が出羽国に到着する。大使の船が遭難し 40 人が亡くなる
740	←	新羅が日本の使者を放還	←	
742	→ ←	恭仁京が未完成であるため、日本が新羅使を大宰府から放還 新羅が日本の使者を放還		
743	→	調を土毛と称したため、日本が新羅使を放還		
752	← →	新羅が王子を派遣	→	渤海使が越後国佐渡島に到着。天皇への上表文を持参せず、渤海王の文書も名が記されておらず、日本側に責められる
753	←	新羅が日本の使者を放還		
758			← →	日本からの使者が同年帰国した際、唐の安史の乱などの情勢を報告 渤海使が越前国に到着
759			→	渤海使が対馬島に到着
760	→	新羅からの使者が軽使のため、日本が新羅使を放還し、新羅に対して来朝の四原則を示す		
762			← →	渤海使が越前国加賀に到着
763	→	新羅使が来朝の際の約束を無視し、外交使節として不適当な発言もあったため、日本は王子か執政大夫の派遣を求める	→	
769	→	新羅が土毛(産物)を貢上、日本は新羅王に賜物を贈る		
771			→	渤海使が蝦夷の地の野代湊に到着。天皇への上表文が無礼であったため、日本が貢物を返却
773			→	渤海使が能登国に到着。上表文が違例であったため、日本が渤海使を放還
774	→	調を国進物と称したため、日本が新羅使を放還		
776			→	渤海使が越前国加賀に到着。光仁天皇の即位を賀す
777			←	日本の使者が渤海国王の后の喪を弔う
779	→	新羅が調を貢上	→	渤海人と鉄利人 359 人が出羽国に到着。渤海使節の用意が不十分だったため、日本が放還
786			→	渤海使が出羽国に到着。53 人のうち 12 人が蝦夷にさらわれる
795			→	渤海使が出羽国志理波村に到着し、蝦夷に略奪される。渤海が使節派遣の間隔について問う
798			← →	渤海からの遣使を6年に1度とするよう、日本が要請 来日した渤海使への返書として、年数制限をやめて、使節の人数を制限することを日本が提案

（七八六）にも、船員が蝦夷に殺害される事件が起きている。
渤海使がたどり着いた蝦夷の地に関しては、宝亀《ほうき》二年（七七一）には野代湊《のしろみなと》（秋田県能代市《のしろ》）、延暦一四年には出羽国志理波《しりぱ》村（現在地は不明）がわかっている。宝亀四年には日本側から大宰府を経由するよう命じているが、その後も日本海沿岸への来着が続いた。このようななかで、渤海と鉄利《てつり》（渤海に服属した部族）の人々のなかには、天平《てんぴょう》一八年（七四六）に一一〇〇人ほどが、宝亀一〇年には三五九人が、日本への帰化を求めて出羽国にやってきたが、どちらも本国へ帰す措置がとられた。

渤海使の来着した国では、その国府《こくふ》にまず使節の一行を滞在させ、中央に到着の報告を送ったのちに、中央から迎えの使者が派遣された。出羽国に到着した渤海使の一行がとどまった可能性のある施設として、秋田城が注目されている。秋田城跡では発掘調査によって木製の樋《ひ》で汚物を流す水洗式トイレの遺構が見つかった。排泄《はいせつ》物をためる沈殿槽《そう》の穴から見つかった寄生虫卵によって、豚を常食とする人がこのトイレを利用したことがわかった。八世紀の日本では豚を常食にはしておらず、大陸

12

◉渤海への風待ちの港、福良津《ふくら》
能登半島西岸にある福浦港《ふくら》（石川県羽咋郡《はくい》志賀《しか》町《まち》）の景観。天然の良港で、宝亀三年九月に渤海使を送るために船出した武生鳥守らが暴風にあい、ここでつぎの機会を待った。

の人間が利用したとみられ、出羽国に来着した渤海人の可能性が考えられている。延暦二三年には、渤海使が来着することの多い能登国に客院《きゃくいん》の建設が命じられ、その後、越前国に松原《まつばら》客館（福井県敦賀《つるが》市と考えられる）が設けられ、渤海使の滞在に利用された。

桓武天皇と渡来系氏族

天応《てんおう》元年（七八一）に即位した桓武《かんむ》天皇の時代である八世紀末には、それまでに往来した遣唐使《けんとうし》を通して中国文化への理解が進み、国家運営にもさまざまな中国的要素が取り入れられた。桓武天皇

藤原京・平城京・長岡京・平安京の位置と時期

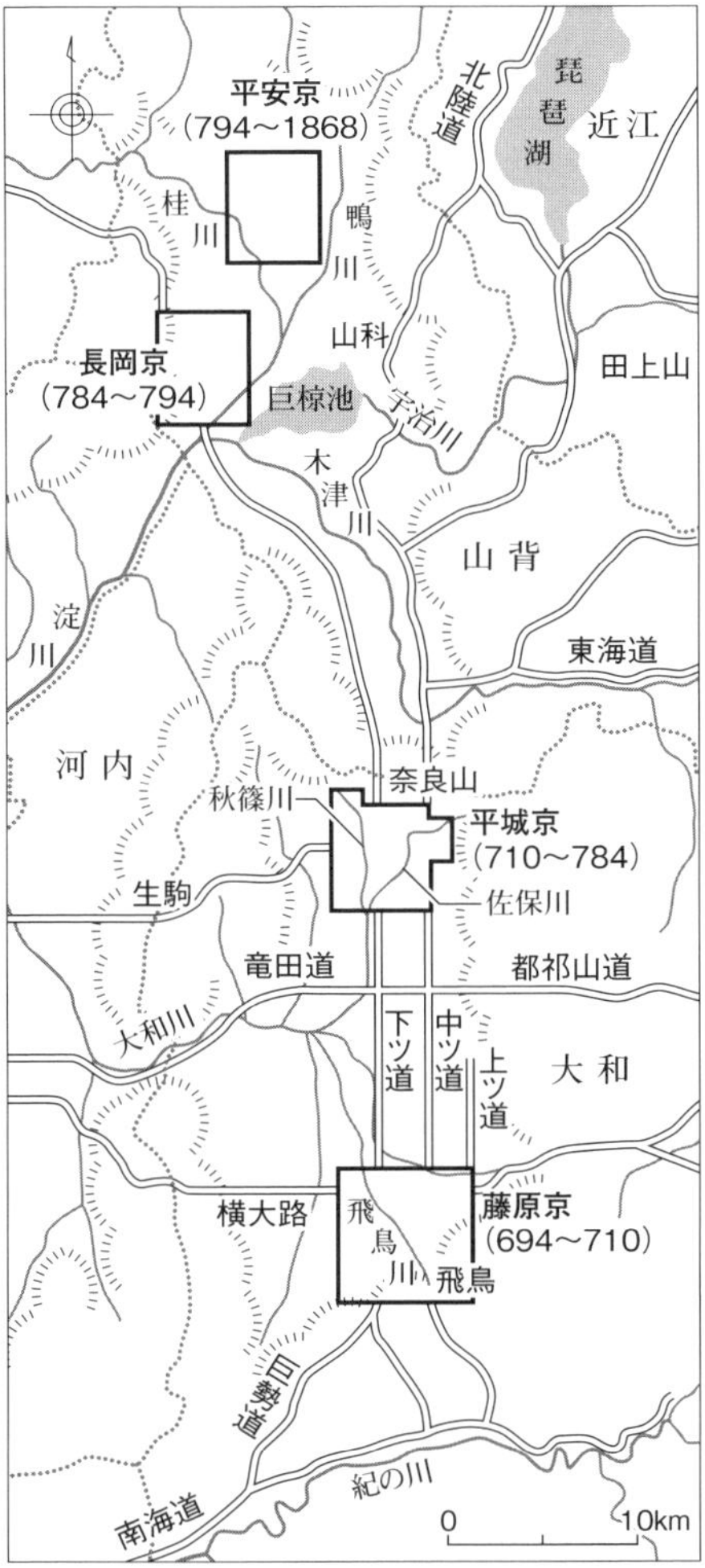

は母方が百済《くだら》系渡来氏族の和氏《やまとうじ》であり、大和《やまと》の平城京《へいじょうきょう》から山背《やましろ》の長岡京《ながおかきょう》へ、さらに平安京への遷都を行なったのも、山背国を根拠地とした秦氏《はたうじ》などの渡来系氏族の協力を期待してのことと考えられている。桓武自身が「百済王らは朕《ちん》が外戚《がいせき》なり」とも述べており、桓武天皇の代になって、渡来系氏族には朝臣《あそん》や宿禰《すくね》といった格付けの高い姓を与えられたものも多く、従来の氏族の位置づけは再編されていくことになる。

　桓武天皇には二七人の皇妃がいたといわれているが、そのうちの六人が渡来系氏族の出身であり、なかでも百済王氏《くだらのこにきし》が三名、坂上氏《さかのうえ》が二名である。この両氏族は桓武天皇の代よりも前から政界で活

桓武天皇の系譜

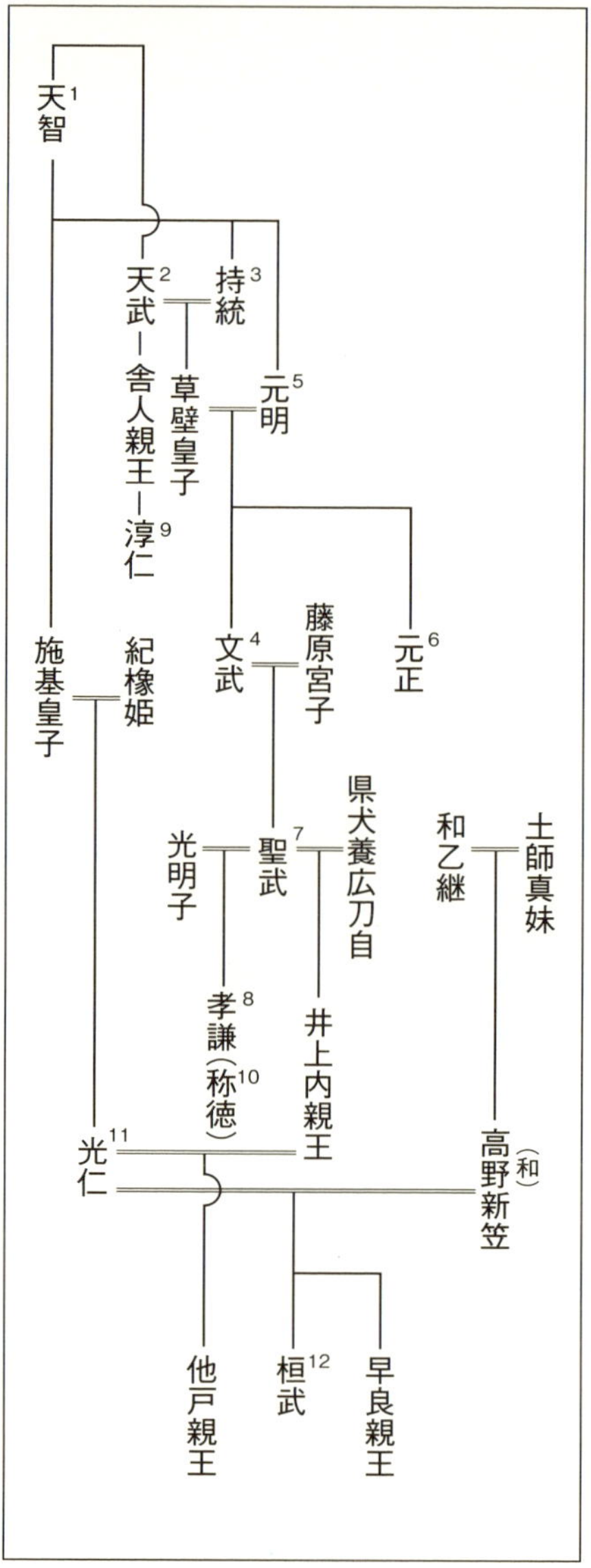

躍してきたが、桓武の代になってから皇妃を輩出するようになったのであった。桓武天皇の寵臣《ちょうしん》として娘を後宮《こうきゅう》に入れていた坂上田村麻呂《さかのうえのたむらまろ》の坂上氏も、渡来系の東漢《やまとのあや》氏の枝族である。また、桓武天皇の代には、渡来系氏族出身者が高官に昇進する例が多く、これも桓武の個人的な意志を反映しているとみられる。

以上のように、桓武自身が渡来系氏族とのつながりを強く意識していたことは明白だが、この時代の渡来系氏族のもっていた社会での役割は、八世紀における官僚制の発展とともに変わってきていた。渡来系氏族に特定の技術を担わせるあり方は、すでにその技術の広がりによって、特定の氏族に押し込めた運営の意味をなくし、新羅《しらぎ》や渤海《ぼっかい》との関係の変化は、渡来系氏族の位置づけを旧来のままにしておく意味も失わせていた。

また桓武天皇は、中国の皇帝支配のあり方を学んだうえで、自身の地位を正統化するために、中国皇帝と同様に郊祀《こうし》祭天《さいてん》の儀を行なった。中国での郊祀祭天は、冬至の日に都の郊外に設けられた天壇《てんだん》で、天帝と王朝の始祖を併せて祀《まつ》る儀礼である。桓武天皇は、自身を中国的皇帝になぞらえて自身の権力の淵源《えんげん》として天帝を祀《まつ》るとともに、八世紀なかば過ぎまでの孝謙《こうけん》・称徳《しょうとく》天皇からの隔絶を意図して、父である先代の光仁《こうにん》天皇を新王朝の始祖になぞらえて祀ったのであった。

中国文明のあり方をより深く理解した時代になり、朝鮮半島からの渡来系氏族の役割も変化した時代を迎えて、九世紀には、国家を支える秩序は新たなものを軸として展開していくことになる。

コラム2

石造りの都

飛鳥寺《あすかでら》方面から奈良県立万葉文化館に向かって坂を登ったところに、亀形石造物がある。これを中心に、丘のふもとに石敷きの広場がつくられており、丘側から水を引いてここで何かの儀式を行なったようである。丘の頂上近くにある酒船《さかふね》石《いし》も関連するとみられ、一帯は酒船石遺跡と名付けられた。

明日香《あすか》村にはこのような石造物が多々ある。近年の発掘調査で、七世紀なかばの斉明《さいめい》天皇の時期に、飛鳥の地で石を多彩に使った都づくりが行なわれたことがわかってきた。石造物があちこちでつくられ、石を多用した水路や池や広場が広がるさまは、八世紀の中国風の都とは異なる趣がある。朝鮮半島では石を積んでつくった方形の人工池もあり、石を利用した土木工事の方法が発達していた。

当時は、朝鮮半島における百済《くだら》が危機を迎えており、百済から亡命した技術者の参加でつくられた可能性が高い。

◉亀形石造物
丁寧にえぐられた部分には水が溜まるのだろう。水を引いて噴水のようなしかけが多くつくられたのもこの時期の特徴である。

第三章

「日本」の内と外

1

渡来人・帰化人と日本社会

渡来人・帰化人の波

歴史教育において、扱い方の難しい用語のひとつに、「帰化人」という語がある。おもに五世紀初頭以降に、朝鮮半島から日本列島に渡ってきて倭《わ》の支配下に属した人々とその子孫を指している。渡ってきた事実があることは間違いないが、その経緯を「帰化」という言葉で説明してよいかどうかは、あとに述べるように問題を含んでいる。こうした観点から、彼らを「帰化人」と呼ぶことに慎重な意見があり、現在では「渡来人」という言葉を使っている場合が多い。

「帰化」と「渡来」は、かなりニュアンスの違う言葉である。「帰化」では、移動した先の国家と君主に服属する意志をもってやってきたことになり、「渡来」がたんに空間を移動してきたような意味であるのとは違っている。大陸からやってきて、結果的に倭の支配下に組み入れられた人々のなかには、倭王への服属の意志が不明な者も多く、広く「渡来人」と呼ぶほうが曲解の心配は少ない。

しかし、渡来してきた多数の人々のなかには、自分たちの意志で倭に帰属することを求めてやってきた者もいた可能性はあり、こうした人々については、むしろ「帰化人」と表記するほうがよいともいえる。ただし、経緯がよくわかる事例はほとんどないため、「帰化人」として扱うには難しい

◉伎楽面（酔胡王）
伎楽で用いられる仮面。酔胡王《すいこおう》は、鼻が高く強調され、目や口の表情にも中国西方の胡人の風貌《ふうぼう》が表わされている。前ページ写真

場合が多い。本書では、おもに「渡来人」という語を使いながら、必要に応じて「帰化人」の語を併用することにしたい。

大陸から日本列島への人々の移住は、古くから脈々と続いている。縄文《じょうもん》時代晩期《ばんき》に稲作を携えて移住してきた大量の人々はもちろんだが、本巻の対象とする五世紀以降の社会でも、大陸からの移住者の渡来は随時あった。しかし、その渡来は一定のペースで続いていたというよりも、波があっ

2

3

◉土井ヶ浜遺跡と出土した人骨
上の写真中央部に見える土井ヶ浜《どいがはま》遺跡は本州西端の山口県下関市に所在する弥生《やよい》時代の埋葬遺跡。二三〇体以上の人骨が見つかっており（下）、縄文人とは異なる長身で面長の形質的特徴をもつ。朝鮮半島から海を渡って住み着いた人々の墓と考えられる。

たとみるべきだろう。

倭の豪族たちが支配下に組み入れることを目的として移住させたこともあれば、大陸の政治情勢の影響を受けて難民のようなかたちでやってくることもある。いく通りかの要因のもとで、ある時期にはまとまった集団で人々が渡来することがあり、そうかと思うと、そうした大陸からの移住者が比較的少ない時期もあった。渡来するに至った人々は、朝鮮半島と日本列島、そして中国における政治情勢、すなわち東アジアの政治情勢に大きく左右されていたのである。

四世紀後半から五世紀初頭の時期には、高句麗《こうくり》好太王《こうたいおう》（広開土王《こうかいどおう》）碑《ひ》にみられるように、倭は加耶《かや》（加羅《から》）地域や百済《くだら》と連携して高句麗に対抗していたが、朝鮮半島での軍事衝突などを契機として、倭が派遣した軍勢が連れ帰った人々もいたであろうし、戦乱を避けてこれに従った者もいたであろう。また、五世紀後半には、高句麗の攻撃によって都のあった漢城《かんじょう》を落とされた百済は、より南の熊津《ゆうしん》へ遷都し勢力を南下させる。この前後の戦乱の影響により、百済の人々が倭に渡来することとなった。さらに、七世紀に唐《とう》・新羅《しらぎ》によって百済と高句麗が滅ぼされるという事態を迎えると、ふたたび多くの人々が日本列島へと渡ってくることになったのである。

4

◉**高句麗好太王碑**
現在の中国・吉林省《きつりん》にあり、高さ六・四mの四角柱状で、好太王の功績を称《たた》える一七七五文字の文が四面に記される。

五世紀の渡来者たち

五世紀初頭には、朝鮮半島南端の加耶《かや》南部と同じ土器が、日本列島でも出土しており、陶質《とうしつ》土器と呼ばれている。加耶南部地域の人々のなかから、日本列島に渡来して、恒常的に活躍するようになった者がいたのであろう。さらに、加耶南部にあった小国家群との交流を媒介にして、倭《わ》は百済《くだら》との提携を実現させていった。こうして朝鮮半島での外交関係が拡大するにつれて、五世紀後半には、加耶北部で使われているのと同様の遺物も日本列島でみられるようになってくる。こうした活発な交流から考えても、加耶地域からの渡来が、四世紀後半から五世紀における渡来人・帰化人のなかで大きな割合を占めていたことは間違いない。

陶質土器の分布は、現在の大阪府や奈良県、岡山県、福岡県などに集中している。なかでも大阪府東部にあたる河内《かわち》の地域には、渡来した人々が多く集住した。河内には五世紀から陶邑《すえむら》が形成され、須恵《すえ》器の生産が始まるが、これは渡来した人々が須恵器生産によって、倭の王に奉仕するようになった結果である。陶邑の人々に代表されるように、渡来した人々は、当時の日本列島にないさまざまな先進技術をもっていた。彼らは支配者によって集住させられ、その技術で支配者に恒常的に奉仕する存在とさせられたのである。

奈良県西部の葛城《かつらぎ》地方や岡山県南部でも、多くの陶質土器が見つかり、それぞれの地に渡来させられた人々が多く住んでいた。五世紀にこれらの地域の豪族であった葛城氏や吉備《きび》氏は、朝鮮半島に派遣された伝承をもっている。すなわち、『日本書紀《にほんしょき》』には、神功《じんぐう》皇后から仁徳《にんとく》天皇の代のこととして、葛城襲津彦《かずらきのそつびこ》が軍事指揮官的な存在として朝鮮半島に派遣された伝承がみられ、また、雄略《ゆうりゃく》天皇の代に、吉備上道臣田狭《きびのかみつみちのおみたさ》が「任那国司《みまなこくし》」として朝鮮半島に派遣されたが、雄略を恨んで新羅《しらぎ》と通じ、子の弟君《おときみ》とともに反旗を翻したとされる。

四世紀末から五世紀にかけて、彼らのような豪族勢力が朝鮮半島へ派遣されて、外交や軍事行動を行なっていた。彼らは、加耶諸国や百済《くだら》・新羅との間にできた関係をもとに、加耶地方の人々を自身の地元に連れ帰り、自分たちの配下に置いて、彼らのもっている技術を利用したのであろう。しかし、五世紀後半とみられる雄略天皇の代の前後に、葛城氏は滅ぼされ、また、吉備の勢力は大和《やまと》と並ぶほどの勢力をもって対立しながらも、その後は倭王の支配下に組み込まれていった。

五世紀後半の朝鮮半島では、高句麗《こうくり》の南下によって百済が圧迫されていた。この時期に渡来してきた人々に対しては、「今《いま》来才伎《きのてひと》」「新漢《いまきのあや》」という呼び方が『日本書紀』に見える。「今《いま》来《き》」は、それ以前に渡来していた人々と区別して、あとになって「今やって来た」という意味である。『日本書紀』には、陶《すえ》

5

◉大庭寺《おばでら》遺跡（大阪府堺市）出土の須恵器
初期の須恵器の代表的な事例で、渡来した第一世代が生産したものだろう。近年では四世紀後半にさかのぼる可能性も指摘されている。

部《つくりべ》・鞍部《くらつくりべ》・画部《えかきべ》・錦部《にしごりべ》・訳語《おさ》などがこの時期に百済から献上されたとして書かれているが、倭から派遣された豪族が、百済との交渉を経て、倭へ連れてきたのであろう。

すでに五世紀前半までに渡来していた人々のうち、再編成されて東漢《やまとのあや》氏という氏族を構成していた人々もあり、五世紀後半に渡来した「今来の才伎」は、この東漢氏の管理下に置かれた。東漢氏と並んで渡来人のなかで大きな勢力をもつことになる秦《はた》氏も、その根拠地であった京都盆地の嵯峨《さが》野《の》に分布する古墳の状況からみて、五世紀後半に定着して勢力を築いていったとみられる。

日本列島にやってきた渡来人・帰化人の集団は、先進的な技術を身につけていたために、その技術を利用する王権から集団ごと掌握される対象となった。須恵器の生産や、鍛冶《かじ》・機織り・木工など、特定の手工業分野のいくつかにおいて、高度な技術をもつ集団が形成された。同時期の大王による支配のあり方として、奉仕する集団を「部《べ》」として設定し、人々を掌握する制度があった。いわゆる部民制《べみんせい》である。大陸からやってきた技術者集団も、それぞれが部として掌握された。例をあげるならば、須恵器製造集団は「陶作部《すえつくりべ》」（陶部）、鍛冶集団は「韓鍛冶部《からかぬちべ》」というように編成されていく。

権力者にとっては、こうした高度な技術を独占ないし保持していることが、周囲に対する優越となった。必要な技術が拡散しないように、「部」にはその技術が世襲的に維持される必要がある。技術者集団は、その技術を子孫に継承し、集団として奉仕する体制を維持させられることとなった。この体制に編成された技術者たちは、八世紀の律令制《りつりょうせい》下にも継承され、各官司《かんし》（役所）に所属させられた伴部《ともべ》・品部《しなべ》・雑戸《ざつこ》となっていく。

朝鮮半島の倭系人

五世紀に加耶《かや》諸国との交流があった時期以降、倭《わ》から朝鮮半島に渡って住み着いた人々も多数いたことがわかっている。六世紀初頭には倭人と加耶人との間にできた子供たちの帰属が問題になったこともある。また、加耶には吉備韓子那多利《きびのからこなたり》・斯布利《しぶり》という兄弟の名も知られ、彼らは吉備出身の倭人と加耶人との間の「韓子」であったとみられる。

百済《くだら》との交渉が活発化した六世紀以降には、ヤマト王権と関係をもちながら百済で活躍する倭人系の官人がいたこともわかっている。九州に根拠地をもつ葦北国造《あしきたのくにのみやつこ》の子であった日羅《にちら》は、大伴氏《おおとも》を通じて倭に服属しながら、百済の地にあって百済王にも臣従していた。あたかも両国に属すような立場にあり、それによって外交を成り立たせる役まわりを負ったりもしている。また、紀弥麻沙《きのみまさ》は、紀氏《きうじ》の父と韓人の母をもち、百済にとどまって奈率《なそち》（一六等官品の第六品）の地位に昇った。彼は聖明王《せいめいおう》（在位五二三～五五四年）の時代に、百済から加耶や日本へ派遣され、外交で活躍している。

こうした存在の倭系百済人は、おそらくほかにもいたに違いない。彼らは、居住した国のなかに入り込んで活躍していった。朝鮮半島からの渡来人が日本に溶け込んでいったように、日本から百済に渡った人たちも百済に溶け込んでいき、その子孫は倭系百済人として朝鮮半島で生きていった。国際交流のなかでこのように生きた人々は、決して少なくはなかったはずである。

仏教の始まり

渡来人・帰化人が持ち込んだ文化のひとつに、仏教信仰がある。『日本書紀《にほんしょき》』には、五五二年に百《くだ》済《ら》の聖明王《せいめいおう》から欽明《きんめい》天皇に対して、金銅釈迦《こんどうしゃか》像一体とこれを荘厳《しょうごん》するための幡《ばん》・蓋《がい》、さらに経論が送られてきたと伝えられる。いわゆる「仏教公伝」である。同じ内容について、『上宮聖徳法王帝《じょうぐうしょうとくほうおうてい》説《せつ》』と『元興寺縁起《がんごうじえんぎ》』では、五三八年のことと伝えており、実際の年代としてはこちらの可能性が高いとみられている。

しかし、この「公伝」よりも前から、倭に定住するようになった渡来人たちのなかに仏教の信仰があり、日本列島内に仏教は持ち込まれていた。『扶《ふ》桑略記《そうりゃっき》』の伝えるところによれば、継体《けいたい》天皇一六年（五二二）二月に渡来した鞍部村主司馬達止《くらつくりのすぐりしばたっと》（達等）が、飛鳥《あすか》にほど近い坂田原《さかたのはら》に粗末な堂を建てて仏像を安置し礼拝したが、まわりの者たちは「これは大唐の神だ」といって冷ややかであり、この信仰はあまり広まらなかったという。渡来した人々がもっていた信仰は、すぐに広まっていく気配はなく、限られた狭い範囲での信仰でしかなかった。

百済では、三八四年に東晋《とうしん》から僧を迎えて、仏教

6

◉誕生釈迦仏立像（愛知県正眼寺《しょうげんじ》）
七世紀前半の作とみられる誕生釈迦仏像。高さ八・二cmと小型ながら、面長で体が扁平《へんぺい》な点など、鞍作鳥《くらつくりのとり》の作と伝えられるほかの仏像に似た特徴を示す。

が公認される体制ができ、その後、聖明王の時代には大きく発展していた。聖明王は仏教を倭王に勧めることで、それまでの倭との同盟関係をより強固なものにしようとしたのであろう。『日本書紀』では、仏教公伝記事の前後に、朝鮮半島情勢をめぐる百済と倭との交渉が連続して記されている。

しかし、百済王からの勧めをきっかけにして倭王が積極的に仏教を広めようとした様子はみられない。聖明王から仏像と荘厳具《しょうごんぐ》と経典を送られた欽明《きんめい》天皇は、みずから進んで礼拝を望んだ蘇我稲目《そがのいなめ》には、礼拝を許した。蘇我氏は、六世紀前半に稲目の代になって台頭し、今来漢人《いまきのあやひと》たちを管掌した東漢《やまとのあや》氏と連携を深めて、物部《もののべ》氏らに対抗する状況にあった。吉備白猪屯倉《きびのしらいのみやけ》の設置などを担当して、屯倉の現地経営に渡来人を起用するなどしている。このような関係から、東漢氏配下の渡来人の保護者として、彼らの信仰を擁護しただろう。

稲目は向原《むくはら》の家を捧《ささ》げて寺としたが、その後に疫病が起こったため、対立していた物部尾輿《もののべのおこし》と中臣鎌子《なかとみのかまこ》が、蕃神《ばんしん》（外国から伝わった神）を崇《あが》めたことで疫病になったと主張し、欽明天皇に仏像の廃棄を奏上して許された。仏像は難波堀江《なにわのほりえ》に流し棄《す》てられ、寺は火をかけて焼かれたという。欽明天皇には仏教を積極的に保護する姿勢はみられなかった。

ただし、『日本書紀』ではこの翌年（欽明天皇一四年〔五五三〕）に、現在の大阪湾南部にあたる茅《ち》渟海《ぬのうみ》で見つかった光り輝くクスノキから仏像をつくらせたという記事を載せており、仏像礼拝じたいは完全に否定されてもいない。また、百済からは五経博士《ごきょうはかせ》とともに僧侶《そうりょ》が派遣されたようで、欽明天皇一五年には九人の僧侶との交替で七人の僧侶がやってきた記事がある。どのように処遇されていたかはわからないが、百済僧は王権に近いところに複数で存在していた。百済から派遣された僧侶たちによって、時間をかけながら仏教への理解が広まっていったのだろう。

欽明天皇三一年に稲目が亡くなったのち、跡を継いだ子の蘇我馬子《そがのうまこ》も、渡来系集団との関係を引き続き密に保っていた。敏達《びだつ》天皇一三年（五八四）には馬子が、百済から渡来した鹿深臣《かふかのおみ》某のもたらした弥勒《みろく》像を、自身の邸宅の近くに仏殿を建てて安置した。さらに、もと僧侶で高句麗《こうくり》からの渡来者である恵便《えべん》を播磨《はりま》から師として迎え、司馬達等《しばたつと》の娘とほかの渡来系の娘二人の計三人を尼にして仏法を学ばせている。仏殿の完成に際して行なわれた法会において、司馬達等が仏舎利《ぶっしゃり》を得たとして馬子に献上し、翌五八五年には、塔が建てられてこの仏舎利が納められた。

蘇我馬子の動きに対して、このときも物部守屋《もののべのもりや》と中臣勝海《なかとみのかつみ》が仏法を崇めることに反対し、敏達天皇の許可を得たうえで塔・仏殿に火を放ち、尼たちを鞭《むち》打ちにした。しかし、直後から敏達と物部守屋は病となり、数か月後には敏達が亡くなった。さらに国内に疱瘡《ほうそう》（痘瘡《とうそう》）が流行し、仏像を焼いた罪だとする俗言が広まったという。

大豪族たちが対立するなかで、敏達のあとを受けて即位した用明《ようめい》天皇は、即位の翌五八七年に病となり、仏教に帰依する考えを述べるに至る。馬子と守屋の対立はいよいよ深まり、用明天皇が亡くなった直後に内戦となった。馬子は仏法守護神に祈り、厩戸皇子《うまやどのみこ》は四天王に祈って、最終的に勝ち抜くことができたため、それぞれが報恩のために法興寺《ほうこうじ》（飛鳥《あすか》寺《でら》）と四天王寺《してんのうじ》を建立する。

戦乱の翌年である崇峻《すしゅん》天皇元年（五八八）には、百済から僧侶が派遣されて仏舎利をもたらし、寺院建立に必要な寺工《じこう》・鑪盤《ろばん》博士・瓦《かわら》博士・画工《がこう》も百済から派遣された。鑪盤博士は塔の頂上部に載せる露盤などの金属部品を製作する技術指導者であり、瓦博士は瓦をつくり屋根に葺《ふ》く技術指導者である。瓦は、法興寺において日本ではじめて屋根に利用された。国内初の本格的寺院である法興寺の建立にあたって、これまで国内にはなかった建築技術が必要となり、百済から知識と技術がもたらされたのであった。また、司馬達等の娘で尼であった善信《ぜんしん》は、百済に留学して戒法《かいほう》を学び、法興寺建立の直前に帰国した。この年に大伴《おおとも》氏や渡来系氏族から一二名の出家者があったことも伝え

7

8

◉飛鳥大仏と軒丸瓦
飛鳥寺の大仏（上）は推古《すいこ》天皇一四年（六〇六）の鞍作鳥《くらつくりのとり》の作と伝えられ、飛鳥時代当初からの本尊として守られてきた。飛鳥寺の創建当初の軒丸瓦（下右）は、百済で見つかっている軒丸瓦（下左、模造）とよく似ており、百済からの技術者によってつくられたことを推測させる。

られている。「仏教公伝」から半世紀ほどを経たが、渡来系氏族の活躍と、百済からの技術と人材の供与によって、日本の仏教は動きはじめた。

移民と東国社会

栃木県大田原《おおたわら》市湯津上《ゆづかみ》、旧湯津上村の地は、北から南に向かって流れる那珂川《なかがわ》の清流に沿う地である。那珂川西岸の崖《がけ》の上は、現在も田畑が広がり豊かな実りをもたらしているが、古くはこの那《な》須《す》地域を拠点に活動した豪族たちが栄えた。全長一一四メートルの上侍塚《かみさむらいづか》古墳、八四メートルの下《しも》侍塚古墳に代表されるいくつもの古墳が付近に分布している。

かつての豪族たちが活躍したこの地域の一角に、笠石神社《かさいしじんじゃ》がある。神社の由来は、江戸時代に知られるようになったひとつの碑《ひ》による。延宝《えんぽう》四年（一六七六）、草むらのなかに埋もれていたこの碑が地元の役人の知るところとなり、天和《てんな》三年（一六八三）には、領内巡行で付近を通った水戸藩主の徳川光圀《とくがわみつくに》の目にとまることになった。写真のように、笠をかぶったような形の碑であり、碑文の内容から那須国造碑《なすこくぞうひ》と呼ばれている。碑文の冒頭部分を現代語訳すればばつ

◉那須国造碑
高さ一・四八mの石碑。灰白色の花崗岩が用いられ、ていねいな楷書《かいしょ》で一五二文字が整然と彫り込まれている。

ぎのようになる。

「永昌《えいしょう》元年己丑《きちゆう》（持統《じとう》天皇三年〔六八九〕）四月、持統天皇の代の那須国造の地位にあった那須直韋提《なすのあたいいて》が、評の長官である評督《こおりのかみ》に任じられた。庚子《こうし》の年（文武《もんむ》天皇四年〔七〇〇〕）正月二日の辰《たつ》の時に、彼は亡くなった。よって意斯麻呂《おしまろ》らが碑を建て、銘文に偲《しの》んで以下のように記す…」

このなかで、まず問題になるのが、「永昌元年」という年の書き方である。「永昌」は日本の年号ではなく、則天武后《そくてんぶこう》期の中国で定められた年号で、六八九年にのみ使われた。日本国内には、この年号を記した史料は、ほかにはまったく残っていない。日本では、六八九年にはまだ独自に年号を制定しておらず、干支《かんし》で年紀を示していた。同年代のほかの史料では干支で書かれているところが、この碑では中国の年号を用いていることになる。いったい誰が中国の年号を使っていたのだろうか。

考慮しなければならないのは、碑という形態でこの文章が残されたことである。この碑のように笠のような冠石《かむりいし》が載った形の碑は、七世紀から九世紀にかけて、日本国内でつくられた例が残っている。総量がそう多くはないため比較するのは難しいが、三国時代（四世紀中ごろ～六六八年）の朝鮮半島では多くつくられており、新羅《しらぎ》に類例が多く残っている。新羅では六五〇年から唐《とう》の年号を公的に使用しており、新羅からの知識によってこの碑がつくられたことは十分に考えられる。

この碑がつくられたのは、韋提が没してから数年のうちであろう。碑の造立《ぞうりゅう》された七世紀末から八世紀初頭にかけての時期は、『日本書紀《にほんしょき》』や『続日本紀《しょくにほんぎ》』によると、朝鮮半島から渡ってきた人々を何度も東国へ集団移住させていた。那須評のあった下野国《しもつけのくに》も例外ではない。七世紀後半における朝鮮半島での動乱の結果、集団で逃れてきた人々に対して、政府は東国の地を集団移住先としたのであった。この結果、東国のなかには、新羅人の村や、高《こう》句《く》麗《り》人の村がいくつか出現した。現在まで地名が残り、よく知られるものとしては、武蔵《むさし》国の多磨《たま》郡狛《こま》江《え》郷や同国高麗《こま》郡があり、そこは高句麗出身者の村があったところである。また武蔵国新座《にいくら》郡は新羅出身者の村があったことにちなんだ地名である。下野国では、新羅系土器が出土している集落遺跡もある。

当然のことながら、こうした集団移住によって成立した村の人々と、既存の村の人々や豪族たちとの交流は盛んになっていったと推測される。七世紀末から八世紀初頭にかけて、都から離れた東国の社会で、急激に「国際化」が始まったのである。集団移住の記録を調べると、中国からの移住はなく、新羅からの移住が多い。那須国造碑は、国造《くにのみやつこ》を中心とした在地社会が、新羅からの移住者と交流するなかで、彼らからの大きな影響を受けてつくられたとみられるのである。

7〜8世紀の渡来人の東国移住　＊( )はすでに移住していたことがわかる事例

年月	西暦	移住者	移住先	備考
天智天皇5年冬	666	百済男女2000余人	東国	
天智天皇8年	669	(百済人) 余自信・鬼室集斯ら男女700余人	近江国蒲生郡	
天武天皇13年5月	684	百済の僧尼と俗人男女23人	武蔵国	
持統天皇元年3月	687	高句麗人56人	常陸国	
持統天皇元年3月	687	新羅人14人	下野国	
持統天皇元年4月	687	新羅人22人	武蔵国	
持統天皇2年5月	688	百済人の敬須徳那利	甲斐国	
持統天皇3年4月	689	新羅人	下野国	
持統天皇4年2月	690	新羅人許満ら12人	武蔵国	
持統天皇4年8月	690	新羅人	下野国	
和銅8年7月	715	新羅人74家	美濃国	席田郡設置
霊亀2年5月	716	駿河・甲斐・相模・上総・下総・常陸・下野の高句麗人1799人	武蔵国	高麗郡設置
(天平5年6月)	733	新羅人徳師ら男女53人	武蔵国埼玉郡	金の姓を認める
天平宝字2年8月	758	新羅僧32人、尼2人、男19人、女21人	武蔵国	新羅郡設置
天平宝字4年4月	760	帰化新羅131人	武蔵国	
(天平宝字5年正月)	761	年少各20人に新羅語を習わせる	美濃国·武蔵国	
(天平神護2年5月)	766	新羅人子午足ら193人	上野国	吉井連の姓を与える
(宝亀11年5月)	780	新羅郡人の沙良真熊	武蔵国新羅郡	広岡連の姓を与える

七世紀末から八世紀初頭にかけての碑としては、上野三碑《こうずけさんぴ》も著名である。いずれも現在の群馬県にあり、高崎市の山ノ《やまの》上《うえ》碑と金井《かない》沢《ざわ》碑、多野《たの》郡吉井《よしい》町《まち》の多胡《たご》碑を総称してこのように呼んでいる。全国的にも少ない七世紀末から八世紀初頭の碑が、近接した地にまとまって残されていることは、たんなる偶然とはいいがたい。これらの碑が建てられた上野国にも、七世紀末から八世紀初頭にかけて、多くの渡来人が移住しており、彼らの持ち込んだ文化の影響が大いに考えられる。

山ノ上碑と金井沢碑は、外形はともに自然石の状態で、碑文の面を平らにする以外は手を加えていない。こうした碑の形は中国ではあまりみられないが、新羅には類例がある。多胡碑は那須国造碑と同様に笠石を載せた形であり、これも新羅に類例がある。東国で七世紀末から八世紀初頭にかけてつくられた碑の背景として、いずれも朝鮮半島からの移住者の影響を考えなければならないだろう。

じつは、東国には、これよりもさらに古く、大陸からの移住者を配した痕跡《こんせき》がある。四世紀における高句麗との戦争ののち、日本列島に馬がみられるようになるが、これは高句麗の騎馬隊に苦戦した経験から、自国にも騎馬隊を導入しようとしたためとみられる。そのために、倭《わ》は、

10

11

12

●渡来人の影響が残る上野三碑
山ノ上碑（右）は六八一年建立の墓碑か。金井沢碑（中）は神亀三年（七二六）の先祖供養碑。多胡碑（左）は和銅四年（七一一）の多胡郡設置を記す。

馬を飼育する技術をもった人々を、朝鮮半島から列島内に移住させた。

八世紀以降になると、馬の飼育に適した地として、甲斐《かい》・信濃《しなの》・上野の三か国に、天皇に供する馬を飼育するための御牧《みまき》が設置される。いずれも東国であるが、これはそれ以前からの馬産の伝統をふまえたものであった。これらの諸国で馬の飼育が始まった時期には、たとえば信濃では高句麗と同様な積石塚《つみいしづか》と呼ばれる様式の古墳がつくられるようになる。これは馬の飼育のために、高句麗系の渡来人が東国へ移住させられた結果だろう。甲斐国巨摩《こま》郡には牧《まき》が多いが、巨摩（高麗）の地名は高句麗系渡来人に由来する。

東国はこうした伝統をもつ地方としてみられていた。七世紀後半における朝鮮半島からの東国への移住も、馬の飼育開始以来の渡来者移住先として考えられていたためかもしれない。

◉長野市大室《おおむろ》古墳群の積石塚
大室古墳群には数百基の積石塚があり、馬に関係した渡来人の墓とみられる。
13

百済王氏と旧百済出身氏族

六三一年、百済《くだら》は、義慈王《ぎじおう》の息子であった豊璋《ほうしょう》と善光《ぜんこう》の兄弟を、同盟関係における人質として倭《わ》に送った。この二人はその後数奇な運命をたどることになる。

六六〇年に唐《とう》と新羅《しらぎ》の連合軍に対して義慈王が敗れ、百済は瓦解《がかい》する。百済復興を画策する勢力によって、豊璋は義慈王の跡を継ぐべき者として、六六一年に倭から旧百済の地へ迎えられ、国家再興への動きが始まった。しかし、豊璋はたびたび臣下と対立し、ついには自身を擁立した鬼室福信《きしつふくしん》を殺害してしまう。六六三年、倭からの援軍は白村江《はくそんこう》で唐《とう》軍に敗れ、豊璋は新羅軍の囲みを脱出して高句麗《こうくり》に向かったと伝えられるが、その行方は不明である。高句麗も六六八年には滅亡した。

豊璋の弟である善光は、倭にとどまっていたが、ついに戻る国を失い、倭に身を寄せざるをえなくなった。六六四年には難波《なにわ》に居住地を与えられ、持統《じとう》天皇の代には百済王《くだらのこにきし》の姓を与えられて、百済王禅広《ぜんこう》（百済王善光）となる。彼の子孫は百済王氏となり、旧百済からの亡命貴族として、日本の官人社会でほかの貴族と同様に天皇に仕える臣下の立場となった。

禅広の子の昌成《しょうせい》は、百済王姓を与えられるより前の天武《てんむ》天皇三年（六七四）にすでに亡くなっており、持統天皇七年（六九三）に禅広が亡くなったあとは、孫の良虞《ろうぐ》が百済王氏を継ぎ、地方官を歴任した。良虞の子の百済王敬福《きょうふく》は、聖武《しょうむ》天皇に寵愛《ちょうあい》され、諸国の長官である守《かみ》や中央での武官職などを歴任した。武人としての評価も高かったと思われるが、二度目の陸奥守《むつのかみ》時代に、陸奥国内の小田《おだ》郡から金を産出した功績は特筆される。

当時、聖武天皇の発願《ほつがん》で始まった大仏造立《だいぶつぞうりゅう》は仕上げの段階を迎えており、鍍金《ときん》（金メッキ）のための金の採掘と精錬が国内各所で試みられていた。それまで日本国内では金は産出されておらず、産出可能な場所を探すことじたいが、ひじょうに困難な作業であった。しかし、百済王敬福は陸奥守としてこれに成功し、天平《てんぴょう》二一年（七四九）正月にはじめて産出され、天平感宝《てんぴょうかんぽう》と改元された四月に、黄金九〇〇両を献上することができた。宮城県遠田《とおだ》郡涌谷《わくや》町に黄金山産金《こがねやまさんきん》遺跡があり、付近では今でも砂金が採取される。

　このとき褒賞にあずかったのは、陸奥国の次官以下の官人と産金技術者たちであるが、そのなかに、陸奥国の第三等官である大掾《だいじょう》の余足人《よのたるひと》が見え、金を獲《え》た人として朱牟須売《しゅのむすめ》、冶金《やきん》した人として戸浄山《へのきよやま》が知られる。余足人は旧百済出身氏族の余氏であり、冶金技術者の戸浄山も百済出身氏族の者であった。朱牟須売は唐人に朱姓が知られるように大陸から渡来した氏族の出身である。

　技術者のなかに百済系出身氏族がみられることは、百済王氏が百済出身氏族のネットワークを使って金の産出を試みていたことを推測させる。日本社会に一貴族として参画しながらも、百済王氏は旧百済社会における人脈を保持していたか、ないしは旧百済崩壊後の日本社会のなかで、新たに旧百済系の人脈を構築していた可能性があるだろう。そして、それが日本でもっとも早い金の産出の実現につながったのではないだろうか。

　敬福にかぎらず、八世紀から九世紀にかけての百済王氏は、陸奥国や出羽《でわ》国といった蝦夷《えみし》と対峙《たいじ》する

14

◉百済王三忠の自署が記された漆紙本書
百済王氏のひとり三忠《さんちゅう》は出羽守や民部《みんぶ》少輔《しょうふ》、兵部《ひょうぶ》少輔をつとめた。この文書は天平宝字四年（七六〇）から七年にかけて出羽介として赴任していた際のもので、「三忠」の文字は本人の自筆である。（秋田城跡一一号漆紙《うるしがみ》文書）

国の国司に任じられることが多かった。その理由としては、金の産出と同様な鉱物資源開発か、あるいは陸奥・出羽に多く設置された城柵《じょうさく》施設の管理・維持に、便宜があると考えられたからであろう。国家辺境での任国経営のためには、武人としての個人の能力だけでなく、百済系のさまざまな技術をもった人々を動員する力が評価されていた可能性があるように思われる。

技術者集団の行方

渡来人の氏族は、自分たちの技術を占有し受け継いでいくことによって、国家に必要な存在となっていた。こうした渡来系氏族集団が保持してきた技術は、国家によって行なわれるさまざまな営みの場面で必要とされていた。しかし、官僚制の整備と並行して、その技術はほかの氏族にも広がりはじめる。八世紀にはこうした現象が顕著になってきていた。

一例として、彩色《さいしき》の技術をもつ氏族の状況をみてみたい。彩色絵画を描くには、顔料《がんりょう》を製造する工程から始まって、実際に絵を描くまで、特殊な技術が必要であり、渡来系の氏族集団を中心に伝えられてきた。六世紀の仏教文化の導入にあたって、仏像や仏殿に彩色の技術が必要となり、これに伴ってその技術をもつ画工集団が渡来し、国内に定着したと考えられる。七世紀初頭には、いくつかの系統に分かれていた画工集団が、それぞれ黄書画師《きぶみのえし》、山背《やましろ》画師、簀秦《すはた》画師、河内《かわち》画師、楢《なら》画師、倭《やまと》画師、牛鹿《うじか》画師という姓を与えられ、別々の根拠地をもつ絵描き技術者の氏族が形成された。

八世紀なかばの東大寺《とうだいじ》の造営において、天平勝宝《てんぴょうしょうほう》四年から天平宝字《てんぴょうほうじ》二年（七五二～七五八）にかけての彩色作業に動員された技術者に関する文書が残されている。この時期には、一度に大量の作業をこなさなければならなかったため、国家の役所である画工司《えだくみのつかさ》に所属する画工だけでなく、その資格をもたない画工も動員された。それらのなかで、先に列挙した「画師」の姓をもつ人たちの割合は、一・五割から三割程度であり、決して多くはない。しかし、画工司所属の伴部《ともべ》である画部《えかきべ》のなかでみれば、そこに占める画師姓の者の割合は半数近くにのぼり、画工司の画部を維持するための基盤が、画師姓氏族の集団にあったことがわかる。

彼らは、大和《やまと》・河内・山背・近江《おうみ》などに分布していた。技術をもって奉仕する官司の、その技術を維持する体制は、こうして畿内と近江に分布する渡来系氏族集団がその役割を担っていたのである。彼らがどれほどの人口比率になるのか、正確な割合を示す史料は残されていない。ひとつの目安として数値をあげるならば、畿内周辺の官人層の母体となった氏族について網羅していると考えられる『新撰姓氏録《しんせんしょうじろく》』によれば、渡来系の氏族は全氏族の約三〇パーセントにあたる。もちろん、これは氏族数での割合であり、人口数ではないが、ある程度の目安にはなるだろう。

この時代にはひとつの氏族集団がまとまって居住しており、地域によって渡来系氏族ばかりが集まっているという状況もみられた。畿内や近江には、渡来系氏族が集中して居住している地域があったのである。彼らの技術に支えられるかたちで、律令制《りつりょうせい》下の官司運営はスタートした。しかしその一方で、彼らのもつ技術が他氏族にも広まっていけば、氏族がまとまって技術を維持していく意味合いは、いずれは薄れていくことになる。

唐における日本人と唐からみた日本

遣唐使と留学生

遣唐使《けんとうし》として唐に渡った人々のなかにも、唐の社会で生きていった人々がいる。有名な阿倍仲麻呂《あべのなかまろ》は、留学生として霊亀《れいき》三年（七一七）に弱冠一七歳で渡唐し、唐の中央学府である太学《たいがく》でその才能を現わして科挙《かきょ》に及第し、官人として唐政府に仕えた。七五三年に帰国のチャンスを得たものの、逆風にあって船が大陸に漂着し、再度の機会を待つうちに安史《あんし》の乱《らん》が起こって帰国できなくなり、唐の官人として生涯を終えた。仲麻呂は唐の文人たちからも高く評価され、多くの交流があった。もし彼が帰国できていたら、藤原仲麻呂《ふじわらのなかまろ》の専制政権のもとで、どのように身を処したであろうか。

阿倍仲麻呂が七五三年に乗ったのは、天平勝宝《てんぴょうしょうほう》の遣唐大使《たいし》として唐に渡った藤原清河《きよかわ》が帰国する際の船であり、清河も同じ運命にあって唐に戻り、つぎの帰国の機会を待つことになった。しかし、宝亀《ほうき》の遣唐使が清河を迎えるために長安《ちょうあん》にたどり着いたとき、彼はすでに亡くなっていた。清河を迎えて帰るはずだった一行は、唐政府の許可を得て、清河が唐女性との間にもうけた女子の喜娘《きじょう》を連れて帰る。彼女は、乗船した日本への遣唐使船が難破する困難に見舞われながらも、九死に一生を得て渡日を果たしたが、その後の動向は記録に見えない。

阿倍仲麻呂は吉備真備《きびのまきび》とともに、日本人としてはひじょうに高い名声を得た留学生であった。唐に渡り勉学を行なうには、二通りの方法がある。まず、遣唐使に従って入唐《にっとう》し、その遣唐使が帰国する際に、また一緒に帰国する方法である。これでは遣唐使が唐で外交活動している期間しか学ぶ時間はなく、せいぜい一年ほどである。しかし、学びたいことが絞られていれば、このようないわば短期留学でも吸収できることは多い。この方法で学ぶ者を請益生《しょうやくしょう》という。

一方、仲麻呂や真備のように正規の留学生とされた者は、一緒に入唐した遣唐使が帰国したあとも唐にとどまって、つぎの遣唐使が来るまで勉学に励むのである。前章でも述べたように、つぎの遣唐使が来るまで二〇年近い歳月を待たねばならない。唐では官給で必要物資が得られるように優遇されてはいるが、自分の生涯における二〇年間は決して短くはない。まして海を渡る往来には危険が満ちている。阿倍仲麻呂のように唐政府で出世しても、帰国の安全が保証されるわけではなかった。二〇年の間に唐人と結婚しても、唐人の妻を連れて帰ることは許されない。こうした条件のもとで、留学生たちは、留学当初の意志を何度も思い返しながら、頑張っていたのだろう。

◉吉備真備の入唐の様子
吉備真備は備中国《びっちゅうのくに》の地方豪族であった下道《しもつみち》氏の出身。学問を評価されて着実に昇進し、右大臣にまで至った。(『吉備大臣入唐絵巻』模本)

留学僧の辛苦

留学生に比べて、留学僧にはもうひとつやっかいな問題が起こりえた。唐《とう》では、宗教として仏教とともに道教《どうきょう》が組織をもっており、ともに国家からの統制を受けている、いわば公認された宗教である。しかし、支配者の考え方によって、中国で古くから発展してきたと位置づけられる道教を優遇し、西方から入った仏教を異教として排撃することが、何度かあった。唐の第二代皇帝太宗《たいそう》（在位六二六〜六四九年）の時期には、老子《ろうし》が唐皇帝の祖先とされ、道教を仏教よりも優位に扱った。また、九世紀のことになるが、唐で学んでいた僧の円仁《えんにん》は、極端な廃仏政策に遭遇し、追われるように長安《ちょうあん》から帰国の途についた。そのとき寺院が壊され、僧尼《そうに》が還俗《げんぞく》させられ、寺院財産が没収される様子を、『入唐求法巡礼行記《にっとうぐほうじゅんれいこうき》』に克明に記している。

僧の弁正《べんしょう》は、大宝《たいほう》の遣唐使に従って道慈《どうじ》とともに入唐した。囲碁が得意であったことから、それを通して、まだ一般官人であった李《り》隆基《りゅうき》（のちの玄宗《げんそう》皇帝）と知り合いになったという。しかし、則《そく》天武《てんぶ》后《こう》の病気によって七〇五年に皇帝に復した中宗《ちゅうそう》は、それまで武后のもとで優遇されていた仏教よりも道教を尊ぶようになって、この影響からか、弁正は還俗してしまい、唐で亡くなったのであった。漢詩集『懐風藻《かいふうそう》』には、彼のつぎのような詩が載っている。

日の辺りに日の本を瞻《なが》め　雲の裏に雲の端を望めり
遠く遊んで遠き国に労《つか》れ　長く恨んで長安に苦しむ

彼が唐人との間にもうけた二人の男子のうち、弟の秦朝元《はたのちょうげん》は、いったん父の祖国の日本に渡るが、天平《てんぴょう》の遣唐使としてふたたび唐の地を踏み、父と旧知の玄宗皇帝にまみえる機会を得たという。

もうひとつ、留学の苦労を示すエピソードを紹介しておこう。二五歳で入唐し、三一年間修養して八世紀末の延暦《えんりやく》二年（七八三）頃に帰国した僧の行賀《ぎょうが》は、帰国直後にその学問成果について試験を受けることになった。しかし、口頭試問を担当した東大寺《とうだいじ》僧の質問に対して、言葉につまってまともに答えることができなかったため、日本と唐の両国から費用を出してもらったのに、どうして国家の期待にこたえるように努力してこなかったのかと罵倒《ばとう》された。これに対して行賀は、自分は長い間唐にいたために日本語を忘れてうまくしゃべれなかったのだと言い、大泣きした。たしかに彼は、唐において一〇〇人の僧侶《そうりょ》が講説を行なうなかで第二の地位を占めたこともあるほどの学識があり、優れた仏教経典を五〇〇巻あまりも筆写して唐から持ち帰ってきたのであった。行賀はこののち、高僧として日本仏教界の指導的立場に加わることになる。

留学生・留学僧によって、中国文明の摂取が進んだ半面、唐に渡った者たちのなかには、唐の社会に吸収されてしまった人材もあった。留学生・留学僧のなかには、長期の留学という厳しい環境に置かれて初志を貫徹できなかった者もいただろう。留学生は故国のための学問を離れ、留学僧であれば還俗して、故国に帰ることのなかった者の数は、実際にはわからない。

唐は当時の世界帝国として、西アジア、中央アジア、南アジア、東南アジアから新羅《しらぎ》、渤海《ぼっかい》、日本まで、さまざまな国家や地域の人々を吸収していった。唐にとって必要な人材と認められれば登用される。さらに、さまざまな地域からやってきた商人たちが、多種多様な商品を市に並べ、日本では見ることもできないようなにぎわいを唐の都は見せてくれる。国籍にこだわらずさまざまな国の人々が溶け込んでゆく、その壁のない社会を見せられたとき、留学生や留学僧たちはどう感じたであろうか。故国日本に帰るには極度の危険を伴い、命の保証はない。しかし、唐に残って市井に交わるとすれば、唐の社会はあまりに開放的であった。日本に中国文明を持ち帰った人々とともに、中国社会に溶け込んでいった人々もまた、この時代の条件下で生きた人々であったのである。

中国での名のり

「郷に入っては郷に従え」とは現在もよく使われることわざであるが、中国においては日本人も中国風になる努力をしたらしい。そのひとつとして、自分の名前を中国風に名のっていることがさまざまな史料からうかがわれる。

遣隋使《けんずいし》の小野妹子《おののいもこ》は、「小野」の「小」に似た音をあてて姓を「蘇《そ》」とし、「妹子」に似た音の漢字を組み合わせて「因高《いんこう》」とし、「蘇因高」と名のった。養老《ようろう》の遣唐大使《けんとうたいし》だった多治比県守《たじひのあがたもり》は、名前の「県守」に似せた音で「英問《えいもん》」といった具合である。さまざまな工夫をして自分たちで編み出したのであろうか。いずれにせよ、中国社会のなかでは中国風に名のるという「常識」が、この時代の人々にはあったらしい。

平成一六年（二〇〇四）に中国の西安《シーアン》（旧長安《ちょうあん》）でひとつの墓誌が見つかった。写真はこの墓誌の拓本だが、端正な書体で一七一字からなる文章が記されており、なかでも二行目の「国号日本」の文字が話題となった。この墓誌が納められた墓の主を「井真成《せいしんせい》」と記しているが、今もってその人名は特定できておらず、史料に名を残していない人物とみられる。「井真成」は、当時の日本人の名前としては異様であり、やはり中国風に名のったものとみてよいだろう。「井」は姓を中国風に改変したものであり、「葛井《ふじい》」や「井上《いのうえ》」という氏姓をあてる説がある。「真成」はそのままでも日本名になりうるが、もとの名としてはさまざまな可能性があるだろう。彼は故国での名前でなく、中国名で、国際都市長安に文字どおりの国際人として葬られたのであった。

16

◉井真成墓誌の拓本
西安の郊外、当時の長安城からみて東の郊外から見つかり、個人蔵となっていたが、二〇〇四年に公表された。発見の経緯は工事によるものらしく、詳細はわからない。

唐人の見た日本

同じ時代に、唐《とう》の人々は日本人たちをどのように見ていたのであろうか。『続日本紀《しょくにほんぎ》』には、大宝《たいほう》の遣唐使として粟田真人《あわたのまひと》が着岸した楚州《そしゅう》において、現地の人々と交した会話の内容が報告されている。それによれば、現地の人は「海の東に大倭国《だいわこく》があって、これを君子国といい、人々は豊かで楽しみ、礼儀に敦《あつ》いと聞いている。今、目の前のあなたを見たところ、姿はとても清らかであるし、聞いている大倭国の話はたしかに本当なのだろう」と言ったとされる。もっとも、これは遣唐使の任務を終えて帰還した際の報告であるから、自分たちで「君子国」などと記しているわけであり、かなり割り引いて考えておかなければならないかもしれない。

中国で記された内容としては、『旧唐書《くとうじょ》』に、七一八年に帰国した養老《ようろう》の遣唐使《けんとうし》について「皇帝から賜わった褒美の品々を売りさばいて、それを元手にしてすべて書籍を買う代価にあて、書籍を船に積み込んで帰っていった」という話がみえる。皇帝からの賜物で書籍を買いあさって帰ったということは、勉強熱心だという意味も含まれるだろうが、どちらかというとなかばあきれた、皮肉を込めた描かれ方とみたほうがよいだろう。中国の書物を血眼《ちまなこ》になってあさっているというのは、マイナスイメージではあるが、当時の日本からの使者たちは、たしかにそのぐらいの貪欲《どんよく》さで中国文明を求めていたのである。

八世紀なかばになって、陸奥国《むつのくに》から金が産出されて以後、遣唐使は金を持参して大陸に渡るようになった。唐から帰還できずにいた遣唐使の藤原清河《ふじわらのきよかわ》のために、砂金を一〇〇両送ろうとした記録がある。また、新羅《しらぎ》商人との交易でも、金が使われたことがあっただろう。おそらく、唐でも、日本が金の産出国であるという認識が強くなっていったに違いない。九世紀後半に、イスラムの地理学者のイブン・フルダーズビーが書いた『諸道および諸国志』には、「中国の東にワークワークという地があり、そこには豊富な黄金がある」と見える。「ワークワーク」とは「倭国《わこく》」のことらしい。すなわち、日本（倭国）が金の産出国であるという情報が、唐を経由して入ったのであろう。それまで、倭国は海東の辺地でしかなかったが、金の産出は日本に唐人の目を向けさせることになった。

しかし、唐の人々にとって、実際に渡るには、日本ははるかに遠い異境の地である。遣唐使と唐使とを比較するまでもなく、日本から唐に渡る人数に比べて、唐から日本に渡ってくる人数ははるかに少なかった。日本に渡来した唐人のうち、父が日本人であった場合など、日本に縁のある者を除くと、ほんとうにわずか数例になってしまう。また、遣唐使が唐の文人を招請した可能性のあることも指摘されているが、その招請に応じる者はなかった。日本人が先進文明国である唐に向かう場合に比べて、唐人が進んで日本に向かうことはほとんどなかったといってよいだろう。

そうしたなかでも宗教者、ことに仏教に帰依する者は、海東の辺国日本へ渡ってくることがあった。僧侶《そうりょ》にとっては、みずからの信ずるところの仏教を辺国へより広めることに役立つならば、進んで渡海することもありえたのである。しかし、抵抗がないわけではなかった。天平勝宝《てんぴょうしょうほう》五年（七五三）に日本への渡来を果たした鑑真《がんじん》も、その来日が実現するまでには長い道のりがあった。

天平の遣唐使に従って留学し、戒師《かいし》として招くための僧侶を探していた栄叡《ようえい》と普照《ふしょう》が揚州《ようしゅう》の鑑真を訪ねたのは、七四二年のことであった。二人は、日本で戒師となるべき人材を紹介してもらうため、鑑真に頼んで、彼の弟子たちにその役目を引き受けてくれないかどうか聞いてもらったのだが、弟子たちは沈黙するのみで、口を開いても「日本はひじょうに遠く航海も危険で命の保証がない」

という意見しかなかったという。弟子たちの様子を見て、鑑真はみずから「誰も行かないのなら私が行くまでだ」と口にした。これをきっかけに、鑑真を慕う弟子たちも随行の意志を示し、渡日の試みが始まった。

しかし、何度も密航に失敗するうちに、最初は二一人いた弟子たちも減っていった。渡海の失敗による漂着とそこからの長旅を経るなかで、苛酷《かこく》な行程に耐えられず亡くなる者も出た。栄叡も唐の端州《たんしゅう》で七四九年には亡くなり、鑑真に従った一番弟子ともいうべき祥彦《しょうげん》も舟上で亡くなり、鑑真自身も視力を失うに至る。それでも渡日を果たそうとする強い意志をもちつづけた鑑真は、尋常でない精神力に支えられていたというほかはない。これほどの失敗にもかかわらず、天平勝宝の遣唐使が帰国する際（七五三年）には、新たな弟子も加えて二四人が来日した。彼らを支えたのは、仏教者としての強い意志であり、それは通常の唐人に期待できるものではなかった。

17

◉晩年の鑑真像
唐招提寺《とうしょうだいじ》に伝えられた鑑真の乾漆像《かんしつ》。鑑真の死の直前に、弟子のひとりである忍基《にんき》が、多くの弟子たちを率いてつくったとされ、晩年の面影を伝える。

奈良時代の国際化

日本社会のなかの異国人

奈良時代に唐《とう》から日本にやってきたのは、鑑真《がんじん》一行だけではない。数は少ないが、さまざまな事情でやってきた人たちがいた。留学僧弁正《べんしょう》の息子であった秦朝元《はたのちょうげん》は、父や兄の亡くなったあとに、父の故国の土を踏んだ。また、阿倍仲麻呂《あべのなかまろ》の従者として唐に渡り唐人と結婚した羽栗吉麻呂《はくりのきちまろ》の二人の息子、羽栗翼《はくりのつばさ》・羽栗翔《はくりのかける》の兄弟も、一八年ぶりの父の帰国に際してついてきて、日本で官人として活躍することになる。さらには、遣唐大使藤原清河《ふじわらのきよかわ》の忘れ形見の喜娘《きじょう》が、遣唐使とともに、難破にあいながらもなんとか日本にたどり着いた話は、先に触れた。このように、日本人と唐人との間に生まれた子が、父の故国に渡ってきた例はいくつかみられる。

では、こうした縁者以外には、どのような人たちがいただろうか。百済《くだら》救援のために戦った七世紀後半には、唐軍の捕虜が百済から日本に連行されていた。百済の鬼室福信《きしつふくしん》が倭《わ》に送ってきた捕虜は一〇六名で、近江国《おうみのくに》に墾田《こんでん》を与えて居住させたとも伝えられる。彼らのなかに、中国語を教える音博士《おんはかせ》として採用された続守言《しょくしゅげん》と薩弘恪《さつこうかく》がいる。薩弘恪は大宝律令《たいほうりつりょう》の撰定にも参画し、政府から重用された。彼らが日本から唐に帰った話は残っていない。彼らを重用した日本社会は、彼らを手放そうとはしなかったのだろう。

これ以外にも、天平《てんぴょう》の遣唐使とともに来日した数名の唐人たちがいる。一八、九歳の若さで来日し音博士《おんはかせ》として活躍した袁晋卿《えんしんけい》、奏楽の能力を買われて大和《やまと》の法華寺《ほっけじ》舎利会《しゃりえ》で唐楽《とうがく》を奏した皇甫東《こうほとう》朝《ちょう》と皇甫昇女《こうほしょうじょ》、のちに織部司《おりべのつかさ》の長官《かみ》をつとめた李元環《りげんかん》など、来日後に日本の官人社会で活躍する人たちである。このとき養老《ようろう》の遣唐使に従って留学した吉備真備《きびのまきび》も約二〇年ぶりに帰国し、音楽関係の文物を持ち帰ったが、唐から音楽に携わる人間も連れ帰ってきたのであった。

唐以外にも、八世紀にはさまざまな国の人々が日本にやってきた。新羅《しらぎ》・渤海《ぼっかい》とは、使節の交流の機会が多く、七世紀後半には、新羅人の僧侶《そうりょ》が日本にかなりいたものと考えられる。八世紀にも新羅人の痕跡《こんせき》は多い。また、渤海人が来日し、日本に居住するようになっていた可能性もあるだろう。

また、当時日本と直接の交流がなかった国からもやってきた人たちがいた。インドの僧侶で、唐を経て来日した菩提僊那《ぼだいせんな》は、大仏開眼《だいぶつかいげん》供養で大仏に眼を入れる大役を任された。ペルシャ人李密翳《りみつえい》など、世界帝国であった唐を経由して、南アジアや西アジア出身の人も日本の土を踏んだのである。ただし、彼らはまず国際社会としての唐に入ってのち、日本にやってきたという見方が必要であろう。同時代の中国を追いかけた日本は、

18

●大仏開眼供養会の遺品
菩提僊那が開眼に使った筆（下）と、筆につけて参加者が持ち、功徳にあずかった縹縷《はなだのる》（上）。

その国際性の一端を受け取ることになったのであった。

外国語の世界

大学の授業で遣唐使《けんとうし》による外交の話をすると、きまって「どうやって中国の言葉を覚えたのですか」という質問が出る。外国語の授業を毎週受けている現代日本の大学生にとっては、自分自身に引きつけて、かなり関心のあることらしい。では、当時の人々にとって、外国語はどうだったのか。外交使節のメンバーに選ばれることじたい、ある程度、相手国の言葉が話せた可能性はあるが、それでも使節一行のなかに「通事《つうじ》」「訳語《おさ》」と呼ばれる通訳担当者がいた。やはり通訳は必要であったようである。『延喜式《えんぎしき》』によれば、遣唐使に唐語の訳語が同行するほか、遣渤海使《けんぼっかいし》にも渤海語の訳語、遣新羅使《けんしらぎし》には新羅語の大通事・少通事が同行することが想定されている。遣唐使には、航海中の漂着などに備えて新羅訳語や奄美《あまみ》訳語も加わったらしい。奄美訳語は南西諸島の言語への通訳である。また、蝦夷《えみし》との交渉の場合に、蝦夷訳語もいたことがわかっている。

継続的な外交のために、通訳の養成は必要だったはずである。中央の官吏養成機関である大学寮《だいがくりょう》には、音博士《おんはかせ》がいて中国語による書物の読みなどを教えていた。音博士をつとめていたのは、大宝《たいほう》律令《りつりょう》施行の時期には、先に紹介した百済《くだら》救援戦争時の唐人捕虜であった続守言《しょくしゅげん》と薩弘恪《さつこうかく》であったし、奈良時代の後半には、袁晋卿《えんしんけい》がつとめている。袁晋卿は、唐の長安《ちょうあん》や洛陽《らくよう》での発音を日本の教育現場で教え、それまで古い呉音《ごおん》が混じっていた中国語教育を改めたと伝えられる。延暦《えんりゃく》一七年

（七九八）には、呉音を否定し漢音《かんおん》で読むよう、太政官《だいじょうかん》からの命令が出された。

漢音を重視するのは、やはり同時代の中国で通用している発音を身につけさせようということにほかならない。しかし、たまたま日本にいた唐人を登用するといったあたりが、日本国内での人材不足を露呈させてもいる。母語である中国語を話す唐人に並ぶような語学教育者は、日本人のなかでは育っていなかったのである。

八世紀末に学問を修養した学者である善道真貞《よしみちのまさだ》は、その学識は広く評価されていたが、読み方・発音はかなりいい加減であったという。彼については、「旧来漢音を学ばず。字の四声《しせい》を弁ぜず。教授に至りては、惣《そう》て世俗踳訛《しゅんか》の音を用いるのみ」と伝えられ、イントネーションは区別なく、訛《なま》った発音で教えていた。そんな発音にもかかわらず学識が高く評価されていたということなのであるが、大学寮での教育現場の実情はうかがわれよう。

橘逸勢《たちばなのはやなり》は、延暦二三年に留学生として入唐《にっとう》したが、中国語が苦手だった。語学の壁のために唐の学校で自由に勉強ができないと嘆いている。おかげで語学の負担の少ない琴と書を学ぶこととなり、帰国後はそれらの第一人者となった。

漢語の練達者を養成するための方策は、八世紀の早いうちから何度も試みられてはいた。天平《てんぴょう》二年（七三〇）には、唐出身の秦朝元《はたのちょうげん》や渡唐経験者の播磨乙安《はりまのおとやす》ら五人に、それぞれ弟子二人ずつをつけて、合計一〇人に漢語を特別に習わせている。しかしこうした方式では、長続きはしなかった。八世紀段階では、まだ中国語教育は試行錯誤していたというのが実情であろう。

一方、朝鮮半島諸国の言語に関しては、多くの渡来人や、渡来二世・三世がいたこともあって、都とその周辺では彼らの話す言語が日常的に飛び交っていた可能性が高い。そのためか、特別に新羅語や渤海語を養成する機関は用意されていなかった。新羅語を組織的に学ばせたのは、新羅征討計画が持ち上がった時期で、これはいわばスパイ養成のようなものである。また、渤海語の場合も、大同《だいどう》五年（八一〇）に越中国《えっちゅうのくに》に滞在中の亡命した渤海首領に対して、「習語生《しゅうごしょう》」を遣わして渤海語を習わせたとあり、臨時に学ぶ程度の扱いだったようである。

なお、新羅から日本への語学研修もあった。新羅との外交関係が良好になった天武《てんむ》天皇時代から、数名が語学習得のために日本に派遣されてくるようになり、「学語生《がくごしょう》」と呼ばれている。関係が悪化している宝亀《ほうき》一一年（七八〇）にも送られてきており、新羅側にとっては、日本語は外国語としての重要度がより高かったのであろう。

異国の調べ、異国のもの

古墳の埴輪《はにわ》のなかに、楽器を手に持った人物像も交じっているように、古来から儀礼には音楽がつきものであった。大宝律令《たいほうりつりょう》の施行によって、雅楽寮《ががくりょう》が設けられると、国家の機関として音楽を担当する部門が成立した。雅楽寮には、伝統的な倭《わ》の歌や舞を担当する人々のほか、唐楽《とうがく》・高麗楽《こまがく》・百済楽《くだらがく》・新羅楽《しらぎがく》・伎楽《ぎがく》を奏する人々も属しており、異国の音楽を奏するための用意がなされていた。天平《てんぴょう》八年（七三六）には、インド系の舞楽である林邑楽《りんゆうがく》も伝わり、これに加えられる。

こうした大陸風の音楽は、儀礼のなかで演奏されるが、八世紀にはまだ来日した唐人に指導されることも多かった。袁晋卿《えんしんけい》・皇甫東朝《こうほとうちょう》・皇甫昇女《こうほしょうじょ》が、唐楽を奏した記録があり、林邑楽も菩提僊那《ぼだいせんな》や仏哲《ぶってつ》によって伝えられたという。

雅楽寮では、天平三年にそれぞれの楽を演奏する楽生《がくしょう》の定員が設けられ、天平勝宝《てんぴょうしょうほう》九年（七五七）に施行された養老律令《ようろうりつりょう》では、その数が増員されていく傾向にあった。異国の音楽を演奏するための用意は、八世紀のうちに徐々に発展してきたのである。

雅楽寮とは別に、諸寺院で伎楽を奏することもあった。伎楽は、中国南方より伝わった一種の仮面劇である。正倉院宝物《しょうそういんほうもつ》のなかに伎楽面がいくつか残されているが、これらは中国よりも南西の諸国に由来する神たちで、南方系の異国の物語を演じるためのものである。時には、異国情緒たっぷりの仮面劇が、寺を舞台として上演されたのであった。

音楽だけではない。輸入品も、さまざまな異国の趣を乗せてやってきた。正倉院宝物のなかには、大陸で制作されたとみら

19

20

●琴を弾く男の埴輪と伎楽面（迦楼羅）
琴は古墳時代から普及していた楽器で、各地の埴輪にも琴を弾く姿がいくつか知られる。七世紀に伝わった伎楽に登場する迦楼羅《かるら》は、インドのガルーダにあたる聖なる鳥である。（右／群馬県前橋市出土）

れる工芸品がいくつか交じっており、遣唐使《けんとうし》によって持ち込まれたものと、新羅使や渤海使《ぼっかいし》が来航した際の交易で調達されたものが含まれる。また、漢方薬の材料となる薬物や香料は、日本国内で採れないものもあり、採れるものでも品質の優れたものを求めるならば、舶来品に頼らざるをえない面があった。

天平勝宝《てんぴょうしょうほう》八年、聖武太上天皇《しょうむだいじょうてんのう》崩御後の四十九日忌の際に、孝謙《こうけん》天皇と光明《こうみょう》皇太后によって、東大《とうだい》寺《じ》に種々の薬物や香料の高級品が献納され、これらが宝物として正倉院に保管されることになった。貴族たちは、正倉院に良質の薬物や香料が保管されていることを知っており、なかには、これらの薬物や香料を使わせてほしいと願い出る者もいた。こうして、奈良時代後半には、正倉院の薬物や香料は使われていき、徐々に減少したが、平安《へいあん》時代になるとその利用は進まなくなった。九世紀になると新羅商人などを通した交易が盛んになったため、正倉院に所蔵された薬物や香料に頼らなくても、高級品が手に入りやすくなったのであろう。

また、貴族たちは、動物の毛皮もたいへん好んでいたようである。新羅や渤海との交易で人気だったのは、貂《てん》などの動物の毛皮であった。舶来品としてめずらしい動物の皮を手に入れるため、新羅や渤海の商人が到着すると、貴族たちは買い付けのため先を争って使者を派遣した。人々がふつうに手にできるようなものではなく、貴族たちの財にまかせた奢侈《しゃし》品《ひん》でしかなかったが、この傾向は平安時代まで脈々と続いていく。

蝦夷の地と「日本」

七世紀の北方社会と「日本」の交流

五世紀に倭王武《わおうぶ》が「東は毛人《えみし》を征すること五十五国」と称した東国《とうごく》は、ヤマト王権にとって支配領域拡大の対象でありつづけた。前方後円墳《ぜんぽうこうえんふん》は岩手県南部まで分布するが、七世紀初頭ごろまでのうちに安定的に国家の支配下に組み込まれたのは、現在の仙台市や山形市の付近までであった。

七世紀なかばに、国家支配の拡大をめざす政府によって、遠征軍が派遣された。指揮を任されたのは阿倍比羅夫《あべのひらふ》、のちに百済《くだら》救援のために白村江《はくそんこう》でも戦った武人である。『日本書紀《にほんしょき》』によれば、斉明《さいめい》天皇四年（六五八）に派遣された彼らは、本州の日本海沿岸を北上したらしい。齶田《あぎた》（秋田）では地元の蝦夷《えみし》が服属を示し、さらに北では津軽《つがる》蝦夷と交流を深めた。津軽蝦夷は、名前からすれば現在の青森県西部の津軽地方と考えられるが、これに相当する七世紀段階での勢力とみられる集落などは、まだ見つかっていない。

阿倍比羅夫の一団は、津軽蝦夷の勢力下の地域を越えて、さらに北方へと進んだ。そして、粛慎《あしはせ》と遭遇するが、言語の通じない彼らとうまく接触を図ることはできず、戦闘に発展した。この戦いで戦死したなかに能登臣馬身竜《のとのおみまむたつ》という人名がみられ、阿倍比羅夫の遠征軍は、能登半島など日本海沿岸の地域の豪族が率いる水軍からなっていたらしい。現在の新潟県あたりまでは政府の支配も浸透していたが、山形県の庄内《しょうない》平野から北は、まだ未服属の地域が展開していた。

津軽蝦夷は渟代《ぬしろ》（能代《のしろ》）蝦夷よりも高く処遇されており、南に位置する能代地域よりも政府に近い立場にあった。この時期の北方交流は、支配地域が面でつながっていたのではなく、遠方の地域とも点で交流していたのである。六五九年に派遣された遣唐使《けんとうし》は、服属した蝦夷を唐まで連れていき、唐の皇帝の前で披露《ひろう》した。そして、倭では「熟蝦夷《にぎえみし》」「荒蝦夷《あらえみし》」「都加留《つかる》」というように、地理的に近い側から蝦夷が三つに分かれると説明した。熟蝦夷がより近い側にあり、服属の度合いが低い荒蝦夷が遠い側にあるのはわかるとしても、さらに遠い津軽は固有名詞で記されていて、政府によく状態を把握されていたとみられ、単純に距離の遠近だけが服属度につながっていたのではないことがわかる。

青森県には、八戸《はちのへ》市とその周辺に七世紀後半ごろからの古墳群が多く見つかっている。八戸市の丹後平《たんごたい》古墳群は、丘陵上に一〇〇基以上にのぼるとみられる円墳《えんぷん》がまとまってつくられたもので、そのなかからは、地元では生産されていない須恵器《すえき》が見つかっている。倭との交流や、交易などを通して得た品物によって、蝦夷の首長も自身の属す社会での権威づけに役立てていたのだろう。こうした交流は継続したようで、八世紀以降の円墳のなかには和同開珎《わどうかいちん》が見つかっているものもある。

霊亀《れいき》元年（七一五）に国家との交流を密にするため、郡家《ぐうけ》を建てることを希望した閇《へい》村の蝦夷は、恒常的に昆布を貢納《こうのう》していたことが知られる。このほか、蝦夷社会では馬も生産されていたことが知られる。蝦夷社会の特産物を貢納したり交易することで、日本との関係を維持できた蝦夷たちは、それによって実用品としての鉄器なども手に入れていた。

『続日本紀《しょくにほんぎ》』においては、蝦夷の集団は「村」という単位で把握されている。一郡ほどの規模から一集落ほどの規模まで、さまざまな大きさの蝦夷村が想定されるが、平安《へいあん》時代に蝦夷社会が日本に取り込まれるまで、各蝦夷村は同盟的関係で行動することはあっても、広域的に統合されることはなかった。ひとくちに蝦夷といっても、個々の地域集団は分かれて存在していたのである。

そもそも蝦夷とは何か

蝦夷《えみし》社会は、倭《わ》に属する地域とは言語が異なっていた。地名や人名などの固有名詞は、倭の人々と違った言葉で名付けられており、『日本書紀《にほんしょき》』や『続日《しょくに》本紀《ほんぎ》』では、蝦夷の地名や人名は、漢字の音を使ったあて字で表記されている。九世紀初頭に奈良の寺

21

院で書かれたとみられる『東大寺諷誦文稿《とうだいじふじゅもんこう》』という史料では、布教の対象として考えられている蝦夷たちの言葉を「蝦夷方言」と呼んでいる。蝦夷との交渉において蝦夷訳語が必要であったことに象徴されるように、日本に取り込まれた範囲とは、言語が異なっていることが強く意識されたであろう。

蝦夷がどのような存在なのかという問題は、近代の歴史学においては、アイヌ民族との関係を視野に入れて、議論がなされてきた。近世から近代にかけて、江戸幕府や松前藩《まつまえはん》、さらに明治政府が扱ってきたアイヌとの関係は、民族的に異なる人々への対応という意識をもっていた。中世以降のアイヌと同じように、国家の北方に居住していた古代の蝦夷についても、当時の国家との関係がどのようなものであったのかを考える際に、民族的な差異が着目されたことは、その研究が行なわれた時代における世の中の動向からの影響を大きく受けている。

たしかに言語の体系が異なる人々が、国家から蝦夷と名付けられていることは認められるが、そのことをもって蝦夷を異民族というように簡単に理解してよいのだろうか。今日的視点からみた場合に、もっと複眼的なとらえ方が必要であるように思われる。

八世紀の蝦夷を考えるうえで、蝦夷がどのような生業によっているかは重要な視点である。『日本《にほん》書紀《しょき》』では、阿倍比羅夫《あべのひらふ》と出会った齶田《あぎた》の蝦夷が「自分たちは肉を食う習慣があるので弓矢を持っ

◉丹後平古墳群（青森県八戸市）と出土遺物
丹後平古墳群には、右の写真のような円形の周溝で囲まれた墓が密集している。周溝の中心付近に遺骸が埋葬された土壙《どこう》があり、出土した副葬品のなかには、環頭大刀柄頭《かんとうたちつかがしら》（左の写真、右下）のような豪華なものもある。蕨手刀《わらびてとう》（同左）は蝦夷の社会に広く分布する。和同開珎（同右上）も見つかっており、国家側との交流がうかがわれる。

ている」と述べている。ここには狩猟民としての姿が強調して描かれ、このころ蝦夷を唐《とう》に連れていった際にも、辺境の別な民族が倭に従っているという図式を唐に見せるという、外交上のねらいがあった。中国的文明世界を農耕中心の価値観で描き、これに対比させるために狩猟民を未開のものとして強調したのであろう。

しかし、史書のなかには、こうした描かれ方からはみだす存在が見え隠れしている。当時の国家が掌握している蝦夷を呼ぶ際に、「山夷《さんい》」「田夷《でんい》」という区別をする場合があった。「山夷」は山地を生活拠点とする狩猟採集民であろう。しかし、「田夷」とは明らかに、田地で農耕を行なう人々を指しているだろう。宮城県大崎《おおさき》平野東部の加護坊山西麓《かごぼうやませいろく》の地は、のちに遠田《とおだ》郡に編成されたが、ここに居住した人々は田夷とされていた。この地で蝦夷として扱われた人々も、生業としては倭の人々とほとんど変わらないようにみえる。

そもそも蝦夷とは何かという、最初の問いに戻ろう。蝦夷の「夷」は、中国で形成されてきた中華思想において、東方の異民族を指す文字である。日本における陸奥国《むつのくに》は、東山道の果てにあたり、東方の辺境地帯である。東方の果てに存在する異民族として名付けられたのが「蝦夷」であった。これに対応するかたちで、越後《えちご》や出羽《でわ》に存在した蝦夷を「蝦狄」と記したことがある。使われている字は異なっているが、それは方位上の違いであり、「蝦夷」も「蝦狄」も同じような意味である。越後や出羽は、都から北方へつながる北陸道の果ての辺境であった。つまり、「蝦夷」「蝦狄」といった表記にみられるように、この時期の国家にとって、中華思想によって位置づけられた辺境の未服属の民が「えみし」なのである。

もともと「えみし」という言葉は蔑称《べっしょう》ではなかった。古くは「毛人」と書いて「えみし」と読んでいるが、これは六世紀から八世紀にかけての人名にも使われている。蘇我蝦夷《そがのえみし》をはじめ、有力豪族や奈良時代の貴族たちが「毛人」「蝦夷」を名前として使っている事例は多い。「毛人」「蝦夷」は勇猛だと語られており、その強さにあやかった命名だということができよう。「えみし」は避けるべき対象への蔑称ではなかったのである。

しかし国家が、中華思想によって、自国の辺境にある存在を、自国の外側にあって服属させるべき対象として位置づけたとき、それは新たな意識でとらえなおされるようになっていった。国家にとってその外側にある、すなわち支配下の外側にある人々であるということが第一義となった「蝦夷」概念が成立する。そのなかにはさまざまな人々が含まれ、支配下に組み込むべき対象として、戸籍制度の外側に置かれるようになるのである。

このような意味で、蝦夷は、民族的集団ではなく、国家の東方と北方に所在した、支配下の外側の人々という概念でしかない。七世紀後半から八世紀初頭にかけて、中国的中華思想をもった国家を確立させていく過程のなかで、時代の産物として「蝦夷」の概念は生まれてきたのである。

移民と蝦夷の東北社会

七世紀から八世紀にかけての東北地域への政策の基本は、国家支配の拡大であるが、それは戦争によって敵方の版図《はんと》を切り取っていくことを優先したものではない。宝亀《ほうき》五年から弘仁《こうにん》二年（七七四～八一一）にかけての三八年間に及ぶ対蝦夷《えみし》戦争が著名なせいか、蝦夷は国家によってつねに征討対象として位置づけられ、つねに戦争状態にあったと思われがちだが、決してそのようなことはない。蝦夷との交流において、日常は武力による威嚇《いかく》を必要とする場面はそう多くはなかった。ただし、交渉が決裂するような場面では、武力衝突することがあり、武装の必要があった。

七世紀から八世紀にかけて、蝦夷への支配を推進する拠点は、現在の新潟県から東北地方各地につくられた「城《き》」や「柵《き》」と呼ばれる施設である。研究上の用語ではこれらをまとめて「城柵官衙《じょうさくかんが》」と呼んでいる。城柵官衙のうち、もっとも早いのは六四七年に現在の新潟平野につくられたとみられる渟足柵《ぬたり》である。その翌年には現在の新潟県村上《むらかみ》市付近に磐《いわ》舟柵《ふね》がつくられた。

蝦夷への支配は、このあとに阿倍比羅夫《あべのひらふ》の遠征が日本海側で行なわれたことからもわかるように、日

東北城柵の分布と支配の進展

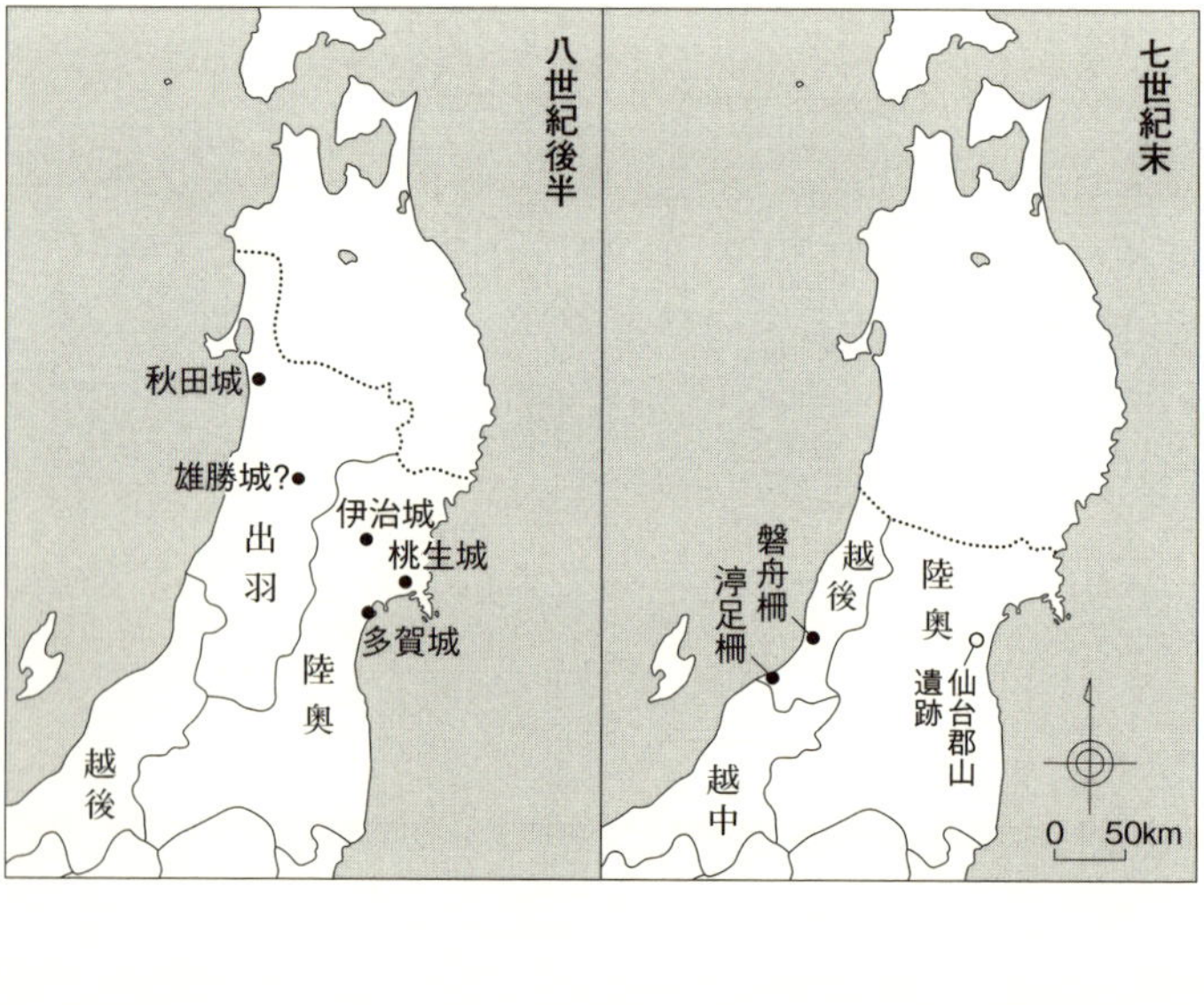

本海側が先行していた。太平洋側では仙台平野に七世紀なかばにつくられたとみられる郡山《こおりやま》遺跡(仙台市)があり、評の官衙とみられる。郡山遺跡は七世紀末には大規模につくりかえられ、陸奥国《むつのくに》の中心施設にふさわしい威容を誇るものになる。八世紀前半の養老《ようろう》年間(七一七~七二四)に多賀城《たがじょう》が造営されるまでは、ここが陸奥国の中心であった。

　養老年間に多賀城が設置されると、国家による東北経営は、これ以後、多賀城を中心として行なわれるようになる。九州にあった大宰府《だざいふ》が外交の玄関として「遠《とお》の朝廷《みかど》」と呼ばれ、都に次ぐ規模の官衙をもっていたが、多賀城は蝦夷に対峙《たいじ》する北の官衙として、大宰府に対置される規模を誇ることとなった。多賀城には陸奥国府《こくふ》が置かれ、陸奥国司《こくし》だけでなく、陸奥・出羽《でわ》の広域行政を担当する陸奥出羽按察使《あぜち》が置かれ、軍事を担当する鎮守府《ちんじゅふ》も併設された。多賀城成立ののちには、多賀城以北に小規模な郡がまと

22

◉多賀城政庁
多賀城の中心となる政庁の姿を再現した復元模型。城柵官衙には、この政庁のような官衙建物が設置されて、政務や儀式が行なわれた。

めて設置され、東北地方における国家支配の展開はつぎの段階を迎える。

城柵官衙は、塀や柵などで囲われて外部から区画され、そのなかに諸国の国庁と同じような形態の政庁が設置されている。外界との間の区画は外からの侵入を防ぐ防御機能をもっており、蝦夷の地のなかに設置された施設であることから、不慮の攻撃に備えたものであることは明らかである。しかし、その内部に設置された政庁は、官衙的側面が強く、政務や儀礼の空間としての性格をもっている。

「城」「柵」という名称ではあるが、防御された区画のなかに存在するのは、軍事一辺倒の空間ではなく、行政施設としての面が多分にある。平時においては周辺の蝦夷との交流の場となり、饗宴《きようえん》や交易も行なわれた。蝦夷に対して国家の威容を見せる施設であるとともに、地域支配の実務機関でもあった。

城柵官衙が陸奥国北部の各地に設置されるとともに、各城柵の付近には、北陸地方や関東地方から戸《こ》単位で移民が送られ、「柵戸」と呼ばれた。宮城県北部や岩手県南部、また秋田県南部の地域には、多くの柵戸が送り込まれた。発掘調査によって、北陸や関東で使われていた形態の土器が見つかる集落があったり、関東地方や福島県の地名がこれらの東北地方北部でも付けられていたりするのは、移住者による集落があった痕跡《こんせき》である。城柵官衙で見つかる出土文字資料からも、関東や北陸に分布する氏姓が見られ、これらの地域から移住してきた人々の人口比率は、かなりの割合にのぼる。

一方、八世紀後半からは、犯罪者への処罰として、城柵へ送られ柵戸に配される場合があった。流刑と開拓移民を兼ねて、政府としては一石二鳥のつもりなのかもしれないが、ほんとうにこのような政策でよかったのだろうかというのが、私の率直な感想である。また、八世紀後半には、賦課を避けて戸籍に登録された居住地から逃げ出す浮浪人《ふろうにん》の続出が社会問題となっていたが、城柵では付近にやってきた浮浪人も取り込んでいったようである。とにかく、城柵配下での国家側の人口を増やせるならば、広い意味での移民として、どんどん取り込んでいくという姿勢がうかがわれる。

城柵官衙の付近にはこうして人々が集住する空間が形成されていった。発掘調査によって、直線道路による市街地整理のような開発の跡が見つかっている遺跡もある。そして、この空間には国家側の移民だけでなく、蝦夷も集まりはじめていた。宝亀一一年(七八〇)に起こった秋田城の廃止移転問題の際には、蝦夷たちが、国家の威を頼みとして久しく城柵のもとに居住してきたので廃止しないでほしい、という意見を述べている。各地で、城柵を中心とした、移民と蝦夷の共生する社会が形成されはじめていた。

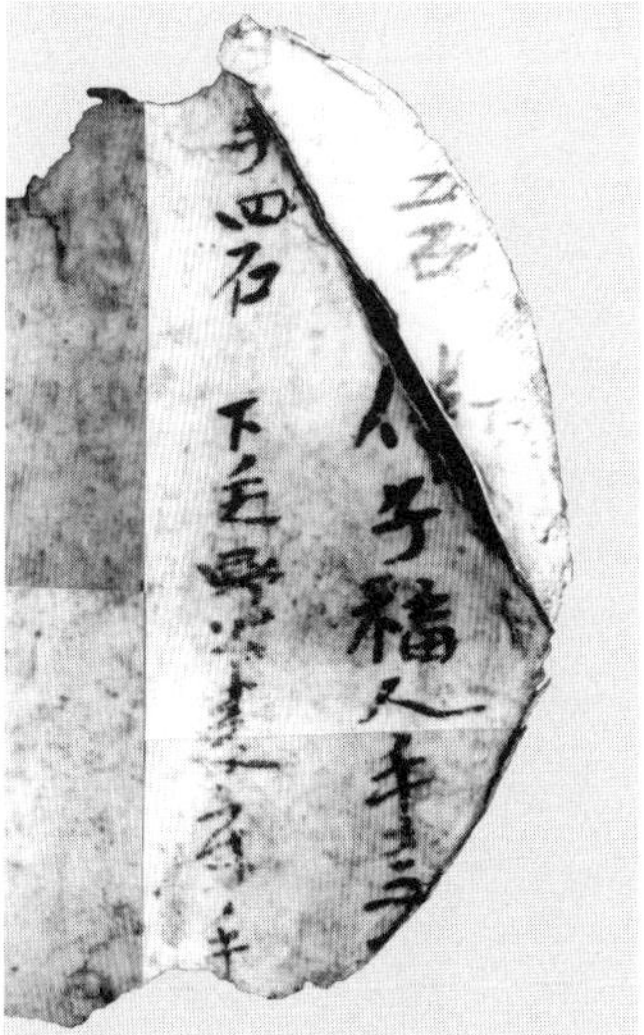
23

◉下野国からの移民を示す文書
左側の行に「下毛野公遠守」という人名が見える。下野国からは多くの移民が秋田城下にやってきて労働力として城柵の経営を支えた。(秋田城跡一九号漆紙文書)

隼人・南島・西海と「日本」

隼人社会との交流

九州南部には、日本列島のほかの地域にはみられない独自の様式の墓がつくられている。宮崎県南部から鹿児島県東部にかけての九州南東部には、地下式横穴墓《よこあなぼ》と呼ばれる墓が分布している。二メートルほどの深さに掘った竪穴《たてあな》を入り口として、その深さから水平に玄室《げんしつ》を掘り込んでつくられている。本州・四国・九州北部の各地でみられる横穴式石室《よこあなしきせきしつ》をもつ古墳が、そっくり地下に潜ったような構造である。また、熊本県南部から鹿児島県北西部にかけての九州南西部には、これとは違って、地下式板石積石室墓《いたいしづみせきしつぼ》と呼ばれる墓が分布する。平らな石で壁のように囲った部分を石室とし、その上に平らな石を屋根のように載せている。全体が地下に収まるものが多いが、なかには土をかぶせて墳丘のようになっているものもある。

これらの墓がつくられたのは、五世紀から七世紀後半にかけてで、ヤマト王権のもとで古墳が全国につくられていた時期にあたる。地下式の墓がつくられた地域には、並行して前方後円墳《ぜんぽうこうえんふん》や円墳《えんぷん》のようなヤマト王権の勢力下で広く分布した古墳もつくられていた。つまり、独特な地域性をもつ小型の墓と、広く列島各地に分布する大型の墓とが共存していたことになる。古墳の様式をとるものは、ヤマト王権から派遣されてきた者が葬られたものや、それぞれの地域の首長がヤマト王権の様式に従ってつくったものだと考えられている。これらの地域では、すでに近畿地方を中心とした勢力との交流をもっていたのであった。

『古事記《こじき》』『日本書紀《にほんしょき》』のなかでは、これらの地域に「熊襲《くまそ》」と呼ばれる人々が分布し、彼らを征討する物語が語られている。これらの地域に分布した人々は、五世紀頃に相当する記事からは「隼人《はやと》」として記され、中央では熊襲から隼人への継承関係が想定されていたようである。隼人は、七世紀後半になって、九州南部との交流が密になっていくなかで使われはじめた名称で、方位の象徴となる四神《しじん》に関する言葉のなかから、南を示す「鳥隼」の「隼」の字によって名付けたと考えられている。蝦夷《えみし》と同じように、国家が中華思想をまとうなかで成立した名称であり、国家確立期の産物として、「異民族」であることを強調して生み出された概念であった。

天武《てんむ》天皇一一年（六八二）には朝貢《ちょうこう》が開始され、飛鳥寺《あすかでら》（法興寺《ほうこうじ》）の西の広場で饗応《きょうおう》が催された。北の蝦夷や南の隼人が遠方から朝貢のためにやってきて、宮廷での儀式に参列して饗応を受けるという一連の過程は、外交儀礼そのものである。国の外側にある人々が支配者の徳を慕ってやってくるという、中華思想にもとづく帝国としての「日本」の存在を、実際に演じるために不可欠な存在として、蝦夷や隼人がこのように扱われていたのであった。

隼人社会は、蝦夷社会と同様に一枚岩ではない。政府に協力的な集団もあれば、距離をおく集団ももちろんある。中央政府や、その出先機関として九州地方を統括していた大宰府《だざいふ》とのかかわりが進んでいくにつれて、文武《もんむ》天皇三年（六九九）には大宰府によって三野《みの》城と稲積《いなつみ》城が整備され、東北地方と同様に城柵《じょうさく》支配が行なわれた。

しかし、こうした「日本」による支配進行は、隼人社会への圧迫としての側面ももっていた。大《たい》宝《ほう》二年（七〇二）には、薩摩《さつま》と多褹《たね》（多禰）が政府の支配に抵抗し、武力衝突の事態となる。「日本」側は組織した軍隊でこれを抑え込み、戸籍調査を実施するとともに、官人を置いて地方支配を始めたのであった。和銅《わどう》三年（七一〇）には、大隅《おおすみ》地方の首長とみられる曾君細麻呂《そのきみほそまろ》が、隼人に対する国家支配の理解の浸透に功績があったとして叙位されている。九州南部では、地域によって、政府に協力する勢力とまだなじんでいない勢力とが混在していた。

和銅二年から、隼人が六年ごとに交替して朝貢する制度が始まる。数百名の隼人が都の周辺に居住して、儀礼の際には吠声《ほえごえ》を発するなどの役を担当し、六年たつと地元からやってきた者たちと入れ替わって帰郷するのである。六年交替で、つねに数百名の隼人が都の付近に在住していることになる。吠声は、邪霊《じゃれい》を追い払う効果があるとされる。隼人は吠える

隼人支配の進展

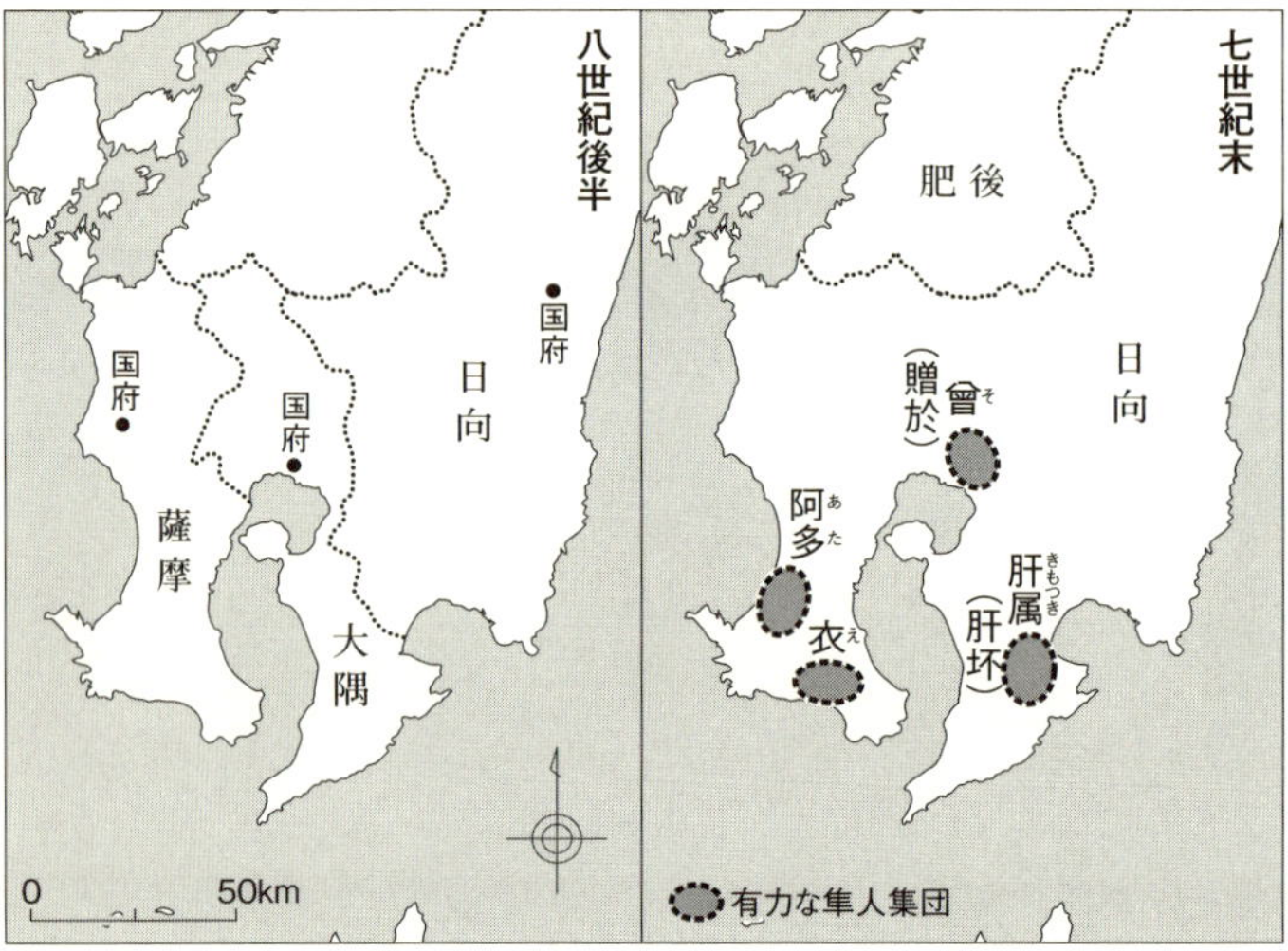

ことでそうした効果をあげることができる、特殊な能力をもった異民族として扱われていた。儀礼で隼人が持った盾《たて》が平城宮《へいじょうきゅう》跡から見つかっており、特殊な模様の盾を持つことによって、視覚的にも異民族としての位置づけがなされていた。国家儀礼において、日本という国家に服属している異民族の役割を演じるよう求められたのである。

和銅六年、日向国《ひゅうがのくに》から肝坏《きもつき》・贈於《そお》・大隅・姶羅《あいら》の四郡を分けて、大隅国が設置された。しかし、これらの地域はまだ政治的安定をみてはいない。安定した日向国の地域からまだ安定していない地域を切り離したというのが実情であろうか。養老《ようろう》四年（七二〇）には、大隅国の長官《かみ》である陽侯麻呂《やこのまろ》が隼人によって殺害される事件が起き、これを発端として、薩摩や日向の一部の地域を巻き込んで、広域的な反乱が起きた。政府は大伴旅人《おおとものたびと》を派遣して、鎮圧のための戦争が起こり、翌年にようやく鎮静化する。このとき斬首《ざんしゅ》されたり捕虜となった隼人の数は、一四〇〇余名と伝えられ、大規模な戦闘であったことがうかがえる。この後、隼人が大規模に反乱を起こすことはなくなるが、八世紀なかばを過ぎても柵戸《さくこ》が置かれ、延暦《えんりゃく》一九年（八〇〇）にならなければ大隅・薩摩両国では口分田《くぶんでん》の班給《はんきゅう》が実施されなかった。八世紀の間は、まだ政府による支配が浸透中の状況であった。

24

●儀礼で使われた隼人の盾
隼人が宮廷儀礼において持った盾。独特の渦巻模様は、宮廷における異民族性を強調することになる。（平城宮跡出土）

南島との交流

九州よりもさらに南には、台湾までの間にいくつもの島が連なる。七世紀にはこうした南島との交流がうかがわれるようになった。『日本書紀《にほんしょき》』には、推古《すいこ》天皇二四年（六一六）に掖玖《やく》（南島地域）からの人々がやってきたことが記されている。文武《もんむ》天皇二年（六九八）には、覓国使《くにまぎし》として文博士《ふみのはかせ》らが派遣された。一行は八名からなり、いわば南島への調査隊である。このころになると、政府は南島へ関心をもつようになっていたことがわかる。大宝《たいほう》二年（七〇二）の反乱のあとには多禰島《たねのしま》として、独立した地方行政組織が設置される。多禰島は、駿謨《ごむ》・益救《やく》・能満《のま》・熊毛《くまげ》の四郡から構成されており、いくつかの島にわたる範囲を統括していた。

南島からは貴重な特産物がもたらされた。都でも珍重されたものとしては、赤木《あかぎ》と夜光貝《やこうがい》が知られている。赤木は熱帯に生える高木で、紫檀《したん》の代用として使われ、高級な装飾用の木材として重用されていた。都で行なわれていた写経においても、赤木の軸が用いられた例が多々ある。『延喜式《えんぎしき》』では大宰府《だざいふ》からの貢納物としてみられるが、そこでは南島からの物品として扱われており、南島産であることは政府も知っていた。大宰府出土の木簡《もっかん》のなかに、「掩美嶋」（奄美大島《あまみおおしま》にあたる）や「伊藍嶋」（沖永良部島《おきのえらぶじま》にあたる）と記したものが見られ、赤木に付けられた整理用の付札《つけふだ》である可能性が指摘されている。

夜光貝は、奄美以南の海域にいる巻貝で、光をあてると貝殻の内側が美しい輝きを放つ。螺鈿《らでん》の材料として珍重されたほか、貝殻を使った匙《さじ》や盃《さかずき》などの工芸品もつくられている。夜光貝は南島から「日本」への輸出品であった。

こうした需要に対応するように、夜光貝を大量に採集し加工した、六世紀から一〇世紀頃の遺跡が奄美大島で見つかっている。これらの遺跡では数百から一〇〇〇点の貝殻がまとめて出土しており、日常的に採集した貝殻を集積しておき、交易に備えたのであろう。はるかに離れた遠方の貴族社会での需要によって、南島では特殊な生業が成り立ちつつあった。

そして、こうしたいわば輸出品との交換で手に入れたのは、鉄器であったらしい。島で手に入らなかった鉄器は、こうして島に入ってきた。貴族社会での需要は、日本列島の交易圏のなかに南島を巻き込み、南島社会の生業に変化をもたらしていたのである。

25

◉まとまって見つかった夜光貝
奄美大島の小湊《こみなと》フワガネク遺跡（鹿児島県奄美市）では、夜光貝の貝殻が集中して出土する。

南の果てと西の果て

鑑真《がんじん》が来日した際の記録である『唐大和上東征伝《とうだいわじょうとうせいでん》』のなかに、天平勝宝《てんぴょうしょうほう》五年（七五三）に唐を船出した船が南島を経由して日本にたどり着いた記事がある。最初にたどり着いたのは、阿児奈波《あこなは》島で、多禰《たね》島《のしま》の西南に位置すると記されている。この島は、現在の沖縄本島に相当するとも考えられているが、異論もまだあるようである。そこから多禰島に向かった船は、益救島《やくしま》に至り、そこから薩摩国《さつまのくに》阿多《あた》郡の秋妻屋《あきめや》の浦に到着したのである。日本の南限は多禰島の管轄下であり、阿児奈波島はまだその管轄下にはないらしく、多禰島の行政機構とどのようにかかわっていたかは不明である。郡制《ぐんせい》の施行されていた範囲ではなく、交易の行なわれていた範囲であろう。

　九州から朝鮮半島に渡る途上にある対馬《つしま》と壱岐《いき》は、古くから集落が形成され、朝鮮半島南部の加《か》耶《や》（加羅《から》）や倭《わ》との往来が頻繁にみられた。『三国志《さんごくし》』魏志《ぎし》東夷《とうい》伝《でん》倭人の条（「魏志倭人伝」）にも「一支国」「対馬国」として登場し、また七世紀後半の百済《くだら》救援戦争で倭が敗北したのちには、防衛のために対馬に朝鮮式山城《やまじろ》である金田《かねた》城がつくられた。七世紀後半から、日本という国家が成立し、地方行政単位が整備されるなかで、対馬と壱岐は「島」という行政単位に編成されていく。それぞれは一国としては存立しがたい規模であるが、国家の周縁に位置することから辺境防備や外交のうえで重要視され、いわば特別扱いのようなかたちで行政組織が置かれたのである。多禰島も同じように「島」とされたことから、同様な扱いを受けたとみられる。

　一方、九州の西に所在する五島《ごとう》列島は、「値嘉島《ちかのしま》」と呼ばれていた。『肥前国《ひぜんのくに》風土記《ふどき》』によれば、肥前国松浦郡《まつらぐん》値嘉郷《ちかごう》とさ

古代における南島

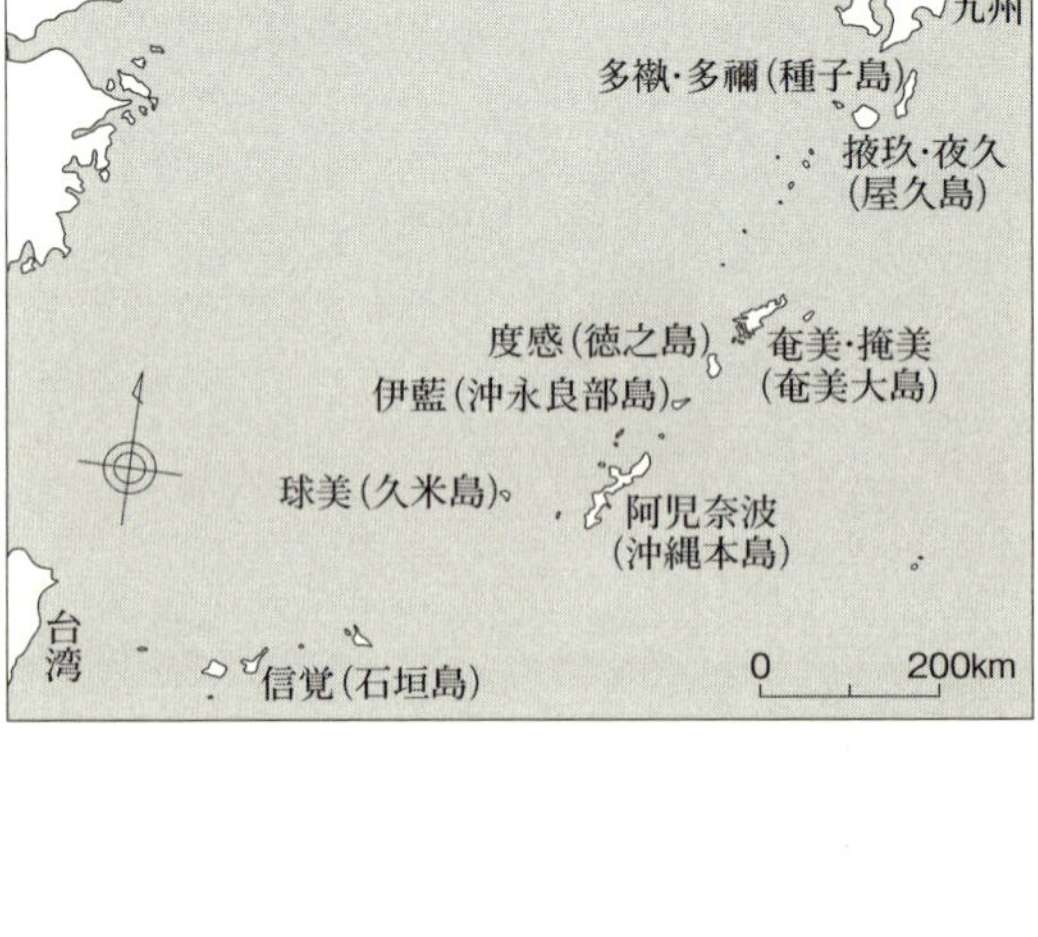

れ、島では馬や牛が飼われており、白水郎《あま》（海士）が多く住んでいて、景行《けいこう》天皇がやってきた際に鮑《あわび》などを献上したとする伝承がある。ここの海士は、容姿は隼人《はやと》に似ていて、馬に乗って弓を射ることが上手であり、言語はまわりのふつうの人々とは異なっているとされている。国家の西の端であったこともあり、隼人との対比がなされている。

値嘉郷は貞観《じょうがん》一八年（八七六）から数年の間、対馬島・壱岐島などと同様に値嘉島として独立した行政機関が置かれた。新羅《しらぎ》商人や海賊の往来が頻繁になり、国家の辺要《へんよう》の地に対する支配強化がめざされたためであろう。『延喜《えんぎ》式《しき》』にみられる祝詞《のりと》では、国家の西の果てとして値嘉島が示されている。ちなみに、『延喜式』の祝詞では、東・北・南の果てはそれぞれ陸《む》奥《つ》国・佐渡《さど》国・土佐《とさ》国とされているが、これは東山道・北陸道・南海道の交通路の終点であったことによる。おそらくこの認識は八世紀にさかのぼるものだろう。多分に観念的なものではあるのだが、八世紀以降、国家領域への認識が人々の間に広まっていくなかで、五島列島が日本の西の果てとする位置づけがなされていった。

26

◉日本の西の果て、五島列島
この西に広がる東シナ海を舞台に、遣唐使船や新羅商船が活躍した。

コラム3　外国からきた動物

日本にいない動物が外国から持ち込まれることがあった。推古《すいこ》天皇六年（五九八）と六四七年に新羅《しらぎ》が送った孔雀《くじやく》や、推古天皇七年に百済《くだら》が送った駱駝《らくだ》・驢《ろ》馬《ば》・羊《ひつじ》など、『日本書紀《にほんしょき》』や『続日本紀《しょくにほんぎ》』には、大陸のめずらしい動物がやってきた記録がいくつかある。

牛よりも馬よりも大きな駱駝は、人々の関心の的となっただろう。人々の耳目を驚かせたであろうこれらの動物は、外交を独占していた権力者の、権威の象徴でもあった。

◉鸚鵡鳥坏
部分的に欠損しているが、上下をひっくり返して見ると、漢字を組み合わせたまじないの記号が見える。

平城宮《へいじょうきゅう》跡からは、写真のような文字が書かれた土師器《はじき》の皿が見つかっている。「鸚鵡《おうむ》鳥の坏、取る莫《なか》れ」とある。「この皿は、オウムのエサ入れだから、ほかの人は持っていかないでください」ということである。誰が飼っていたのかはわからないが、奈良時代の宮廷にはオウムまでいたのである。

第四章

国家と役人

1

役人の始まり

服装と作法

国家制度が確立してくるなかで、役人として勤務する立場も整えられてくる。推古《すいこ》天皇一一年（六〇三）の冠位十二《かんいじゆうに》階《かい》の制によって、上下の格付けがなされ、いくつかの段階に分かれた身分表象として、冠と服の色による等級分けが行なわれた。最初の遣隋使《けんずいし》として六〇〇年に中国に渡った外交使節たちは、隋の人々から、「あなたは、お国ではどのぐらいの身分をもっておられるのですか」と尋ねられ、なんとも説明できなかったのであろう。当時の倭《わ》には、隋のようにいくつもの階層に分かれた身分秩序はなく、氏族単位での地位を表わす姓《かばね》がある程度であった。あわてて一二等級の冠位制度を導入したというのが実情であろうか。その後、この制度は数度の変遷をたどり、天智《てんち》天皇三年（六六四）には二六階の等級が冠位によって表わされるようになる。

天武《てんむ》天皇一一年（六八二）になると、身分の上下を位冠《いかん》で視覚的に示す制度をやめ、宮廷に出入りする男性は漆紗冠《しつしやかん》（漆《うるし》で塗り固めたうすぎぬの冠）を身につけるよう命じられ、男官の身分を表わしていた冠は統一された。三年後には冠位が改定され、四八等級の位階《いかい》制度ができあがる。持統《じとう》天皇三年（六八九）の飛鳥浄御原令《あすかきよみはらりよう》施行の直後には、筑紫《つくし》大宰府《だざいふ》に位階授与の証明書である位記《いき》を送って

●瓦に描かれた笏を持つ役人
冠をかぶり笏を持つ官人。儀礼や政務の際の姿か。脇には「三国真人」という名が刻まれている。

（佐渡市佐渡国分寺跡出土）

前ページ写真

おり、全国的に位記による位階表示が始まったようである。翌持統天皇四年には、朝廷での正服である朝服《ちょうふく》の制度が改定され、これは大宝律令《たいほうりつりょう》へと受け継がれている。服の色による身分差の視覚的な違いは残されているが、天武天皇から持統天皇の時代にかけて、冠を与えて等級を示す方法から、文書を与えて等級を示す方法へと転換したのであった。

大宝《たいほう》元年（七〇一）の大宝律令の施行では、持統天皇四年に制定された服の色がそのまま受け継がれた。『続日本紀《しょくにほんぎ》』には、大宝の年号の開始と同じ三月二一日の指令として、位階制の改定と、服制《ふくせい》についての具体的な規定が見える。六月の大宝令施行に先行して、位階と衣服の制度は二か月半早く切り替えられた。

この時期の服制は、やはり唐風《とうふう》をめざしたものであった。養老《ようろう》の遣唐使《けんとうし》が帰国した直後に、「はじめて天下百姓《ひゃくしょう》《ひゃくせい》をして、襟を右にせしむ」という命令が出されており、唐風化を徹底するために、衣服の前の合わせ目を左側を上にして襟を右側で留める「右襟」を標準とする指示が出された。帰国した遣唐使から意見として出されたのだろう。しかし、それまでの習慣であった左襟で服を着用する者は跡を絶たなかったらしい。正倉院《しょうそういん》に残されている衣服のなかには、

2

●高松塚古墳壁画の男子像
石室内部の東西の壁に、南寄りの位置に男子像が描かれており、宮廷に仕える下級官人とみられる。

八世紀なかばに使用されていた左襟のものがある。都のなかでも、まだ右襟は徹底されてはいなかった。

右襟の徹底のほかにも、新たに服装として取り入れられたものに、把笏《はしゃく》がある。笏はこの時代になってはじめて宮廷での服装に取り入れられた。養老三年（七一九）の導入当初は、各官司《かんし》の主典《さかん》以上が把笏の対象範囲であったが、その後、対象者は官掌《かじょう》などの下級官人まで拡大していくことになる。宮廷官人の象徴であるかのような笏であるが、その始まりは、大宝律令施行後の、遣唐使による知見の導入がきっかけであったと考えられる。

こうした唐風の服装を身に着けた格好であれば、宮廷内での作法もまた、その服装に合ったものが求められるようになる。それまで、宮廷のなかでは「跪伏礼《きふくれい》」と呼ばれる作法があった。身分が上の者に対して、下の者が跪《ひざまず》いて拝礼する方法である。中国では立礼《りつれい》が基本であり、日本でも慶雲《きょううん》元年（七〇四）には「跪伏礼」が否定されて、立礼を行なうよう指令が出された。

立礼は、すでに七世紀なかばの段階から奨励され

3

◉正倉院に残る右襟と左襟の衣服
左側の前襟を外側にして服の右側で留めるのが右襟（上）、逆に右側の前襟を外に出すのが左襟（下）である。

ていたことがわかる。天武天皇一一年（六八二）には「難波《なにわ》朝廷の立礼」を行なえと命じられており、「難波朝廷」において、すなわち改新之詔《かいしんのみことのり》が出された七世紀なかばの孝徳《こうとく》天皇時代の難波長柄豊碕宮《ながらのとよさきのみや》では、すでに中国風の立礼が命じられていたのだった。難波長柄豊碕宮は、難波宮跡の下層遺構（前期難波宮）が有力視されており、この宮廷における朝堂院《ちょうどういん》は、それまでの時代には国内ではまったくみられなかった、とてつもなく広い儀礼のための庭（朝庭＝朝廷）をもっていた。中国風の宮殿をつくったことに合わせて、中国風の立礼を命じたのであろう。

これ以後、たびたび立礼を行なうよう命令が出されたが、国内ではなかなか立礼方式が定着しない。九世紀になっても、朝堂のなかで親王や大臣に対して礼を示す方法が弘仁《こうにん》九年（八一八）までは跪伏であった。そもそも、跪伏礼は『三国志《さんごくし》』魏志《ぎし》東夷《とうい》伝《でん》倭《わ》人《じん》の条（「魏志倭人伝」）に登場する邪馬《やま》台国《たいこく》の風俗のなかにも「あるいは蹲《うずくま》りあるいは跪き、両手を地に拠《よ》りて恭敬を為《な》す」として紹介されており、倭では伝統的な礼の表わし方であった。中国風の立礼を定着させようとしても、根づいていた習慣はなかなか変えることはできなかったようである。

4

◉瓦に描かれた跪く人物
官人が跪いた様子が描かれている。役所ではよく見られた場面だろう。（岐阜県光寿庵《こうじゅあん》跡出土）

出勤の始まり

当時は、勤務する立場の者は、すべて国家の組織に出勤することになるので、みな公務員ということになろうか。役所を官司《かんし》と呼び、そこに出勤する者を官人《かんじん》と呼んでいる。官人の出勤は、朝、夜明けとともに始まる。舒明《じょめい》天皇八年（六三六）七月に出された命令では、卯《う》の時の初め（午前五時頃）に出勤して、巳《み》の時が終わったあと（午前一一時過ぎ）に退出するようにとされている。このように午前中に勤務するのが「朝参《ちょうさん》」であった。

六四七年には、宮殿への出勤基準が、つぎのように定められた。

「凡《およ》そ位を有《たも》てる者は、かならず寅《とら》の時（午前三〜五時）に、南門の外に、左右に羅列し、日のはじめて出るときをうかがいて、庭に就きて再拝し、乃《すなわ》ち庁に侍《はべ》れ。もしおそく参る者は、入り侍ることをえざれ。午《うま》の時（午前一一〜午後一時）に到《いた》るにのぞみて、鍾《かね》を聴きて罷《まか》れ」

位をもっている者は、遅くとも午前五時には朝廷の入り口の南門前に並んで、日の出を待っていなければならない。日の出になるといっせいに朝廷に入っていって、内裏《だいり》の方角に向かって拝礼し、それぞれの持ち場の建物に登庁するのである。日の出の時間に遅刻すると、もう入れてはもらえない。午前中の仕事の終わりは、お昼ごろに鐘が打たれ、それを合図に退出する。まだ漏刻《ろうこく》（水時計）は導入されていない時期だが、誰かが担当して時刻を計っていたのだろう。

このような規定は、律令のなかにも取り入れられた。大宝律令《たいほうりつりょう》の条文は不明だが、八世紀前半に編纂《へんさん》された養老令《ようりょうりょう》では、開門前の卯の時の終わり（午前七時前）には役所に到着していること、そして、お昼ごろ閉門の合図とともに退庁せよとしている。地方官の場合には、都の宮殿と違って開門と閉門の合図がなかったためか、日の出とともに出勤し、正午頃退庁とされている。じつは、唐《とう》でもほぼ同じであったことがわかっているので、これは日本独自の出勤形態というわけではない。

都の宮殿に出勤する官人たちは、都のなかに宅地を与えられた。高級貴族たちは宮殿のすぐ近くに住んでいるが、下級官人は宮殿からほど遠い都の南端に住まわされている者もいる。八世紀なかばに平城《へいじょう》京《きょう》の南西端に近い右京《うきょう》九条《じょう》三坊《ぼう》に住んでいた文廣河《ふみのひろかわ》は、中宮《ちゅうぐう》省舎人《とねり》として勤務していた。彼の住居から宮殿までは、約四・八キロメートル。徒歩で一時間以上かかり、日の出の前には家を出発しなければならない。身分が低い者ほど、通勤に時間がかかって苦労する。しかも、通勤路は身分の高い貴族たちの高級住宅街を通り抜けていかなければならない。毎日毎日、広い貴族の邸宅を囲んだ塀を眺めて通勤しながら、彼らは何を思ったことか。

昼になると宮殿のなかでの政務は終了だが、それ

平城京の邸宅と文廣河の住居位置

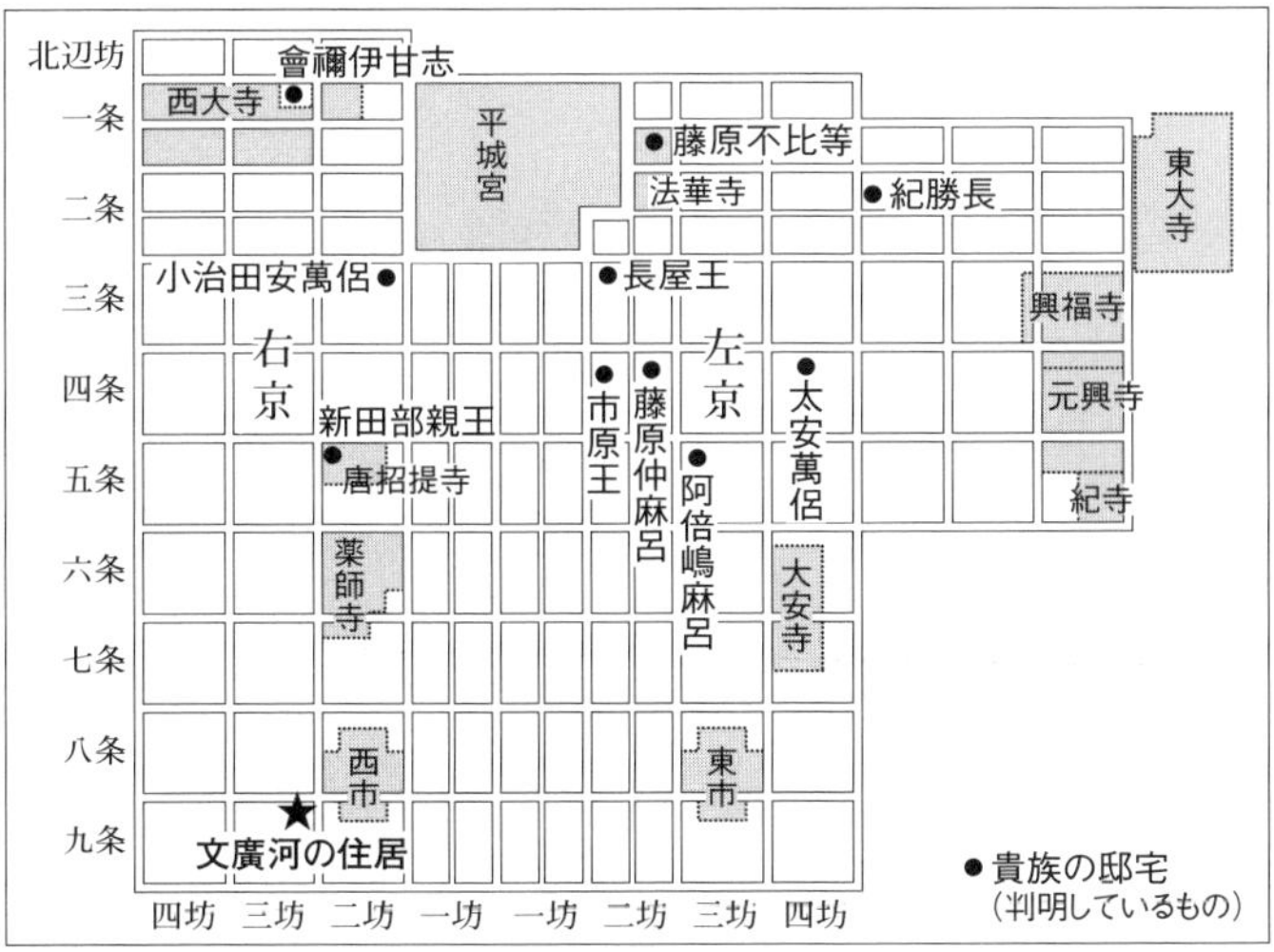

でその日の仕事が終わるわけではない。各自の持ち場での実務はまだ続く。夜勤もあった。平城京跡からはつぎのような木簡《もっかん》が見つかっている。

大足 日二百十一 夕一百卌

ここでの「日」は昼間の勤務日数を示し、この木簡では一年間の勤務日数が書かれている。それに対して、「夕」は夜勤を指す。年間の夜勤の数が一四〇日にも及んでいた。こうした勤務日数は、一年間の状況がまとめて報告され、それによって勤務状況の優劣の判断基準とされた。

夜勤の際には、勤務担当者についての報告書が出されていた。平城宮跡で見つかった木簡のなかには写真左側のようなものがあって、「宿直札《しゅくちょくふだ》《とのいふだ》」と呼ばれている。宮廷の警護をする武官には、夜の警備のために当然のことながら夜勤の割り当てがあるが、それ以外にも夜勤が必要な部署がたくさんあったようだ。都のなかでは夜になっても、多くの官人が働いていた。夜勤の制度ができたことによって、かえって夜にも働かなければならなくなったのかもしれない。

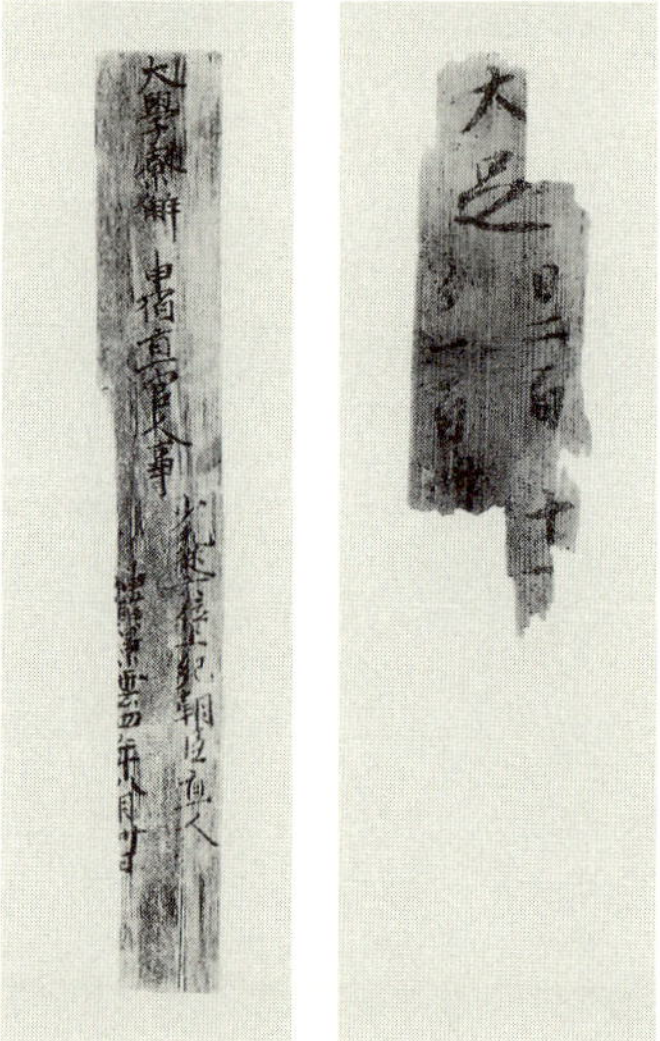

◉上日を記した削屑と宿直札
上日に関する木簡は、統計後、削って再利用される（右）。左は神護景雲四年（七七〇）八月三〇日の大学寮の宿直札。

5

常勤と交替勤務、中央と地方

律令制下の官人《かんじん》には、四つの区分がある。五日勤務して一日の休日を繰り返す、いわば常勤職員の勤務形態をとるのが「長上官《ちょうじょうかん》」である。これに対して、順番で交替勤務をする形態の者を「分番《ぶんばん》官《かん》」という。職種によって、長上官と分番官とに分けられているが、おおむね各官司《かんし》で業務の指揮にあたる四《し》等官《とうかん》や技術部門の代表者は長上官であり、下級職員は分番官である。

長上官は毎年の勤務評価を受けて、その実績が六年たまると、成績の上下によって位階《いかい》が昇進する。毎年の勤務評価は上上から下下まで九段階あるが、ふつうに勤務していれば、通常は中中の評価を得て、それを六年積み重ねれば一階分だけ位階が上がる。分番官は、この昇進の機会を与えられるまでの期間がもっと長く、八年たたないと得られない。長上官と分番官では、明確に差が設けられていたのである。すなわち上級役人はさらに上にどんどん昇進していくが、下積みの下級の者は、いつまでたっても位階が上がらない仕組みである。実際には長上官の六年でも昇進まで長すぎるという不満があったようである。大宝律令施行からわずか五年しかたっていない慶雲《きょううん》三年(七〇六)には、昇進を得るまでの期間を、長上官は四年、分番官は六年と短縮することになった。大宝律令による勤務評価が始まって、すぐつぎの昇進の機会にはもう不満が出てきたということである。

このように勤務形態によって長上と分番という別があったが、さらに官人の出身によって中央と地方では大きな区別があった。律令では、地方出身者に対して授けるために用意されている位階の体系があり、外位《げい》と呼ばれている。この位階を与えられた人々はおもに地方の有力者なのだが、彼らの受けた位階は中央官人たちのものとは明確に区別されていた。彼らがおもに就いている職である郡司《ぐんじ》や軍団の四等官は、「外長上《げちょうじょう》」という扱いであり、昇進が可能になるまでの期間は中央の分番官よりもさらに長く、律令規定で一〇年、慶雲三年の改定でも八年であった。さらにその下に、地方での分番官のような勤務形態の者がおり、彼らは「外散位《げさんに》」と呼ばれて、昇進までの機会は外長上よりもさらに二年長く設定されていた。

貴族と下級官人

このように、中央出身者が地方出身者よりも優遇され、上級官人が下級官人よりも優遇されるよう、律令による国家体制は構想されている。それは、中央出身の貴族たちが、自分たちの地位を、そのまま子孫に受け継がせていくのに都合のよい制度であった。彼らが地方出身者よりも優越的な地位を保って中央の官職を保持し、下級職員が出世してくることを阻んで、つねに支配層としての地位を貴族たち全体で維持できるように、官人制度全体が構想されている。当時、政治の中心にいた氏族たちによる支配体制を、そのまま維持していけるように、律令制度は設定されたのである。

高い位階をもった者の子孫が、親や祖父の位階に応じて、成人した時点で自動的に位階を獲得できるという蔭位《おんい》の制度は、その最たるものだろう。三位にある者の嫡孫は二一歳になると、自動的に従《じゅ》六位下を与えられ（嫡孫以外の孫は正《しょう》七位上）、従五位にある者の嫡子は、同じように自動的に従八位上を与えられる（嫡子以外の子は従八位下）。高い地位にある家柄の再生産のためにつくられた制度である。下級職員の者は、無位からスタートすると、どんなに頑張って出世しても、ひとりの生涯ではせいぜい六位にたどり着くまでで、その子孫はこの制度の適用を受けられず、やはり無位からスタートして同じ経歴を何世代も繰り返すことになる。

慶雲《きょううん》三年（七〇六）に大宝律令《たいほうりつりょう》の規定を改めて、昇進までの期間を短縮したものの、すべての官人の昇進が早まると、どういうことになるだろうか。官人は位階に応じて季《き》禄《ろく》という、春と秋に二度支給される手当てがあった。いわば現代のボーナスである。支給されるのは絁《あしぎぬ》・真綿・麻布と鍬《くわ》などであるが、その量は、位階に応じて決まっており、当然のことながら、高位の者には多くの物品が支給される。官人の位階がどんどん上昇していくと、季禄の必要量が増え、国家財政を圧迫することになるのである。官人たちの不満を解消しても、国家財政が危機に陥ってはもとも子もない。

こうした状況を反映したためと考えられるが、神亀《じんき》五年（七二八）には、中央出身者でも正六位上から従五位下に昇進する際に、外《げ》従《じゅ》五位下に昇進させ、その後に内位の五位へと昇進を迂《う》回《かい》させる制度が始まった。六位と五位の間に、さらに位階を増やしたような措置である。これによ

大宝律令制における位階一覧

親王	一般官人（内位）	一般官人（外位）
一品	正一位	
	従一位	
二品	正二位	
	従二位	
三品	正三位	
	従三位	
四品	正四位上	
	正四位下	
	従四位上	
	従四位下	
	正五位上	外正五位上
	正五位下	外正五位下
	従五位上	外従五位上
	従五位下	外従五位下
	正六位上	外正六位上
	正六位下	外正六位下
	従六位上	外従六位上
	従六位下	外従六位下
	正七位上	外正七位上
	正七位下	外正七位下
	従七位上	外従七位上
	従七位下	外従七位下
	正八位上	外正八位上
	正八位下	外正八位下
	従八位上	外従八位上
	従八位下	外従八位下
	大初位上	外大初位上
	大初位下	外大初位下
	少初位上	外少初位上
	少初位下	外少初位下

って、六位から五位を経て昇進していくうえで、五位以上への到達は若干遅くすることができる。しかし、この措置を実施した際に、外五位を経なくてもそのまま五位に上がれるコースも用意された。中央貴族のなかでも、五位にそのまま上がれるエリートコースと、外五位をいったん経なければならない一般コースの、二通りの待遇を用意したのである。エリートコースに乗って昇進していったのは、中央の貴族の嫡流《ちゃくりゅう》の者たちであった。同じ一族の親戚どうしでも、嫡流から少し離れただけで一般コースの処遇となる。これは家柄による昇進の差別以外の何ものでもない。

昇進して実際に位階が上がると、それに応じた官職へ遷《うつ》る可能性がある。各官職には、どの位階の者を任命するかという基準が定められている。人事異動のうえで、ひとつの官職に何年いなければならないという基準はないが、長上官の場合には、おおむね四年ほどで昇進し異動していく。特定の人物がひとつの官職に長くとどまることは、特定の利権を生む温床となり、健全な職務遂行のうえでは望ましいことではない。これは現代でも通用する考え方だろう。

しかし、下級職員の場合には、何年も同じ官職で勤務し、出世の機会を延々と待っていたようである。地方豪族出身者で、郡司の子供などの若者が、都に出てきて役人見習いとなるトネリという制度があった。天皇に近侍《きんじ》する内舎人《うどねり》は、貴族の家柄の者のなかからしか任命されないが、中央出身者や地方豪族の子などが、大舎人《おおとねり》や兵衛《ひょうえ》となり、雑用や警備の任務に就くことになる。

天平《てんぴょう》二〇年（七四八）年頃に、下総《しもうさ》出身の他田日奉部神護《おさだのひまつりべのじんご》という人物が書いた、郡司官職への自己推薦状が正倉院文書《しょうそういんもんじょ》に残っている。これによると、神護は下総国海上郡《うなかみ》（千葉県銚子《ちょうし》付近）の郡司をつとめる家柄の出身で、二一歳のときに都に出てきて藤原麻《ふじわらのま》呂《ろ》の資人《しじん》（貴族に与えられたトネリ）を一一年、その後に中宮舎《ちゅうぐうと》人《ねり》を二〇年つとめた。この功績によって海上郡司の長官《かみ》である大領《たいりょう》に任じてほしいと請願している。

　平城京《へいじょうきょう》の発掘調査で、どうもこの神護らしい人名の書かれた木簡《もっかん》が見つかっている。この木簡には藤原麻呂の家政機関に出向してきていた中宮舎人一九名の名が書かれており、神護もそのなかのひとりとして見える。たしかに、彼は天平八年頃は中宮舎人の職にあり、もとの主人の家政機関に出向してきていたのであった。

　三一年もトネリをつとめた彼が望みどおり大領になれたのかどうか、その後のことはわかっていない。この木簡に記された者たちは、これから出世していくつもりの意気揚々とした若者もいれば、神護のように長々と同じ立場で過ごしている者もいる。役人の世界は、家柄による差別が前提となって、悲喜こもごもの様相を呈していた。

謹解　申請海上郡大領司仕奉事
中宮舎人左京七條人従八位下海上國造他田日奉
部直神護我　下総國海上郡大領司尓仕奉
止申故波　神護我祖父小乙下忍　難波　朝庭
少領司尓仕奉支　父追廣肆宮麻呂　飛鳥
朝庭少領司尓仕奉支　又外正八位上給弖　藤
原朝庭尓大領司尓仕奉支　兄外従六位下勲
十二等國足　奈良朝庭大領司尓仕奉支　神
護我仕奉状　故兵部卿従三位藤原卿位分資
人始養老二年至神亀五年十一年中宮舎人
始天平元年至今廿年　合卅一歳　是以祖父
父兄良我仕奉祁留次尓在故尓　海上郡大領
司尓仕奉止申

6

◉他田日奉部神護解
漢文だが万葉仮名で送りがなを書いた宣命書きという書式の部分もみられる。訂正の跡もあり、草案とする見解もある。

国家と技術の独占

手工業技術者の確保

国家は役人だけでは動かない。必要な物資の調達や建設事業のために、たしかな専門の技量をもったさまざまな技術者をどのように確保するかは、国家にとって重要な問題であった。

律令制《りつりょうせい》下の官司《かんし》機構では、各官司ごとにさまざまな技術分野を掌握している。次ページの表に見える、専門技術をもって国家に奉仕している集団を、伴部《ともべ》・品部《しなべ》・雑戸《ざっこ》と呼んでいる。伴部は官司に所属して業務上の作業に従事した下級官人《かんじん》であり、品部は一般の戸籍に登録されている人々のなかから選ばれた技術者で、雑戸は特別に指定された戸籍に戸ごとで登録されている職業集団である。ただし、この区別はあくまで制度上のもので、品部の母体となる一族の集団と雑戸の氏族である集団とでは、生活や勤務の方法において、それほどの違いはなかったかもしれない。

彼らのなかには、百済手人《くだらのてひと》のように明らかに渡来系の技術をもつ人々であることがわかる名前もある。第二章でも触れたように、五世紀以来、国内に定着させられた渡来系氏族は、彼らのもっていた先進技術が国家によって必要とされた結果、氏族集団ごと中央の有力氏族によって掌握されることとなった。そして、有力氏族の参加する政権が、国家組織を整備して私的な隷属を否定するなかで、国家組織に所属する集団へと位置づけが変化していったのである。ただし、彼らの居住する地も、集団で奉仕する方法も、そう変わってはいない。結果的に八世紀の律令国家は、五世紀以来の先進技術の掌握方法を、そう劇的に変化させることなく、国家組織のなかに取り込んでいたことになる。

彼ら手工業技術者たちは、畿内とその近くの範囲に散在していた。たとえば藍染《あいぞめ》についてみると、大和国《やまとのくに》や近江《おうみ》国に分かれて居住しており、そこから三名が番上《ばんじょう》して都の織部司《おりべのつかさ》に勤めることになる。

支配者や権力者は、いつの時代にも、先進技術や特殊な技術を独占したがる。先進技術によって生み出される優良な物資を独占することが、他の権力者に対して優位に立つための前提となるのである。日本列島にこうした技術がなかった時代には、それをもつ外来の技術者を保持し、またその後も何世代にもわたって同じ体制を維持するために、氏族集団ごと隷属させてきたのであった。

七世紀末から八世紀初頭にできあがった律令制によって、技術が国家によって管理されるかたちが用

律令官司における品部・雑戸

品部						雑戸		
図書寮	紙戸	50	漆部司	漆部	15	内蔵寮	百済手部	10
雅楽寮	伎楽戸	49		泥障	10		百済戸	10
	木登	8		革張	4	大蔵省	百済手部	10
	奈良笛吹	9	織部司	錦綾織	110		百済戸	11
造兵司	爪工	18		呉服部	7	造兵司	甲作	62
	楯縫	36		川内国広絹織人等	350		靫作	58
	幄作	16					弓削	32
鼓吹司	鼓吹戸	218		緋染	70		矢作	22
主船司	船守戸	100		藍染	33		鞆張	24
主鷹司	鷹養戸	17	大膳職	鵜飼	37		羽結	20
大蔵省	忍海戸狛人	5		江人	87		桙削	30
	竹志戸狛人	7		網引	150		鍛戸	217
	村々狛人	30		未醤	20	鍛冶司	鍛戸	338
	宮郡狛人	14	大炊寮	大炊戸	25	筥陶司	筥戸	197
	大狛染	6	典薬寮	薬戸	75	左馬寮	飼戸	302
	衣染	21		乳戸	50	右馬寮	飼戸	260
	飛鳥沓縫	12	造酒司	酒戸	185			
	呉床作	2	園池司	園戸	300			
	蓋縫	11	土工司	泥戸	51			
	大笠縫	33	主水司	氷戸	144			
	桉作	72						

単位:戸

意されたものの、社会はその後に変化をきたすことになる。馬の飼育技術は、社会全体に伝播《でんぱ》して特殊な技術ではなくなり、馬飼部《うまかいべ》を雑戸として登録する意味はなくなった。紙戸《しこ》は、製紙の技術が普及することによって、そのもっている技術は特殊とはいえなくなる。律令制開始当初には必要であった彼らの存在は、八世紀なかばには特殊技術集団として確保される意味をもたなくなっていった。天平《てんぴょう》一六年（七四四）には、技能を子孫に伝承させていくことを条件として雑戸は放免され一般民となる。八年後の天平勝宝《てんぴょうしょうほう》四年（七五二）には、ふたたびもとの登録体制に戻すことが命じられたが、いったん解放に向かった流れは止められなかった。

社会の趨勢《すうせい》としては、雑戸は解放され、一般民を含む雑徭《ぞうよう》などの労役で生産労働がまかなわれる方向へと進んでいく。五世紀以来の特殊技術集団として身柄を掌握されていた渡来系の人々は、ここにおいてようやく、ほかの氏族たちと同じ扱いを受ける道を得たのであった。平安《へいあん》時代中期には、渡来系であるかどうかが意味をもたなくなり、氏族の名のりが変化していくようになると、もはや渡来系だったのかどうかさえわからなくなっていく。これもまた、社会の大きな転換のひとつということができる。

国家の組織と技術の独占

国家の官僚制を運営していくには、そのための知識や技術が必要である。暦をつくりだす暦術《れきじゅつ》や、計算を行なう算術などは、そうした専門技術といってよいだろう。官僚制運営のために必要な人材育成は、中央の官吏養成機関である大学寮《だいがくりょう》や、地方で国ごとに置かれた教育機関の国学《こくがく》で行なわれた。大学寮では、下の表のような学科が設置され、それぞれの定員の学生たちがさまざまな書籍を学んでいた。明経《みょうぎょう》は一般的な官僚を養成するコースだが、書や算術は、それぞれの専門技術の習得ともいうことができる。算術を専門に身につけた者は、戸籍や調《ちょう》・庸《よう》のような国家収入の統計処理を日常業務とする主計寮《しゅけいりょう》でも必要とされ、田地の実地調査などでも面積計算などを任されていた。

大学寮と国学は、官僚として広い方面で必要な学問的知識・技術を教育する機関であるが、それ以外の専門教育機関として、陰陽寮《おんようりょう》と典薬寮《てんやくりょう》がある。これらの官司《かんし》は、医学・薬学・陰陽道・暦道などの特殊技術をもつ者を配置して、国家の仕事に従事させていた。それとともに、その技術を次世代に伝えたり、また技術者を補助する者を育成するために、特殊技術を教育する機関としての側面ももっていた。これらの特殊技術分野は、律令官司制《りつりょうかんし》よりも前には、朝鮮半島からの渡来人によって伝えられたものであり、その後も渡来系の者が各時代の第一人者として、国家に奉仕してきたようである。律令制開始当初も、まだまだ必要な人材は国内では数が少なかった。

大宝《たいほう》律令施行直後に、僧侶《そうりょ》に対して還俗《げんぞく》を命じる指令がたび

大学寮における学科

学科	教員	定員	教科書
明経	博士1人 助教2人 直講3人 音博士2人 書博士2人	学生400人	必修:『論語』『孝経』 選択:『周易』『尚書』『周礼』『儀礼』『礼記』『毛詩』『春秋左氏伝』
算	算博士2人	算生30人	『九章三条』『海嶋』『周髀』『五曹』『九司』『孫子』『三開重差』
明法	律学博士2人		
文章	文章博士1人	文章生20人	

たび出された。通常、還俗は、僧侶として不適切な行為に及んだ場合に、僧侶の身分を剝奪《はくだつ》するための一種の罰としてなされる処置であったが、この時期に行なわれた還俗は、まったく違った趣旨からの命令である。この時期に還俗させられた僧侶たちは、還俗後に特殊技術者として活躍している者が大半を占める。大宝律令によって官僚制度を整備したまではよかったが、実際にその体制を運用していくうえでは、それにふさわしい能力のある特殊技術者が不足していたのである。そこで国家が目をつけたのが僧侶たちであった。しかも、彼らは渡来系の僧侶たちである。

正倉院文書《しょうそういんもんじょ》に残っている一通の文書がある。ある年の勤務評価を記した書類で、そこには陰陽道《おんようどう》関係の技術者が列挙されており、大宝令施行直後に還俗させられた高金蔵《こうきんぞう》・觮兄麻呂《ろくのえまろ》・王中文の名が見える。これによると、彼らは太一《たいいつ》・遁甲《とんこう》・天文・六壬式《ろくじんしき》・

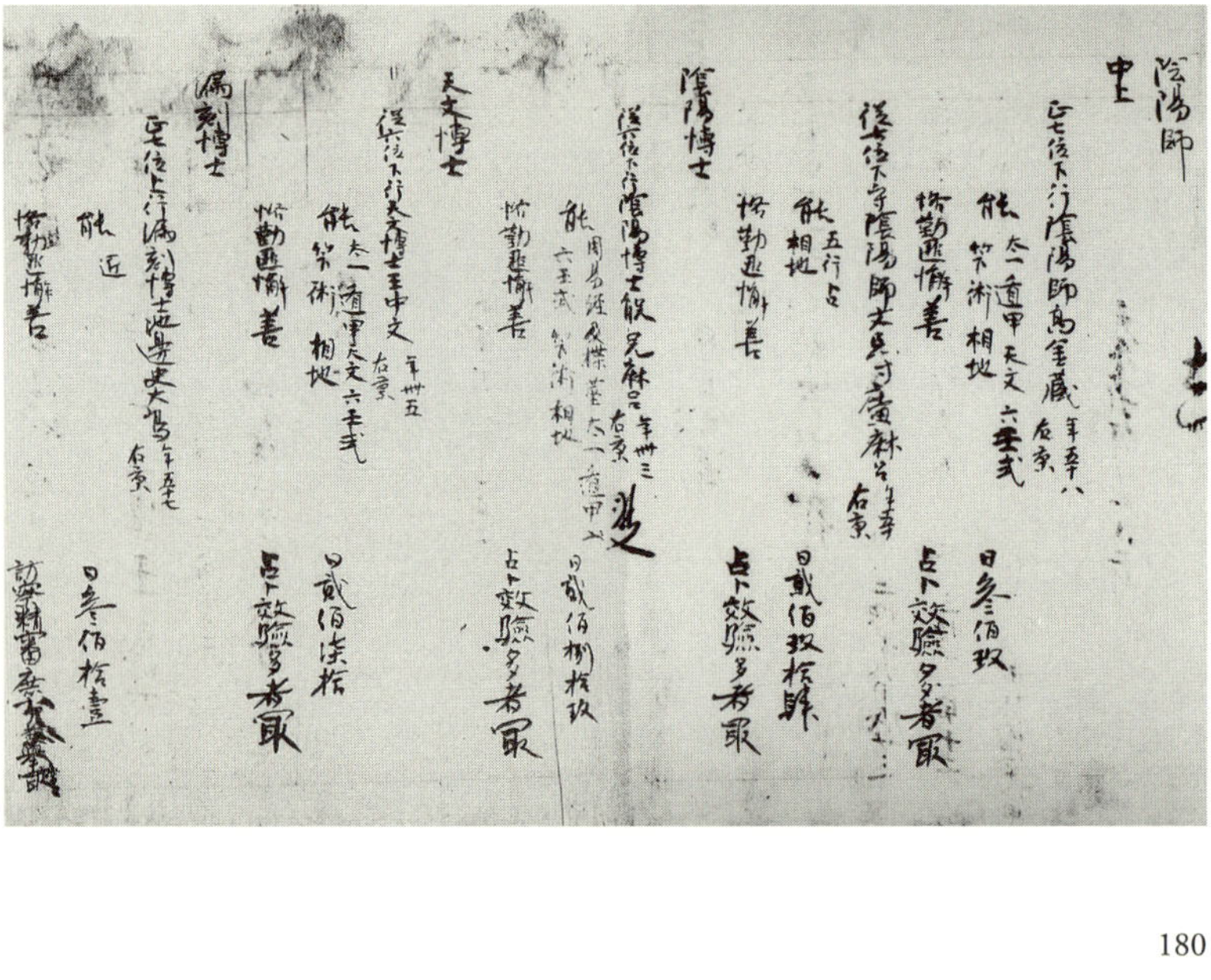

7

●勤務評価を記した文書
陰陽寮関係者の勤務評価がまとめられた部分。渡来系の者が多様な術に精通していたことがわかる。

算術などに秀でており、おそらくそれは僧侶時代から身につけていた技術なのであろう。同じ文書に見える陰陽師の文広麻呂《ふみのひろまろ》が、五行占《ごぎようせん》と相地《そうち》しか技能を記されていないのと対照的である。

僧侶は、さまざまな学問分野を勉強している。仏教経典には医療にかかわるものから、科学技術や世界の構造にかかわるものまである。寺院の建築などに関しても、土木や建設の技術が必要になる。仏教僧侶のなかで優秀な者は、こうしたさまざまな分野の学問を身につけていた。いわば、律令制度の創始時期にあたっては、僧侶は第一級の知識人集団だったのである。

還俗させられた彼らは、その後、国家の専門技術部門で活躍し、その技量を次世代に伝えていくことが求められた。養老《ようろう》五年（七二一）正月には、学業に優れた者を褒賞し、彼らに続く者を奨励している。彼らは、いわば、その道の第一人者であり、その技能を受け継ぐことが、国家体制の維持にどうしても必要であった。国家体制の創始ともいうべき時期であるからこそ、偉人的存在として第一人者が褒賞されたのである。その後にこうした体系的な褒賞が行なわれなかったことからすると、各分野における継承はなんとか軌道に乗ったのであろう。僧侶を還俗させてでも技術者を確保するという苦肉の策も、その後にとられることはなかった。

こうして人材育成に必要な知識が普及し、学問の継承が安定して行なわれるようになったが、天文・暦術や陰陽道などは、広く学ばせることはしなかった。第一章でも触れたように、暦をつくり世の中に頒布する権利は、支配者が掌握しておかなければならない。国家運営に必要な技術ではあるが、支配者にとっては独占しておかなければならないものもあったのである。

役人と支配の言葉

目に見せる文書

官司《かんし》機構を運営するうえで、律令《りつりょう》制では書式を定めた文書で相互にやりとりをしていた。文書の様式は、唐《とう》の律令の体系を取り入れるなかで定められたが、それはもとをたどれば、唐に至るまでの中国歴代王朝において練り上げられ、文筆能力がすでにある程度普及していた社会を大前提として、規定された制度であった。

近年、各地の発掘調査によって、飛鳥浄御原令制《あすかきよみはらりょうせい》下ないしそれをさかのぼる時期の木簡《もっかん》が見つかるようになった。この時期の紙の文書は残されておらず、当時の文書のやりとりは、こうした木簡資料によってはじめて明らかにすることができる。各地で七世紀段階の文書木簡の事例が見つかってくると、八世紀初頭に制定された大宝《たいほう》律令での文書の書式と、それ以前の飛鳥浄御原令段階の文書の書式とが、まったく異なったものであることが明らかとなってきた。唐令と共通する用語を使って、唐風の漢文の文書で情報の授受を行なうようにしたのは、大宝律令の施行からということになる。それ以前の文書の様式は、朝鮮半島での文章表記の方法を取り入れながら編み出されたものであった。唐風の文書になる変化が起きた時期は、まだ官人《かんじん》たちに文筆が普及しつつある段階であった。朝鮮半島方式で文書を書いていた時期は、文筆能力を有する人々の割合ははるかに小さかったが、大宝律令施行による文書の必要性は、文筆への習熟を一気に拡大し、しかも中国風の漢文使用へと、求められる技量が変わっていったのであった。

このような文書書式の変化について、上中文書を例として紹介しておくことにしたい。最初に七世紀の事例である。

〔表〕大夫前恐万段頓首白　□真乎今日国
〔裏〕下行故道間米无寵命坐整賜
（飛鳥京跡苑池《えんち》遺構出土木簡）

（大夫の前に恐《かしこ》み万段頓首《ばんたんとんしゅ》して白《もう》す。□真、今日国に下り行く故、道の間の米无《こめな》し。寵命坐《ちょうめいいま》して整え賜え）

この文書では、申し上げる対象となる目上の者の前に「白」すという書式がとられている。大宝律令施行よりも前の七世紀の木簡は、このように日本語の語順に沿った語句の並べ方であったが、これが大宝律令の施行を境に一変する事態となる。「解《げ》」という書式に変わり、中国風の漢文の語順に従う部分が増える。解の事例も紹介しておこう。

〔表〕内膳司解　申請荷持丁事 二人持十荷 一人持廿荷 合卅荷
〔裏〕右為今月廿六日御幸行供奉料件荷持右如
（平城京二条大路木簡）

（内膳司《ないぜんし》解し申し請う荷を持つ丁《てい》の事〔二人は一〇荷を持つ。一人は二〇荷を持つ〕。合わせて三〇荷。

右、今月二十六日の御幸《みゆき》行の供養の料と為《し》て、件の荷を持つこと右の如し）

このように、書式が変化するとともに、文書に対する意識の変化も起こっている。大宝律令施行以前の文書木簡では、細長い木簡の面に上から一行で書く方法を基本としている。当時、すでに紙は普及しはじめていたと考えられるので、紙に書くときには数行に書いたと考えられるが、木簡の場合には、一行で書いていくのが流儀であったようである。したがって、書く内容が少ないと余白

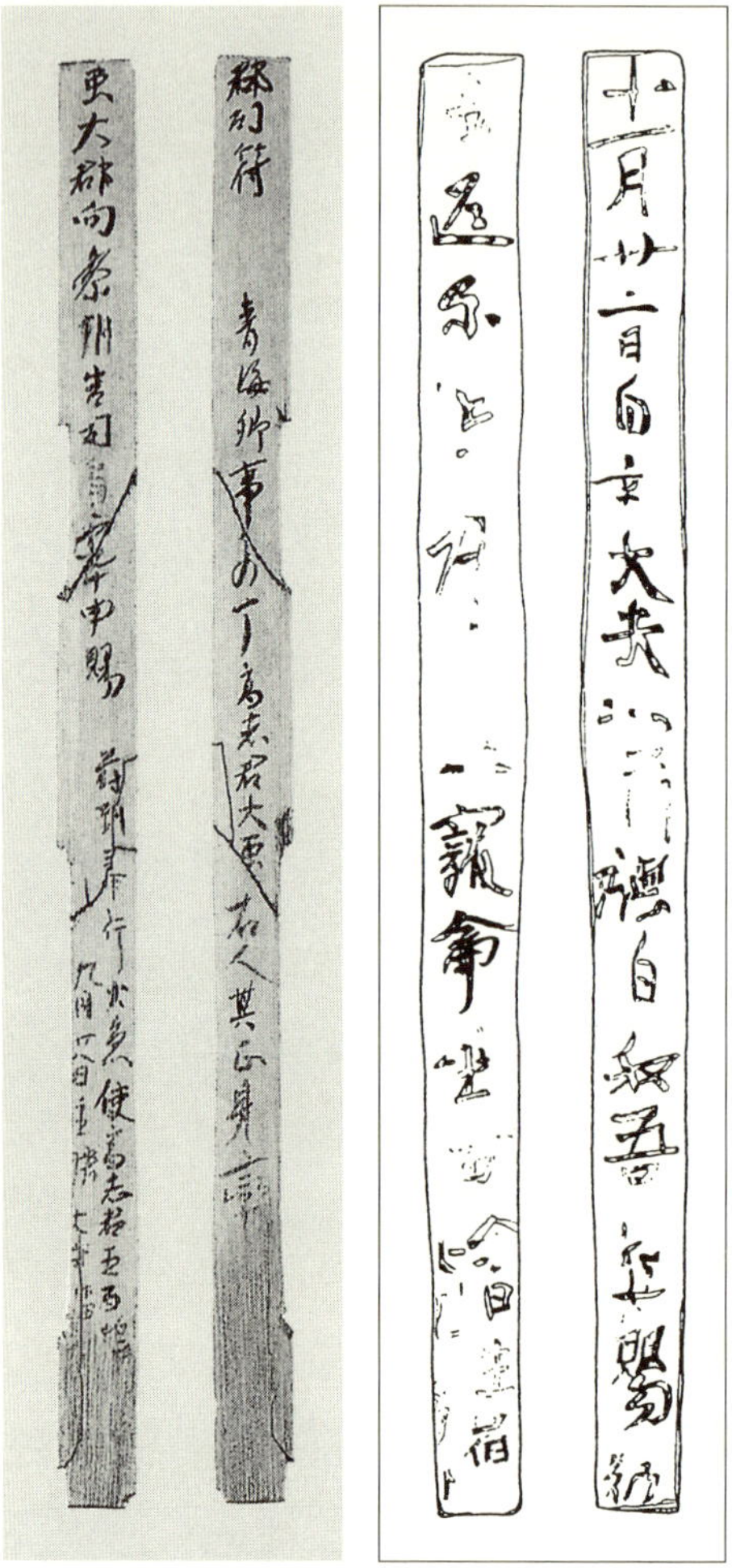
8

◉書式変化前・後の木簡
右は、西河原《にしがわら》森ノ《もりの》内《うち》遺跡（滋賀県野洲《やす》市）出土の七世紀末ごろの上申文書とみられる。木簡の面が足りなくなってしまい、最後は小字で二行にしてなんとか収めている。左は、八幡林《はちまんばやし》遺跡（新潟県長岡市）出土の八世紀前半の郡符木簡。文の切れ目で行取りを微妙に変えている。裏面の日付や署名の部分も、割り付けをした構成になっており、書式の変化がみられる。（右／『木簡研究』一二号より）

が残るし、文章が長くなってしまうと、終わりのほうの文字を小さくしたり、最後だけ二行にしたりというような、場当たり的処置を施しているものもみられる。

では、これがどのように変わったのかというと、大宝律令施行後は面を意識して使うようになった。木簡の限られた面を工夫して、文字の大きさや行取りの仕方など、情報を区切って視覚的にわかりやすく配置するようになる。見出しに相当する部分と、詳しい内容と、日付とを、ひとつの文書のなかで分けて記すようになった。もちろん、すべての木簡がそうだとはいえないが、こうした工夫は、大宝律令施行以前にはみられなかった現象である。こうして、大宝律令の施行によって、文書は見せることを意識してつくられるようになり、それによって情報を伝達するようになったのである。

声で聞かせる言葉

律令制《りつりょうせい》では文書で情報伝達がなされ、また記録や統計処理の結果も書類として保存される。官僚制に付随する文書主義の側面は、今日の社会では当たり前のようであるが、七世紀末から八世紀初頭においては、こうした書類をつくるという方法は画期的な新方式であった。

その一方で、国家運営のある部分は、文書によらない情報の伝達がなされていた。それは、人間の声である。書類は形ある物として残ることがあり、どんな書類が使われていたかが明らかになるのだが、音声でどのように伝えられていたのかは、なかなか復元することが難しい。

声で伝えられるもののなかで、もっとも大がかりなのは、天皇の命令を口頭で伝える宣命《せんみょう》である。即位や改元といった儀礼の際に、天皇からの命令が詔書として出され、これが官人たちが参列する儀礼のなかで、代読者によって読み聞かせられる。天皇自身は声を発するわけではないのだが、天皇からの言葉を代読者の声を通して聞くことが、意味をもっているのである。すべて書類ですむのであれば、詔書も文書通達や掲示ですませられたはずである。宣命という方法がとられたのには、そうした書類では代替できない面があったからである。

同じように、声で伝えられることが重視された場面としては、官職への任命の儀式があげられる。毎年、新たな官職に任命される者は、朝堂院《ちょうどういん》に集められ、どの職に誰が任命されるかを口頭で伝えられた。誰をどの職に任じるかを書き上げた書類は用意されているが、これは任命する側の控えであり、任命の通知は、任命された本人に文書で渡されることはない。

中国の官僚社会では、官職に任じられた際には、任じられる本人に対して発行される告身《こくしん》という文書がある。いわば任命の通達書であり、任命結果の証明書でもあるが、これに相当する文書が、日本の古

9

●儀式で使われた版位《へんい》
儀式のなかでの所作を行なう位置の目印として地面に置く。宣命代読者の立ち位置を示す版位《へんい》もある。

代国家では作成されなかった。儀礼に参加した者たちや人事に携わる職の者から、口伝えに任命の結果が広がっていくことになる。

都のなかでは、いくつもの情報筋から官職任命の事実が確認できるだろうが、地方官に任命されたときには、赴任先に対して自分が任じられたことをどうやって証明するかが問題となる。そこで、国司《こくし》の官職に任命される場合には、中央の太政官《だいじょうかん》が命令書を発行した。しかし、この命令書も、宛《あて》先《さき》は赴任先となっている。本人が持参して任地に赴くことになるのだが、赴任先に渡してしまえば本人の手もとに残るものではない。必ず辞令を受け取る習慣が定着している現代人の目からみると、どうも違和感のある社会である。

こうした、声で伝えられることを重視する点については、文書主義による新たな文明への塗り替えがなされていないとして、当時の国家に残された原始的な側面とみる研究者もいる。しかし、詔書を音読して聞かせるという方式は、唐《とう》でも行なわれており、むしろ中国の方式を取り入れて発展した可能性も考えられる。

官職任命の儀式では、たしかに中国とは異なる面が大きいが、制度的に整えられるなかで確立してきた部分もあるだろう。古いものが残ったというよりも、律令制を取り入れた時代になっても、その方式での価値が認められていたことを忘れてはならないだろう。

『万葉集《まんようしゅう》』のなかで、越中国司《えっちゅうこくし》の長官《かみ》として赴任した大伴家持《おおとものやかもち》は、ことあるごとに「大君《おおきみ》のみことかしこみ…」と歌っている。「大君」すなわち天皇からの命令として任じられたことを、かしこまって承り、天皇から地方行政をゆだねられているのだという意識が、この言いまわしには込められている。辞令の文書一枚だけで地方に派遣されたのではない、天皇を中心とした朝廷の儀礼のなかで任命されたのだという自負が、都から離れて地方へ赴任する者にはあったのかもしれない。

また、ひとつの官司《かんし》のなかで政務処理をする際には、下級の書記官にあたる者が案件を読み上げて報告し、それぞれの案件に対して長官が口頭で指示を出した。その指示を書記官が書きとめて、外部に発行する文書の体裁に整えるのである。官司内部では、このように日常の案件処理で結論を出す際は、口頭でやりとりが行なわれていた。記録として残るのは命令書や報告書の形になって外部に出された文書のみであるが、官司を運営するうえでは、声でのやりとりが基本であった。

中国では、官司内での案件処理に関しても、書記官が書類をつくって複数の上司にまわし、指示を書き込んでもらうかたちで決済が進んでいく。指示書きは長官の手でみずから筆記された。このような案件処理の結論を書き込んだものを「判語《はんご》」と呼んでいる。中国の官吏は、判語が書ける能力がなくてはならず、優れた判語は文学作品として個人の文集のなかにも収録されている。日本では唐風《とうふう》の要素をちりばめた律令制を導入しても、行政のもっとも基本的な単位である各官司内の政務処理において、案件を処理していく方法は、唐とはまったく異なっていたことになる。このような口頭による指示を下級の書記官が書きとめていく方法は、大宝律令《たいほうりつりょう》施行以後、官司運営の基本的なあり方として定着していくことになる。

紙と木の書類

役所と書類

文書による行政運営は、大宝律令《たいほうりつりょう》の施行により、図のような官司機構とともに本格的に整備されてきた。七世紀段階でも、庚午年籍《こうごねんじゃく》や庚寅年籍《こういんねんじゃく》などの戸籍のように、帳簿として作成されたものは

律令制の官司機構

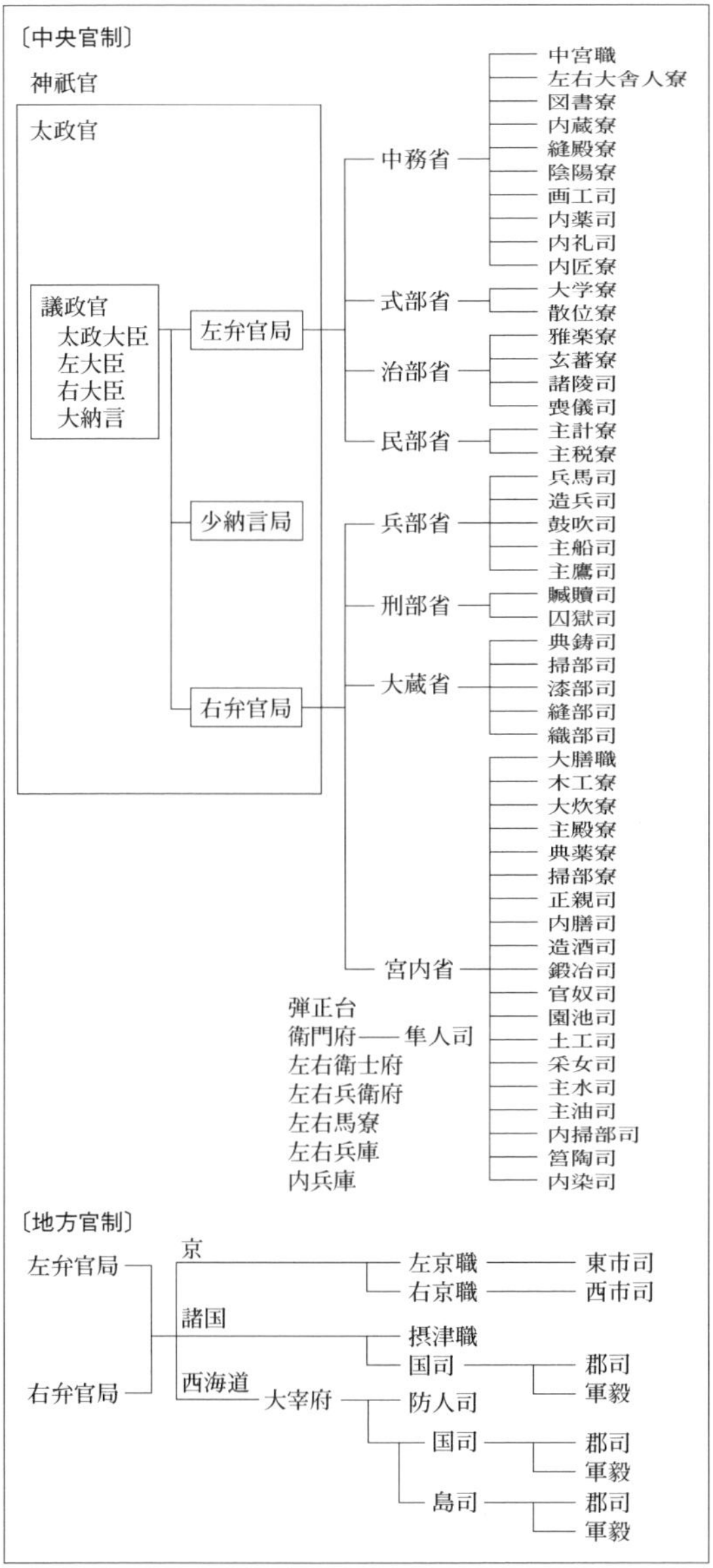

あったが、大宝律令施行によって、八世紀になってから、全国各地からの報告書は飛躍的に増大した。その書類を受け取った中央の側でも、内容をチェックしてその後の手続きを進める膨大な事務仕事ができたことになる。

大宝二年（七〇二）には「諸国の大租《たいそ》、駅起稲《えききとう》、および義倉《ぎそう》、ならびに兵器の数の文」を提出することが定められ、また養老《ようろう》元年（七一七）には大計帳《だいけいちょう》や輸《ゆ》租帳《そちょう》などの書式が定められた。八世紀前半の大宝から養老年間に、こうした書類手続きに関する命令が数多く出されている。書類の制度は、大宝律令による行政を始めてみた結果として、この時期に多くの不備を補い、整えられていった。

八世紀の官僚制のなかでどれほどの量の書類がつくられるようになったか、七世紀なかばの官人《かんじん》からみると、おそらく想像を絶するほどであろう。七世紀後半からつくられるようになった戸籍だけでも、

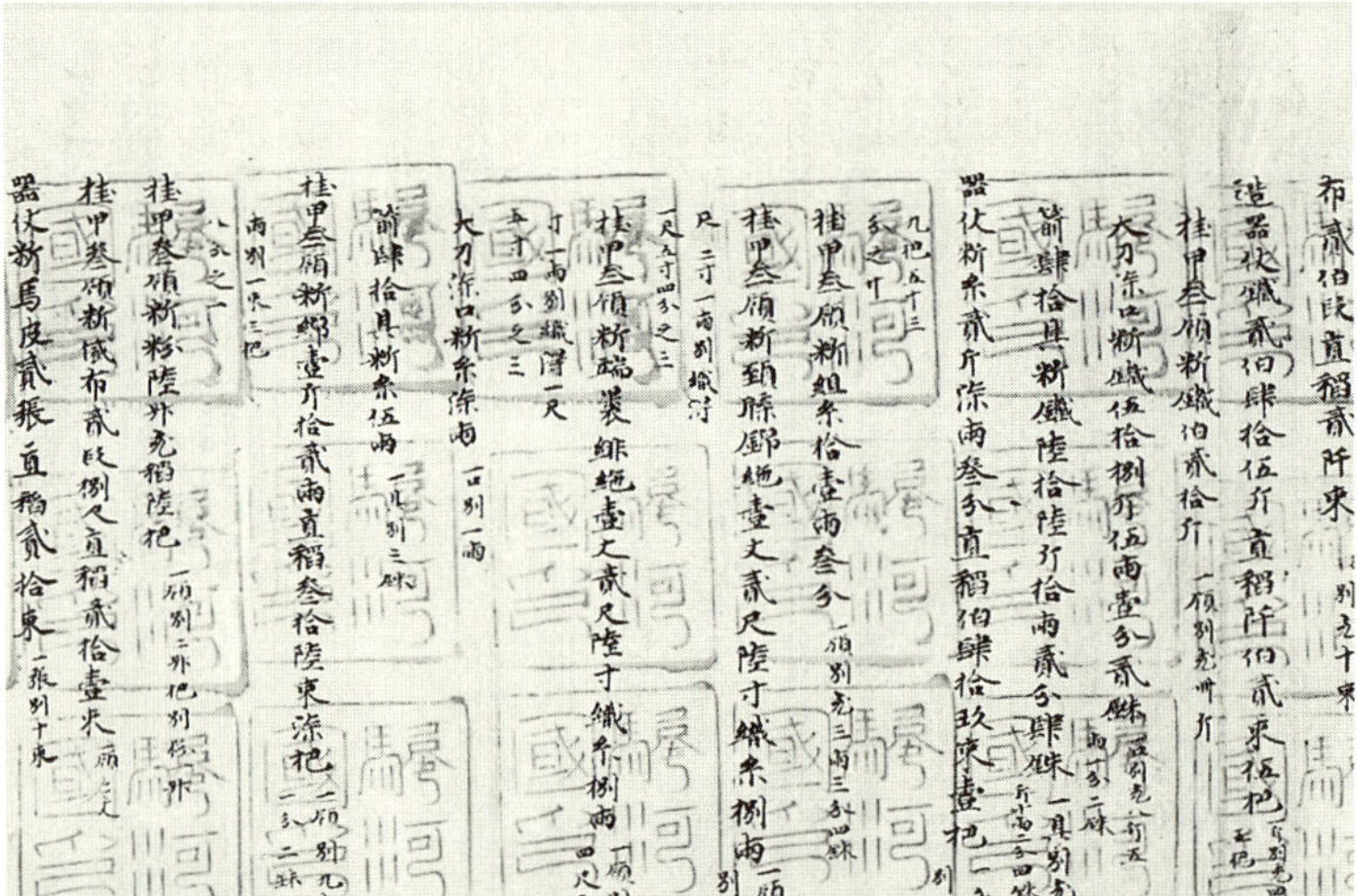

10

●正税帳（天平一〇年度「駿河国正税帳」）
端正な楷書《かいしょ》で書かれ、数値の改竄《かいざん》防止のため、数字には壱《いち》、弐《に》、参《さん》、肆《し》、伍《ご》のような大字《だいじ》が使われる。また、文字のある部分にはすべて「駿河国印」の朱印が捺《お》されている。

一里《り》（五〇戸）で一巻、数里から十数里程度で構成される一郡《ぐん》全体で数巻から十数巻、一国規模になると数十巻から百数十巻になるはずである。これが全国六十数か国から中央に提出される。中央でこれを受け取り整理し、保管するのはたいへんな事務量である。戸籍だけでこの状態であるのに、大宝律令の施行によって、諸国から提出される帳簿の量はさらにその何倍にもなることとなった。

諸国から帳簿を中央に提出する機会は大きく四つに分けられ、それぞれ、国司《こくし》のメンバーのなかから使者を選んで都に派遣した。毎年の財政収支報告書である正税帳《しょうぜいちょう》を送る「正税帳使」、人々への賦課の基準となる計帳を送る「大帳使《だいちょうし》」、地方で徴収した調《ちょう》の物品と関係書類を送る「貢調使《こうちょうし》」、そして毎年の官人の勤務評価に関する書類を提出する「朝集使《ちょうしゅうし》」である。これらの使者をまとめて四度使《よどのつかい》と呼んでいる。

四度使のそれぞれの使者が主目的として提出する

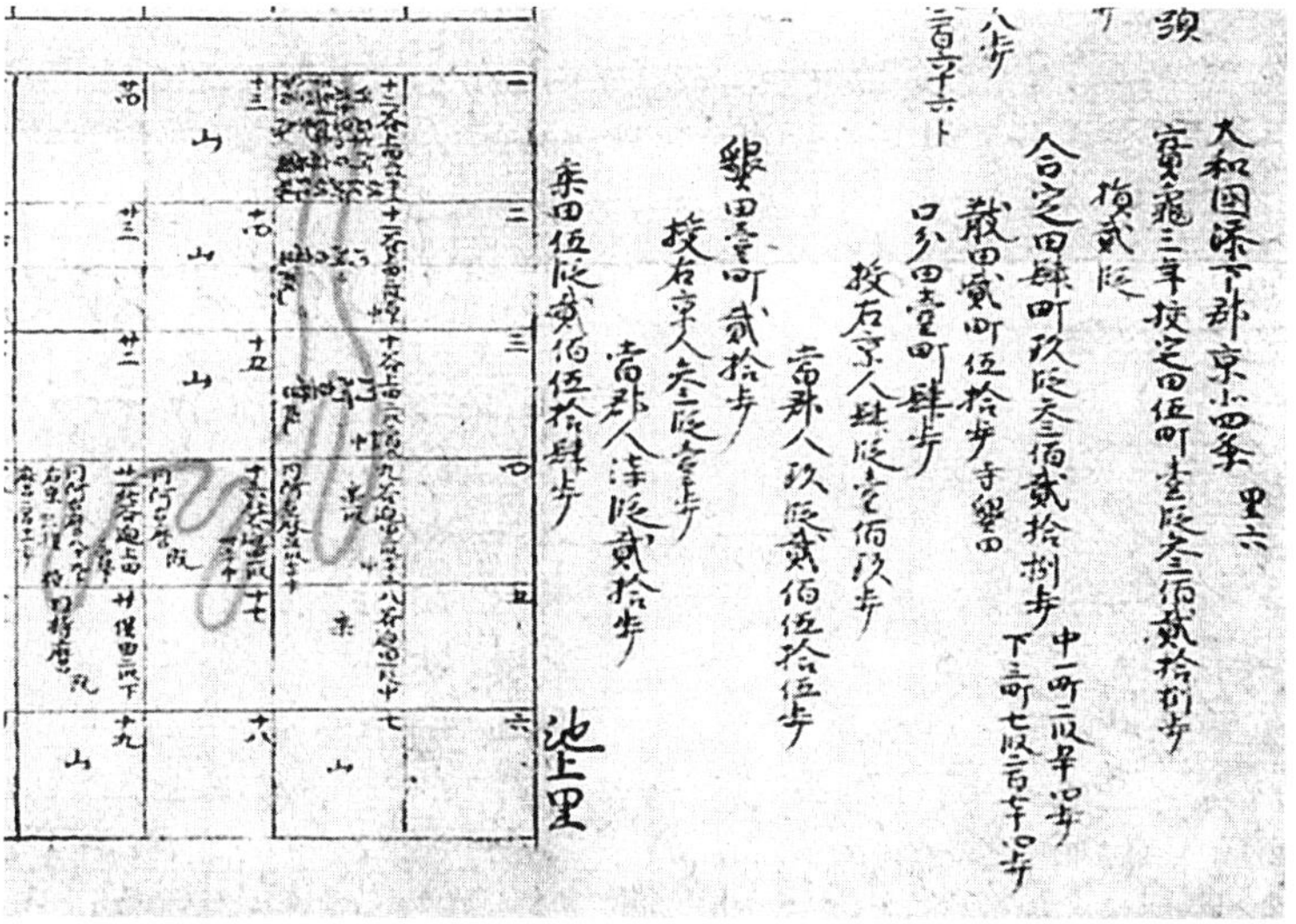

11

◉大和国添下郡《そえのしも》京北班田図《けいほくはんでんず》（西大寺本《さいだいじ》）
宝亀《ほうき》五年（七七四）の班田の際、大和国司が作成した班田図を写した京北四条の部分。もとの班田図は一条ごとに一巻としてつくられた。

書類のほかに、関連する統計資料の付属書類もたくさんあり、それらは枝文《えだぶみ》と呼ばれた。四度枝文《よどのえだぶみ》を含めて考えると、諸国では一年中ほとんど書類づくりに追われていなければならない。これに加えて、戸籍や、田籍《でんせき》・田図《でんず》といった田地の登録関係帳簿が、六年に一回作成される。

全国の官司《かんし》には、長官《かみ》・次官《すけ》・判官《じょう》・主典《さかん》という四等級の官職が置かれるのが原則で、四等官《しとうかん》と呼ばれる。しかし、書類の作成にあたる実務労働は、四等官だけではとてもたりない。四等官の下には、史生《ししょう》という書記官がいるが、これでも実際にはたりないだろう。諸国での人員は、もっとも多い国でも長官一名、次官一名、判官二名、主典二名、史生三名、合計九名である。これでは、種々の帳簿の責任者を分担する程度のことしかできない。しかも、年間に数名は四度使として上京中である。

そこで、実際の書類作成労働の主力となる者が、かき集められることになる。こうして諸国の行政においては、書生《しょしょう》と呼ばれる者たちが実務に参加するようになっていった。書生は律令にはまったく規定されていない。必要に迫られて、諸国で設置されるようになった肩書きの者たちである。七世紀段階ではこうした存在は確認できていないので、大宝律令施行による書類扱い業務の膨大化に伴って生まれた存在ということができる。

各地の書生たちは、地元出身の者であった。書生は文筆能力をもっていなければ役に立たないため、地方豪族などの有力者の家柄から採用されていたようである。地方行政の末端にいた彼らの活躍がなければ、書類もまとめられないし、それを使って人々に賦課をかけることもできなかった。

彼らは、官僚機構を末端で支え、国家運営になくてはならない存在となっていったのである。

できあがった書類は、証拠書類としてさまざまな場面で利用される可能性があり、ある程度の期間の保管が求められた。提出したあと手もとに残らないのではのちの検証の役に立たないので、必ず手控えのために写しがつくられ保管される。律令の規定では、もっとも重要な書類は永久保存、六年に一回作成される戸籍は過去五回分を保管するので実質三〇年間保存、その他の書類も三年間は保存が義務づけられた。三年たてば廃棄してもよいが、それでも結果としては膨大な書類が各官司に保管されることになる。そのために、どの官司でも書庫が設置されていた。文書主義の社会の到来は、書類作成のスタッフと、書類保管の書庫を、役所ごとに生み出すこととなったのである。

木と紙の併用

八世紀には、たとえば四度使《よどのつかい》が持参して中央に提出する書類は、紙に書かれた。官僚機構でやりとりされる文書のもっとも正式な姿は、紙の書類であったといってよいだろう。このため、紙は各地で生産されていた。しかし、すべての文書に紙を使うほどの生産量は確保されていなかったのだろう。文書の下書きや統計の整理作業などには、木も使われていた。

木の札は、紙のない時代から使われていたが、日本列島では紙が使われるようになってもその使用がなくなったわけではなかった。紙がないから木を使ったのではない。紙があっても木を使ったのである。木には紙では代替できない特徴があり、その利点を活《い》かして利用していた。たとえば屋外での記録作業や、長期間にわたる掲示などの場合には、紙ではすぐぼろぼろになってしまうが、木に書いておけば多少の風雨であっても耐えられる。また、物品に荷札をつけて長距離を運んでいくような場合、紙の荷札では傷んでしまう可能性があるが、木の荷札であれば、運搬作業で荷物を取り扱う際にも、ぼろぼろになってしまうことはない。

このように、七世紀から八世紀にかけて、紙と木は併用されていた。書類をよく使う職場では、紙を漉《す》いたり、木の札をつくる担当者がいた。諸国の作業場では、付近に住む人々のなかから徴発された者が、雑《ぞう》徭《よう》の名目で賦課された労働として、紙漉きや札づくりに従事していたようである。

木や紙に書く際には、おもに墨《すみ》が使われた。墨は油を燃やした煤《すす》などの炭素を集めて、膠《にかわ》で固めたものだが、当時の墨は写真のような、舟形のものである。墨をする硯《すずり》は、役所では円面硯《えんめんけん》や風字硯《ふうじ》のような、専用の硯としてつくられた須恵器《すえき》製のものが使われた。なかには豪華な飾りのついた、動物の姿を模したものまであるが、実用品かどうかはわからない。官司《かんし》の実務を行なった場や集落では、須恵器の坏《つき》や皿などを転用したものも多い。

筆は、遺跡の発掘調査では、地中に埋まっている間に毛の部分が失わ

12

◉官人に欠かせない文房具
右上から、水滴（三点）・刀子（二点）・筆・墨、左は円面硯。当時の官人たちが事務仕事の現場で使った道具。

れ、軸だけのものが見つかっており、太さは一センチメートル程度である。正倉院文書《しょうそういんもんじょ》に残された記録では、兎《うさぎ》や狸《たぬき》や鹿の毛が使われており、兎毛の筆がもっとも高価である。筆とならぶ文房具が、刀子《とうす》と呼ばれる小刀で、木簡《もっかん》を削ったり紙を裁断するのに、刃渡り一〇センチメートルほどのものが重宝した。中国で官人《かんじん》のことを「刀筆《とうひつ》の吏《り》」と呼ぶのは、刀子と筆が彼らの仕事に欠かせない持ち物であることを象徴している。日本でも、七世紀末から八世紀にかけて、「刀筆の吏」が登場するようになったのである。

木簡の形と使い方

木の札に書き込んで文書とする場合、おおむね幅三〜五センチメートル、長さ二〇〜三〇センチほどの板が多い。命令下達や報告の上申には、このようなものが多く使われたが、なかには長さ五〇センチを超える大きさのものもある。たとえば地方の各郡で郡司《ぐんじ》が支配下の人々に命令を伝えた郡符《ぐんぷ》の場合、二尺（約六〇センチ）ほどの長さが慣例だったようであり、なんらかの基準があって札がつくられていたのだろう。三〇センチの長さでは、そう多くの情報は詰め込めない。屋外で作業結果を記録したりする場合には、一メートルを超えるような大型の札も使われている。

文書の授受には基本的に長方形のものが使われているが、物品につける荷札の場合は、それに適した形態に加工された。物品にくくりつけるために紐《ひも》を巻きつける必要があれば、紐がはずれないように札に切り込みを入れている。また先を尖《とが》らせたものも多くみられ、荷物を縄で縛り、そのすき間に差し込むためとみられる。もちろん、対象となる物品の形や大きさに応じて、札の形も変化する。たとえば、鰹節《かつおぶし》につけられた荷札は細長いといった特徴がある。

都で見つかった荷札木簡《もっかん》には、国名から始まる住所と人名、物品名と数量、それに年月日などが書かれた例が多い。これらの荷札は、調《ちょう》や庸《よう》として各地の人々に課された物品が納められる際につけられ、地方でまとめて、都に届けられるまでついていたものである。都でそれらの物品が使われる際に、札ははずされ捨てられる。平城宮《へいじょうきゅう》跡からは同じ物品についていたとしか考えられない別々な荷札木簡が見つかっている事例もある。右の写真の①と②は、いずれも同じ年の同じ人物が納めた鰒《あわび》であることを示している。形状の違う二通りの荷札をつけていたのだろう。さらに同じ人名を記した③も見つかっており、都に送り出す時点で三通りの札をつけていた可能性が考えられる。都

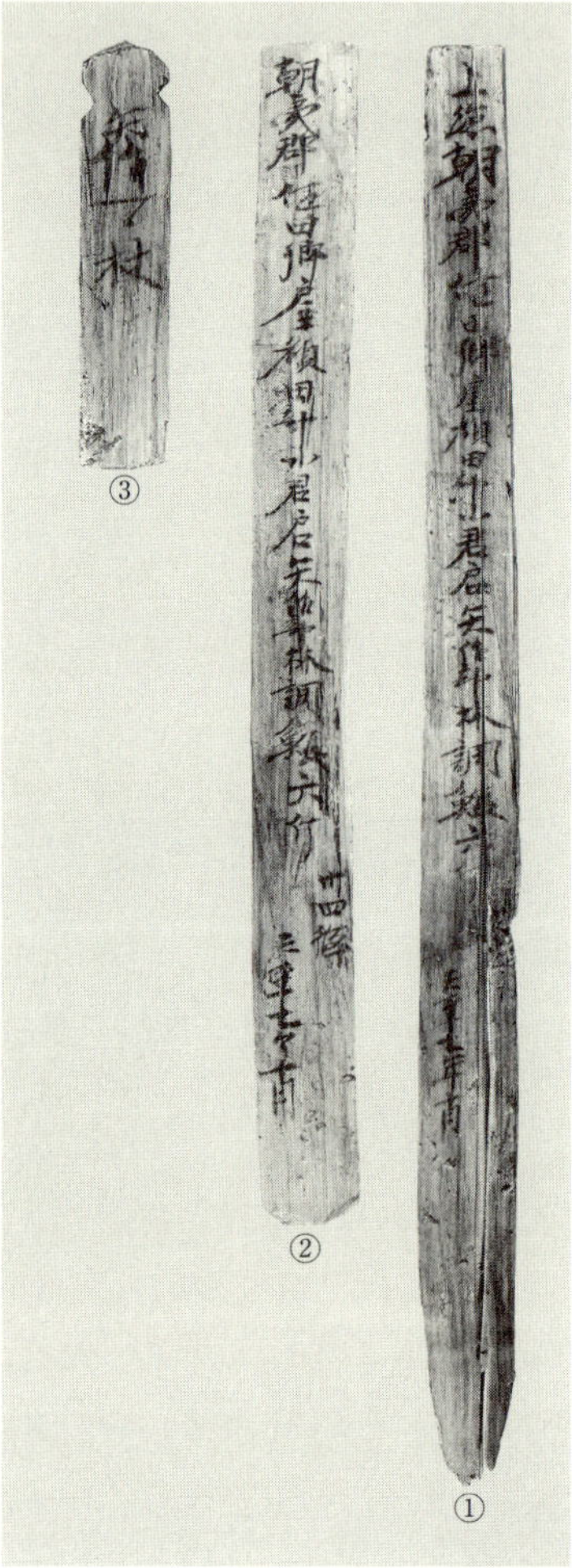

13

◉一人分の調につけられた荷札
上総国《かずさのくに》朝夷《あさひな》郡健田《たけだ》郷の矢作部林が調として納めた鰒の荷札。同一人物からの調に、異なる形をした三点の荷札木簡がつけられていたらしい。

で実物と帳簿を突き合わせて確認した際に、確認ずみのものは札をひとつはずすなどの処置がとられ、札のつき具合で確認状況がわかったらしい。

木簡は、紙と違って厚みがあり、この特徴を活《い》かした使い方もある。官人《かんじん》の勤務評価をまとめる作業の際には、個人の勤務結果を一枚ずつ札に記して、カードのようにして使ったらしい。こうした勤務結果を記した札は、側面に孔《あな》があけられており、紐を通して並べて綴《と》じることができる。綴じ合わせて壁にでも掲げたのであろうか。

また、木の札は、表面に書かれた文字を小刀で削って書き直すことが可能である。一度使った札を別の用途に転用するときには、表面を削れば、厚みは若干薄くなるが、そのまま使うことができる。官司《かんし》の建物付近のゴミ捨て穴などからは、木簡の削り屑《くず》が多量に見つかることがある。すでに削られたとはいっても、いったんは木簡に書かれていた情報である。形の残っている木簡と同様に、削り屑も貴重な研究資料である。

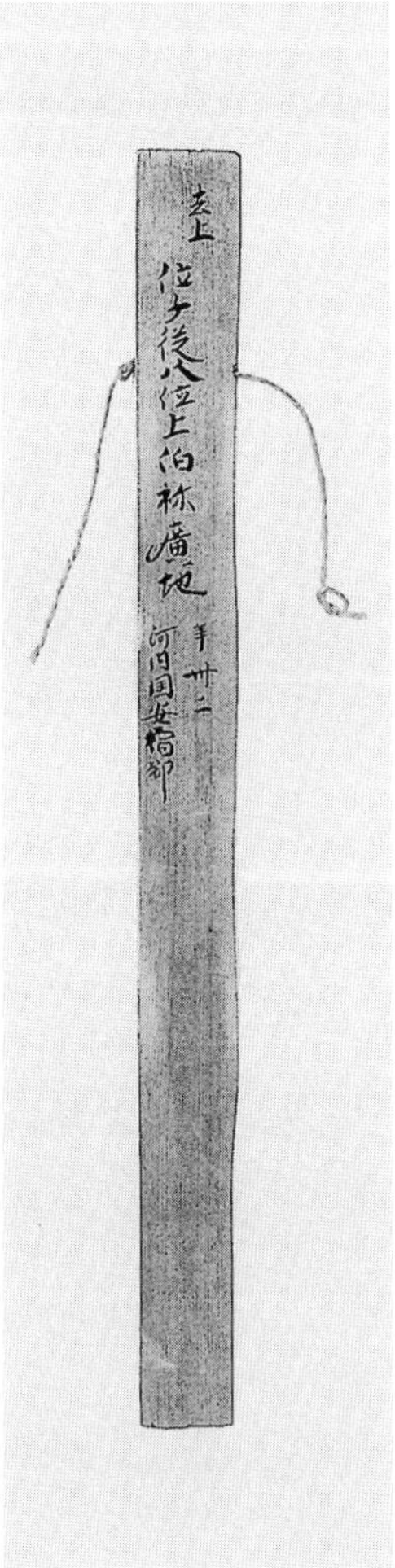
14

●官人の勤務評価に関する木簡
伯祢廣地の考課木簡。側面から孔があけられて左右に貫通しており、同様の木簡を並べて紐を通し、綴じ合わせる。

紙の形と使い方

形ある物として、木簡がどのように使われたかを述べたが、紙もまた形ある物である。書類として使うには、いろいろな工夫があった。当時の紙は、コウゾなどの植物繊維をほぐして漉《す》いた、今でいうところの和紙であるが、作業の関係で、紙を漉く型枠の大きさは、ほぼ決まってくる。型枠の大きさに規制されたこともあって、紙の大きさは、全国でほぼ共通のサイズがあった。もちろん、それほど精度は高くないので、大ざっぱにこのくらいの大きさという程度だが、共通した規格があるからこそ、貼《は》り継いで使うこともできるのである。

一枚の紙に入りきる内容の書類であれば、紙一枚を使えばよいが、もっと長い内容の場合には、紙を貼り継がなければならない。当時、貼り継ぎに使われたのは、大豆《だいず》でつくった糊《のり》である。現代で使われている紙に比べれば、紙面の平滑度は低い。これを貼り合わせるのであるから、強力な接着力が必要になる。その点、大豆糊《のり》は強力である。中央に提出された書類のなかでも、多くの情報が書かれた帳簿類は、何枚もの紙面にわたっており、紙の貼り継ぎは、わずか三ミリメートルほどののりしろで見事に貼り継がれている。政府に提出する書類をつくるのも、職人技の見せどころなのだろう。

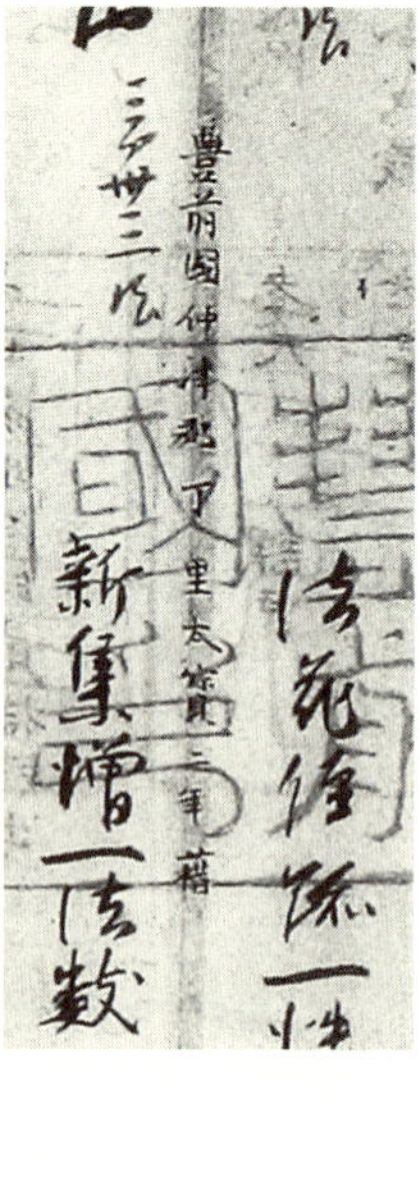

15

◉公文の継目裏書
大宝《たいほう》二年（七〇二）豊前国中津《ぶぜんのくになかつ》郡丁里《よほろり》の戸籍。写真中央の色の濃い部分が紙継ぎ目。二〜三㎜ほどの重なりで丁寧に貼り継がれている。

紙面に文字を等間隔で配置し、きれいな行取りで書くためには、界線《かいせん》を引く。行を書く位置を定めるのは縦界線であり、各行の書き出しの位置や、行の終わりの位置を示すのは横界線である。公式書類の場合には、界線が目立ってしまうときれいではないので、文字用の濃い墨と、界線用の薄い墨とを使い分けている。界線を引くための定規と思われる遺物も出土するようになり、書類作成の開始から完成までの技術と道具が明らかになってきている。

ところで、木簡に書いた字は間違えたら削ればよいが、紙に書いた字を間違えた場合には、さてどうするだろう。鉛筆なら消しゴムで消せるが、当時は筆に墨である。そう簡単には消えてくれない。八世紀の紙の文書によくみられる方法としては、擦《す》り消しという技法がある。小刀の刃の部分で擦って薄く紙面を削り取ってしまうのである。あまり強く擦ると穴があいてしまうので、完全に削ってしまうのは

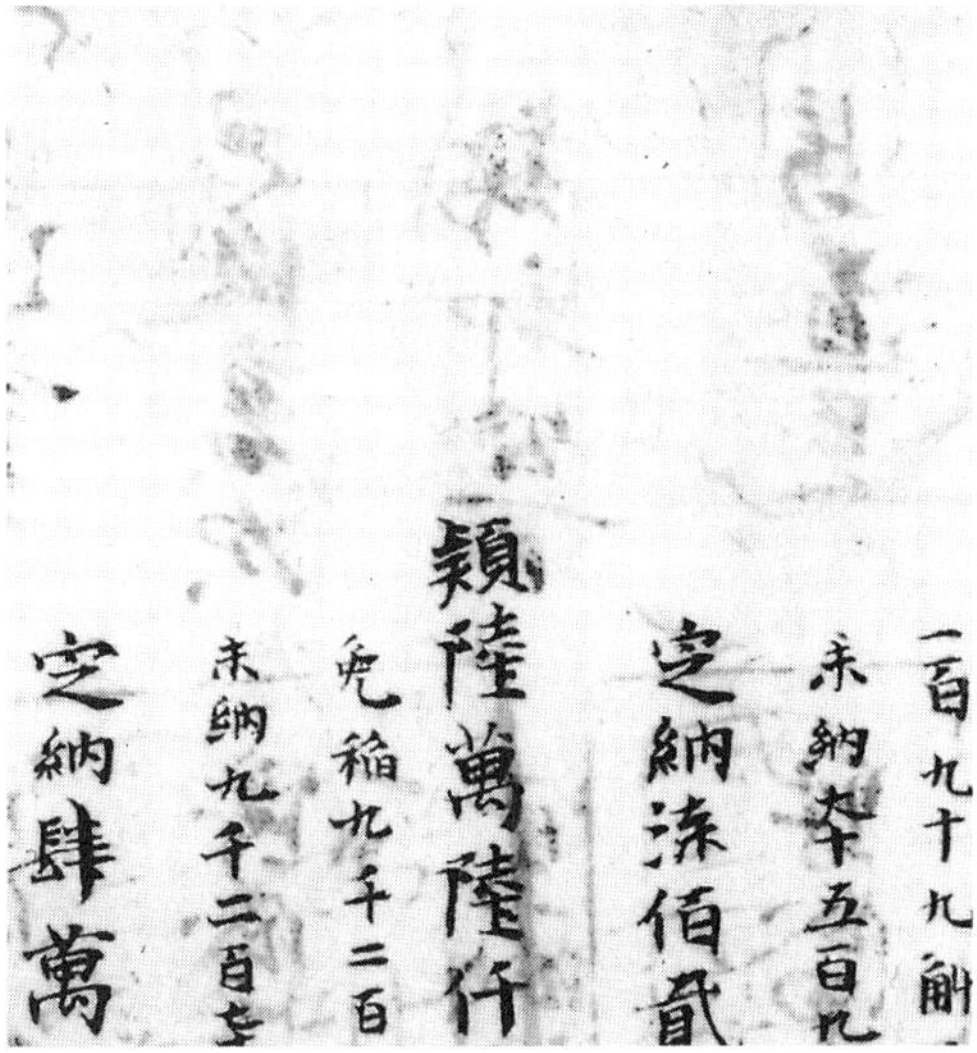
16

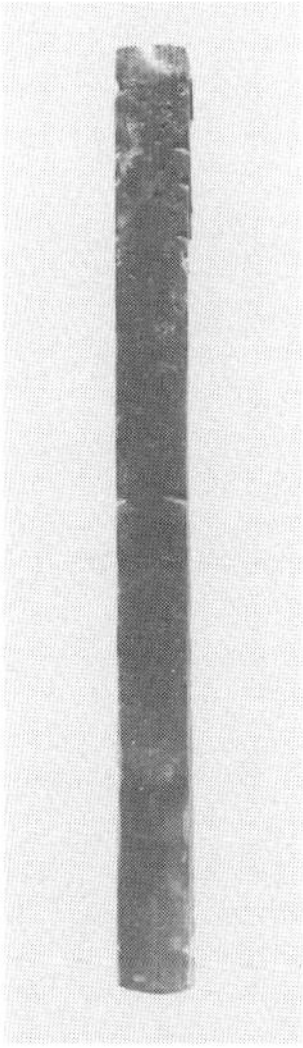
17

◉界線・擦り消しのある文書（右）と界線用の定規（左）
右は天平《てんぴょう》九年度（七三七）「長門《ながと》国正税帳」。文字より薄い墨色の界線が見え、中央に見える「顗」字の上の白紙部分には、うっすらと擦り消し前の「賑」字が見える。左は飛鳥浄《あすかきよ》御原宮《みはらのみや》跡外郭北辺付近出土の七世紀末の定規。横界線を引く位置の目印となる刻み目がつけられている。

難しいが、それでも擦り消した上から書き直せば、貼り継がれた長い書類も、誤った部分を切り取らずにそのままで訂正をすることができる。

紙の文書を持ち運んだり保管したりする場合には、巻くのが基本である。遠くへ送る手紙の場合は、巻いたあとで平らに折りつぶしてから紙の帯などで封をし、その上から帯にかかるように宛先《あてさき》を書き付ける。未開封であれば表書きはそのままだが、いったん開封するともとのとおりに戻すのは至難の業であり、第三者が途中で開封して中身をのぞいたら、宛先に届いた時点ですぐにわかってしまう。途中でのぞかれることを防止するための工夫である。現代でも封書の裏のとじ目に「封」の字の略体で「〆」とするが、もともとは「封」の字を書いていた。

紙の文書を送る場合には、木の板に挟んでから封をする場合もある。細長い羽子板のような形の札をつくり、先のほうから途中までを半分の厚さに裂き、その間に紙の文書を挟んで、上から紐《ひも》などでくくってから、最後に「封」の字を書く。紐の上にかかるように書くので、やはり途中でのぞかれるのを防止することができる。羽子板の根元にあたる、細くなった部分を持って運ぶのだろう。

もっと長い文書になると、軸をつけて巻物にする。文書を巻くための軸にはおおむね二通りの形があった。ひとつは、題籤軸《だいせんじく》という形態である。文書を巻くための割りばし程度の細さの軸の上部に、広くて平らな文字を書くための題籤という部分がついている。この部分に巻物が何の文書であるかを書き込み、巻物を広げて中身を見なくても、巻いた状態のままで内容がわかるような仕組みである。複数の文書を整理するときには便利であり、作業中の文書や、書庫で保管する状態のものは、こうした軸に巻かれていたと考えられる。
一方、もうひとつの形態は、細長い円柱状の軸である。題箋軸は作業や保管には便利だが、長距離を運搬する場合には、題箋の部分が折れやすい。円柱状の軸は、こうした長距離運搬に適した形として、地方でつくられ都に提出された書類などに使われている。この形の軸も、巻いて積んだまま中身がわかるように、円柱の木口の部分にあたる直径わずか二センチメートル程度の円のなかに、帳簿の名前が小さな文字で書かれており、とても精巧につくられたという印象を受ける。

巻物を入れる文書箱も見つかっている。ただの四角い箱ではなく、蓋《ふた》の内側が巻物の曲線にそって凹《おう》状《じょう》に削り出されており、箱の中で巻物が動かないように工夫されている。このような書類を取り扱うさまざまな工夫を見ると、書類がいかに丁寧に扱われていたかがわかる。

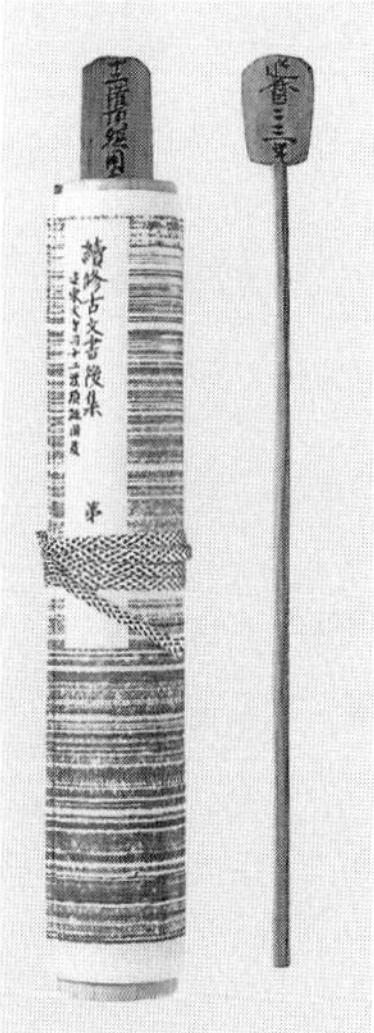
18

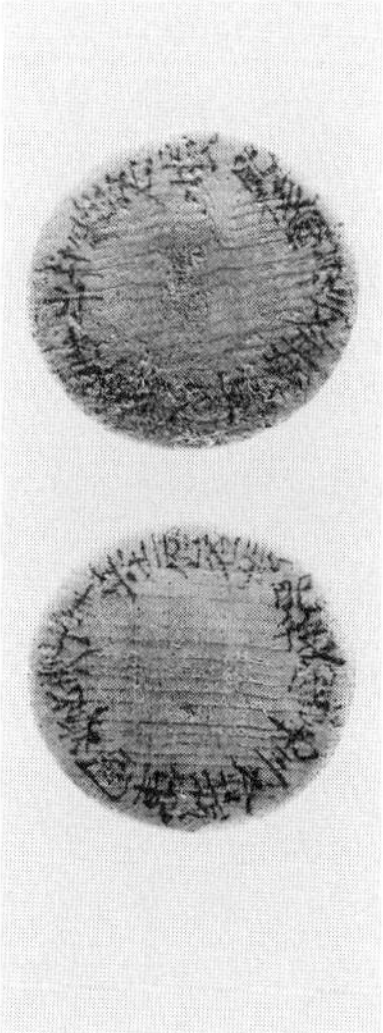
19

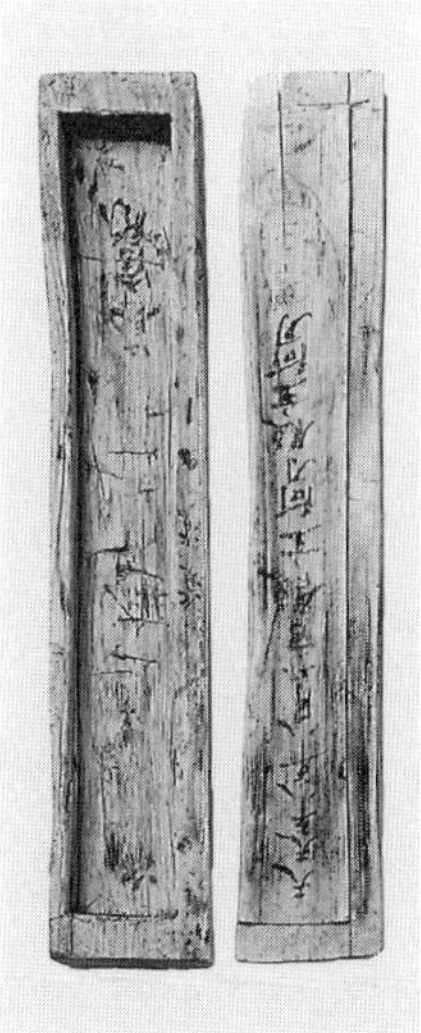
20

◉文書の軸と木箱
右は題箋軸と、題箋軸に文書を巻きつけた状態。中は円柱状の軸の木口への墨書。ひじょうに細かな字で記されている。左は文書箱と蓋。箱は木をくりぬいてつくられており、箱に入れた巻物が中で動かないように、蓋が巻物の曲面に密着できるようにつくられている。

広まる書籍

初学書としての『論語』『千字文』

先に触れた官人《かんじん》養成のための機関である大学寮《だいがくりょう》では、さまざまな書籍を使って教育していたが、世の中に流布していたのは、そうした書物だけではなかった。各地で見つかった木簡《もっかん》のなかには、文字の練習や、書籍の文章を書き写したものなどもあり、これらを習書《しゅうしょ》と総称している。習書は、文字を練習したり、文章を暗記したりする必要のあった官人たちが、仕事の合間に書き込んだものである。書き写された書籍の種類を見ていくと、実際にどのような書籍が一般に流布していたかがわかってくる。各地から見つかる習書木簡に多くみられるのは、『論語《ろんご》』と『千字文《せんじもん》』である。

習書には、同じ文字を練習したもののほかにも、特定の文字列を書き記したものがある。これらの習書は、文字を書く練習以外に、文章を書く、あるいは文章を覚える練習としての意味合いが強いとみてよいだろう。徳島市の観音寺《かんのんじ》遺跡からは、棒のような木ぎれに『論語』の冒頭にあたる学《がく》而篇《じへん》の最初の書き出しを記したものが出土した。七世紀第Ⅱ四半期（六二六～六五〇年）ごろのものとみられる。「学んで時に之《これ》を習う。亦説《またよろこ》ばしからず乎《や》」という、私たちもよく知っている一節のはずなのだが、この習書では「学而習時」となっており、漢字の順番を間違っている。文字も大きくなったり小さくなったり、斜めになったりという様子で、たしかに文字としては稚拙ではあるが、地方社会でも『論語』を必死に学ぼうとする時代の、幕開きの息吹を感じさせる。

『千字文』は、六世紀の中国南北朝《なんぼくちょう》代の書物で、すべて異なる一〇〇〇字の漢字を使った四字二五〇句からなる韻文である。文字を学ぶための手本として中国でも使われており、これが朝鮮半島を経由して倭《わ》でも取り入れられたのだろう。七世紀代の遺跡からも、習書として見つかっている。『古事記《こじき》』には、応神《おうじん》天皇の時代に、和邇《わに》（王仁）が『論語』と『千字文』を携えて、百済《くだら》から倭に派遣されたとする伝承がある。『論語』と『千字文』がいつごろもたらされたのか、またもたらした人物がたしかに和邇という人物であったのかといった点は、今のところ史実は不明としかいいようがない。しかし、『論語』『千字文』は、大陸の書籍のなかでも、比較的早くもたらされたとみられる。漢字を学ぶための手本が『千字文』であり、『論語』は中国の社会秩序の基盤である儒教思想を学ぶための初学の書物であった。

　中国で開発されたさまざまな技術を行政に導入しつつあった七世紀には、『論語』を学び中国の政治思想に触れることが、地方社会においても直面した課

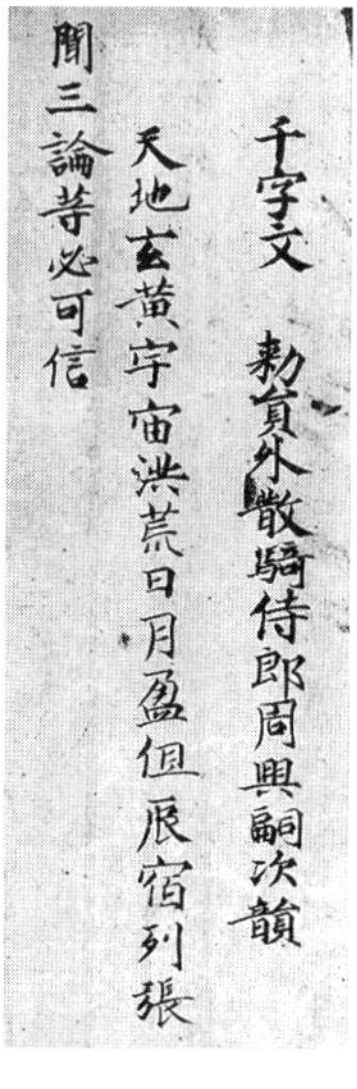
千字文　勅員外散騎侍郎周興嗣次韻
天地玄黄宇宙洪荒日月盈昃辰宿列張

21

22

◉『千字文』の習書
右は『千字文』の写本の冒頭。左は平城京跡出土の木簡で、表題部分から本文にかけてそのまま習書している。

題となっていたのである。『論語』と『千字文』の習書木簡は奈良時代のものも多く見つかっており、この二つの書籍は初学の書物として長く命脈を保った。ただし、習書のなかで圧倒的に多いのは、どちらの場合も冒頭の一節である。まんべんなく習書されているのではなく、誰でも最初のところばかり書いていたのかもしれない。

『文選』と『王勃集』

『論語《ろんご》』と『千字文《せんじもん》』ほどではないが、『文選《もんぜん》』も習書されることが比較的多い。ただし、『論語』や『千字文』に比べて、その内容は高度で難易度は高い。『文選』の素養は、直接に文字の知識や政治思想の基礎を学ぶのとは違う、一種の教養としての側面をもっている。平城京《へいじょうきょう》跡からいくつかの習書が見つかっているほか、東北地方の辺境に設置された胆沢城《いさわじょう》や秋田城《あきたじょう》でも、習書が見つかっている。胆沢城や秋田城では、『文選』をたしなむ官人《かんじん》となるとかなり限られていたであろう。

秋田城跡の八世紀なかばの井戸跡で見つかった木簡《もっかん》には、『文選』の洛神賦の一節が書かれてい

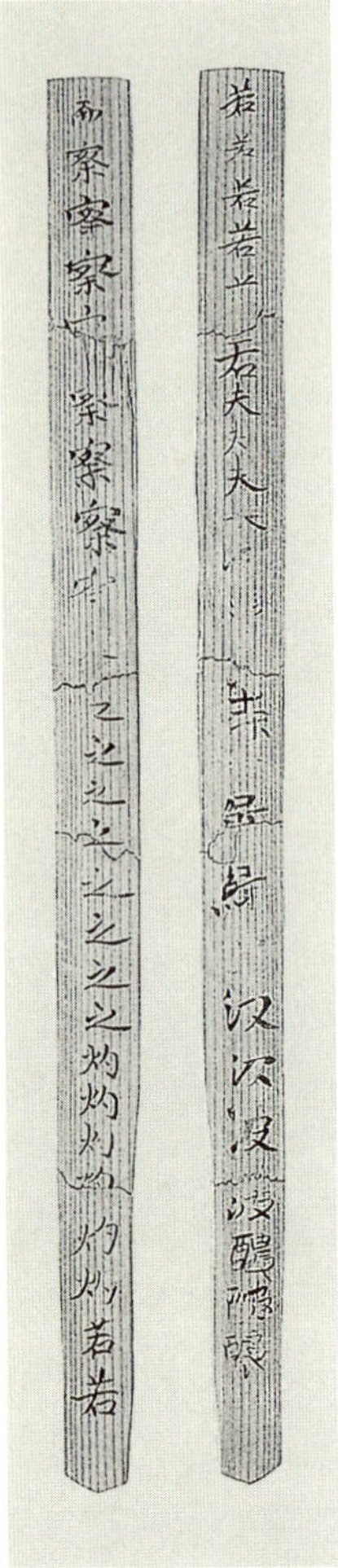

23

◉『文選』洛神賦の習書
秋田城跡六号木簡。同じ文字を何度も繰り返し並べて書いており、順に見ていくと洛神賦の一節と一致する。

た。この木簡には写真のように同じ文字が繰り返し書かれており、洛神賦《らくしんふ》でそれに該当する箇所はつぎの部分である。

…迫而察レ之、灼若三芙渠出二淥波一。襛纖得レ衷、修短合レ度。……

（近くに寄ってこれを見れば、澄んだ波間に出た蓮の花のように鮮やかである。体の線も中ぐらい、背の高さも適度である。…）

洛神賦は『文選』の賦のなかでも、終わりに近いほうに配置されている。中央から秋田城に赴任した官人が、ふだんから慣れ親しんでいた『文選』の一節を手慰みに書いたものだろうか。秋田城から眼下に流れる雄物川《おものがわ》を眺めつつ、美しい洛水の神女の幻に思いを馳《は》せたのであろうか。『文選』は中国語の詩や文の手本集のように扱われ、中国文学の書籍としては、かなり普及したが、これに対して、中国本土では散逸してしまった書籍が、日本での習書にみられる事例もある。

平城宮跡からは、『王勃集《おうぼつしゅう》』の習書が見つかった。正倉院宝物《しょうそういんほうもつ》のなかにある『王勃詩序《おうぼつしじょ》』が知られており、七世紀なかばの初唐《しょとう》の文人であった王勃の作品集が日本に伝えられていた。中国ではのちに散逸してしまい、現代には伝わらないが、遣唐使《けんとうし》などによって伝えられた先の日本で、王勃の作品はかなり普及していたのかもしれない。八世紀の日本の文学に、初唐の時期の散文の影響は大きい。多くの人々が、王勃の書いた文章を参照しながら、中国語作文の教養を深めていこうとしていたのだろう。

『杜家立成雑書要略』

正倉院宝物《しょうそういんほうもつ》のなかに、聖武《しょうむ》天皇の皇后であった光明子《こうみょうし》直筆の『杜《と》家立成雑書要略《かりつせいざつしょようりゃく》』という書籍の写本がある。装飾も凝っており、色紙を貼《は》り継いで書写されている。『杜家立成雑書要略』は、七世紀前半からなかばにかけての初唐《しょとう》の杜《と》正倫《せいりん》の著作と考えられ、時候の挨拶《あいさつ》の手紙など、さまざまなやりとりのための模範例文集の性格をもっている。

遣唐使《けんとうし》の帰還に際して、中国の最新の書物が持ち帰られ、そのなかの『杜家立成雑書要略』が光明皇后のもとへもたらされ、光明子は喜んで書き写したのだろう。唐では早くに散逸してしまったようであり、じつは、ながらく、この正倉院の光明皇后直筆の写本が、世界で唯一、この書籍を伝える実物であった。

この『杜家立成雑書要略』を記した木簡《もっかん》が、多賀《たが》

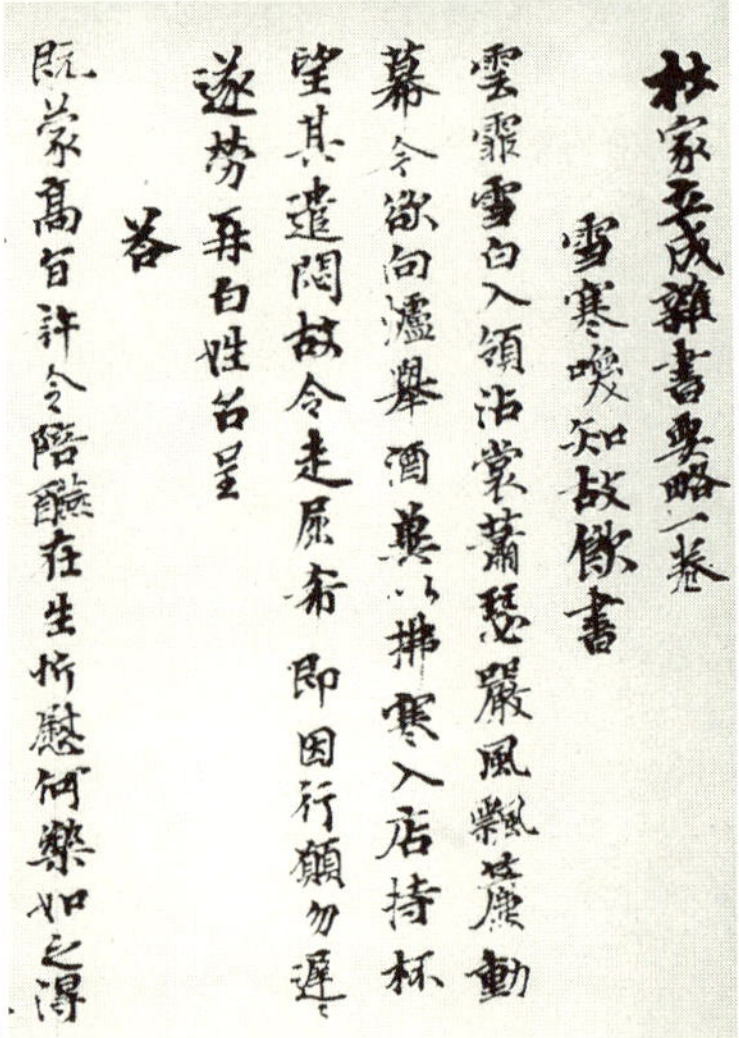
杜家立成雜書要略一巻
雪寒喚知故飲書

24

25

◉正倉院宝物『杜家立成雑書要略』と市川橋遺跡出土の木簡
『杜家立成雑書要略』は光明子自筆の写本で、木簡には、この冒頭部分が表と裏に習書されていた。

城《じょう》の南に広がる街区の遺跡である宮城県市川橋《いちかわばし》遺跡から一九九九年に見つかった。冒頭の部分を、表と裏に記しており、この木簡の出土によって、『杜家立成雑書要略』は、光明皇后のようなごく一部の権力者だけが手にした書籍ではないことがわかるようになった。遣唐使によって日本にもたらされると、最新の唐の文集として、短期間のうちに広まり、多賀城まで持ち込まれたのだろう。

木簡の習書と、光明子が写した文章を突き合わせてみると、若干の相違がみられる。ほかに比較できる資料が世界のどこにもないだけに、本来どちらだったのかは決めがたいが、流布していく間に、このように文字列が変化してしまう場合もあった。

『杜家立成雑書要略』のような、手紙の書き方の事例を集めた文集を「書儀《しょぎ》」という。大宝律令《たいほうりつりょう》の施行によって、さまざまな文書を書く機会が増えたことは、こうした例文集の存在価値を高めた。唐では多くの書儀が編まれ、このうちの一部は日本に持ち込まれて貴族たちの模範例文集として普及していたと考えられ、『杜家立成雑書要略』もそうした書籍のひとつとみられる。

ただし、中国では『杜家立成雑書要略』はあまり重要視されなかったようで、今日まで伝えられることなく忘れ去られてしまった。唐ではむしろ別な書儀のほうが流布していったようである。すなわち、中国での評価も定まらぬうちに日本に持ち込まれた書籍が、またたく間に広まっていき、辺境社会の最前線まで持ち込まれたのであった。人々は唐文化の最先端を手探りで希求していたのである。

「先進」的律令制

戸籍・計帳をつくる

七世紀の後半、天智《てんち》天皇九年（六七〇）になって、はじめての戸籍である庚午年籍《こうごねんじゃく》がつくられた。この背景となったのは、唐《とう》と新羅《しらぎ》の連合軍による百済《くだら》攻撃を受けて、百済救援に向かった結果、六六三年の白村江《はくそんこう》の戦いで大敗を喫したことが大きな要因である。国内で権力を集中して、より強力な国家体制をつくりあげるために、戸籍制度を導入して、人々を管理していったのである。

ことに、戸籍がつくられたのが白村江の敗戦のあとであったことからすると、軍事体制を確立する政策の一環として、戸籍制度を導入し、徴兵できる態勢を整えたと思われる。庚寅《こういん》年籍作成の前年である六八九年に、戸籍の作成を命じた持統《じとう》天皇の詔では、戸籍の作成と同時に、四人に一人の割合で兵士を選び出し、武器の扱いなどを習わせるよう命じている。戸籍制度と兵士の確保が、成立当初から関連の深かったことがうかがわれる。

大宝《たいほう》元年（七〇一）施行の大宝律令制では、戸籍は六年に一回つくられ、人々の生活を成り立たせる口分田《くぶんでん》を分け与えるための基本台帳であった。一方、人々への賦課のための台帳としては、計帳《けいちょう》が毎年つくられ、これをもとにして調《ちょう》・庸《よう》・雑傜《ぞうよう》といった諸負担の量が算出された。大宝律令以前の七世紀には計帳が作成された記録がなく、計帳の語は『日本書紀《にほんしょき》』六四六年の改新之詔《かいしんのみことのり》に出てくるのみである。改新之詔の文章は、『日本書紀』編纂《へんさん》段階で大宝律令の条文を使って潤色されていることがすでに明らかになっており、計帳は七世紀代にはつくられていなかった可能性が高い。

七世紀段階での戸籍の作成手続きの詳細はよくわかっていないが、大宝律令以降については、令《りょう》規定から復元することができる。唐《とう》では三年に一度、戸籍がつくられたが、日本では六年に一度であった。農繁期を避けて、一一月から翌年の五月末までにつくるよう規定されている。作成に必要な紙や筆は、原則として登録される人々が負担することになっており、国司《こくし》が必要な数量を算出して各戸に供出させる。実際には必要経費を徴収したのだろう。できあがった戸籍は、同内容のものを三通用意し、一通は作成した国にとどめて控えとし、二通を中央に提出する。中央では一通を民政を管理する民部省《みんぶしょう》に送り、もう一通は中務省《なかつかさしょう》に送って天皇の御覧に供するために保管された。天皇が支配下の人々の名前をすべて見ることができるように整えておくという点は、この戸籍制度の意味を象徴しているだろう。

戸籍のできあがったつぎの冬には、田地《でんち》の調査が行なわれ、その結果をふまえて、さらにつぎの冬に最新の戸籍に基づいて見直した口分田の分け与えが行なわれる。六年に一度の戸籍の改訂と、田地登録の改訂が、継続して行なわれていくことが、律令国家にとっての基本であった。

計帳は、律令規定では毎年六月末までに、都では京職《きょうしき》が、地方では国司が、戸主みずからが自己申告した戸の人員の報告書を集め、これをもとに作成することとされている。しかし、人々が自己申告文書を書けるかというと、都ではなんとかなったようだが、地方ではまず不可能であった。実際には、各郡の郡司《ぐんじ》と配下の書生らが巡回して各戸を調査し、帳簿に書き上げていった可能性が高いだろう。郡司が各郡内で用意した基礎データを、国司が管轄下の郡をまわって集め、それをもとに計帳がつくられていたのである。

計帳でもっとも基本となるのは、各戸の個人の名前・年齢・性別である。このように個人ごとの情報を列記したスタイルの帳簿を、当時は「歴名《れきみょう》」「交名《きょうみょう》」「夾名《きょうみょう》」などと呼んでいる。

こうした、人々の人口調査を行なって歴名の方式で登録する方法は、八世紀の律令国家による人々の支配の、もっとも象徴的な姿として位置づけられてきた。各人の名前を登録して、各人に賦課をかける方式が採用されて以降、賦課を逃れて戸籍に登録された地から逃げ出す者が続出する。計帳と戸籍によって人々を掌握することはしだいに意味をなさなくなり、一〇世紀には、口分田班給《はんきゅう》は行なわれなくなった。九世紀から一〇世紀の戸籍がいくつか残されているが、女性の比率が不自然に多くなり、記載されている男性のなかでも高齢者の割合が多くなるなど、賦課のかからない者ばかりが載せられている。実情を反

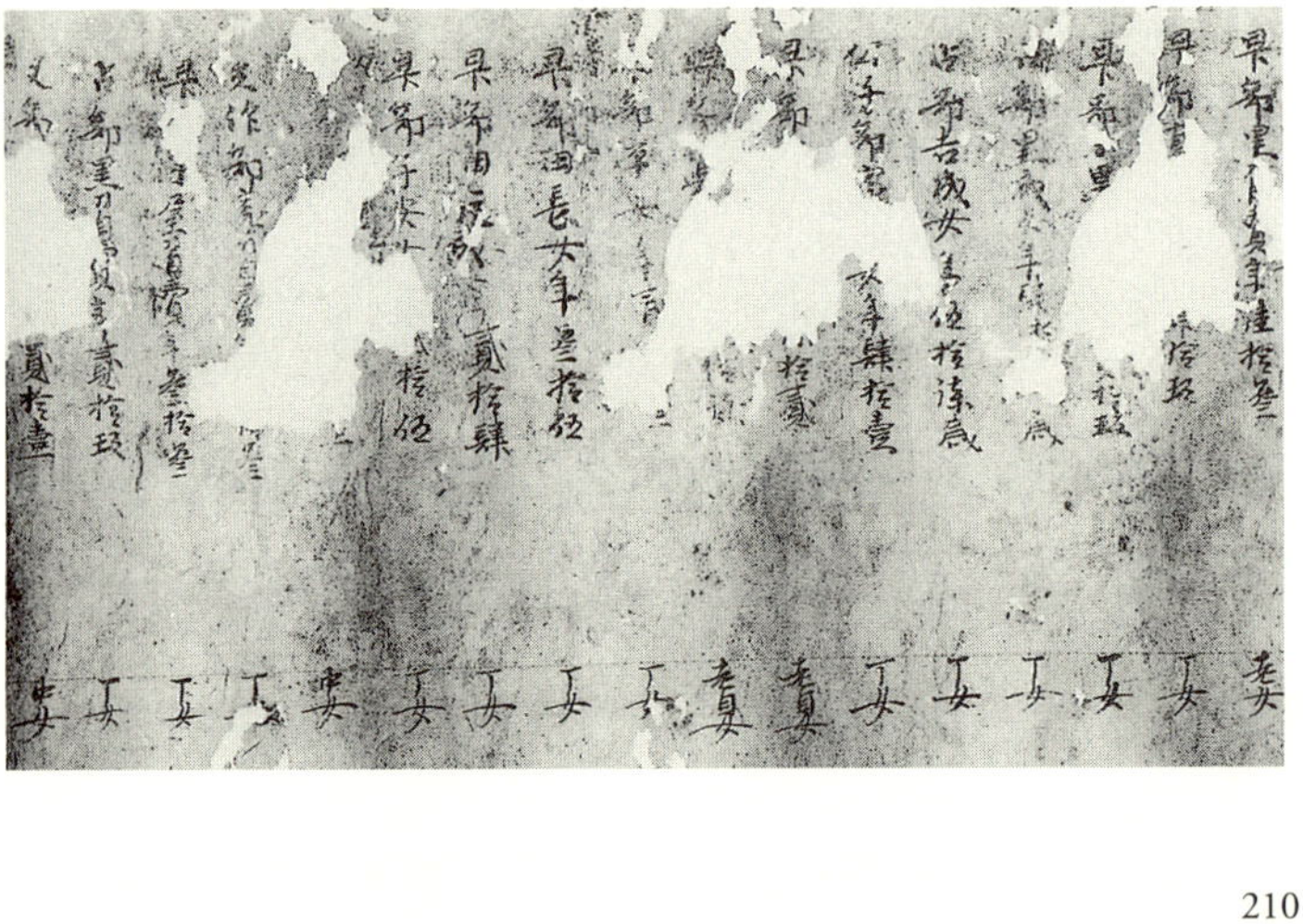

26

◉**女性ばかりの戸籍**（常陸国《ひたちのくに》戸籍）
内容的に弘仁《こうにん》一四年（八二三）以降の戸籍とみられ、女性の割合が多い点が不自然である。この写真の戸では、三五人のうち、女性が三〇人も占めている。

映していないことは明らかだろう。

こうして、戸籍制度は、導入から二〇〇年ほどたつと崩壊してしまう。中国方式による「先進的」なものとして採用された支配の方法は、徐々に骨抜きになってしまった。現代の戸籍の原点として紹介されることも多いが、近代的な戸籍制度と違って、この時代の戸籍制度は、導入はされたもの の、むしろ日本社会には定着しなかったということができるだろう。

律令制と「はんこ」の文化

戸籍と同じように、長い目で見ると定着しなかったといえるものに、「はんこ」（印章・印鑑）がある。やはり中国での制度を模したものであったが、その「はんこ」の制度が入ってきたのは、大宝《たいほう》律令《りつりょう》施行によって書類を大量に作成するようになった八世紀になってからであった。

中国では、紙が使われる前から「はんこ」はあった。第一章で触れたように、木簡《もっかん》に書いた文書を封じる際の封泥《ふうでい》に使われ、大きさはせいぜい二センチメートル四方であり、官職に任じられると官職名の彫られた「はんこ」をもらって身につけることになっていた。弥生《やよい》時代に奴国《なこく》の王がもらったという金印《きんいん》も、邪馬台国《やまたいこく》の卑弥呼《ひみこ》がもらったという「親魏倭王《しんぎわおう》」の金印も、この用途のためのものである。

日本が「はんこ」を体系的な制度として導入したのは、邪馬台国からは五〇〇年近くあとのことであった。中国でもこの時代になると、紙が普及し、官職に任じられた個人の封泥用のはんこでなく、官司《かんし》にはんこを備えて、官司が発行する書類の偽造防止のため、紙面にはんこを捺《お》す制度へとすでに変化していた。日本はこの制度を模倣したのである。

このはんこの制度が導入された当初は、中央に「天皇御璽《てんのうぎょじ》」と「太政官印《だいじょうかんいん》」、地方の各国に「〇〇国印」という印文《いんぶん》のはんこが置かれた。中央から発する命令と、地方からの報告の双方において、内容の改竄《かいざん》を防止するために使われはじめたのであった。

天皇御璽はもっとも大きくて約九センチ四方あり、中央からの命令書には天皇からの命令であることを象徴するように必ず捺される原則だった。太政官印はやや小さく約七・五センチ四方、諸国の印は約六センチ四方である。

この制度が始まると、官司《かんし》から出される文書でも、改竄を防止する必要性が認識され、ほかの官司にもはんこが支給されるようになっていく。そして、官司でのはんこをまねたのだろうか、個人名のはんこも使われるようになった。私印《しいん》と呼んでいるが、官司のはんこと違って、律令に規定されてはいないの

◉公印と私印の印面（同縮尺）
上段右から、内印《ないいん》「天皇御璽」、外印《げいん》「太政官印」、民部省印《みんぶしょう》「民部之印」、下段右から、大和《やまと》国印「大倭国印」、讃岐《さぬき》国山田郡印「山田郡印」、私印「乙貞」。権威に比例した大きさである。

で、さまざまな印面の形も可能ではあったが、やはり官司のはんこと同じような方形の印面が主流であった。

紙に書かれた文字が、あとから書き換えられたり加筆されて改竄されるのを防ぐためには、完成した書類の表面を覆ってパックしてしまえばよい。はんこを捺すのは、基本的にはこの発想である。墨で文字を書いた上から、赤い色ではんこを捺し、文字の上にはんこの赤い文字が載るようにする。黒い色の上に赤い色が載っており、この上から加筆すれば、赤の上にさらに黒が載ってしまうので、すぐわかってしまう。また文字を擦《す》り消して書き換えると、その部分だけはんこの赤い色も消えてしまうので、その場合にもすぐわかってしまう。この理屈によって改竄を防止するため、当初は文字を書いた部分全面にはんこを捺す方法がとられた。天皇にかかわる文書は、とくに念入りに処置され、きっちりと測ったように全面にはんこが捺されている。遠くから見ると紙面がまるで赤くなったかのようである。

しかし、こうした手のかかる方式は、しだいに略式化の道をたどった。太政官からの命令である太政官符《かんぷ》には、当初は文字をすべて覆うようにはんこが捺されたが、平安《へいあん》時代になると、文書の中でもっとも重要な三か所のみ捺すだけですませるのが慣例となった。また、あらゆる発行文書にははんこを捺すという考え方では、官僚機構の活動が制約されてしまう。はんこを捺す手続きを経なくても、どんどん情報を外部に伝えられる方法がなければ、日常の簡単な指示が出しにくい。実際にははんこを捺さないで文書を発行する場面が多かった。はんこの捺される文書は限られ、徐々にその割合は低くなっていく。

はんこにかわって、文書の内容を保証するようになったのは、文書を書いた者の署名である。公式文書には、発行した官司の担当責任者が自筆で名前を書くことになっていた。八世紀には、どのような文書にもこの自筆署名がみられる。自署は時代を追って徐々に崩した形の草名《そうみょう》が一般的になる。さらに本人独自の崩し方によって花押《かおう》と呼ばれる記号的な署名に変化していった。

私印も、平安時代に花押が主流になると、すたれていってしまう。現代では、さまざまな書類に印鑑が必要で、このはんこ社会の始まりが、八世紀の奈良時代として紹介されることも多いのだが、戸籍制度と同様に、当時の日本社会にはんこが根づいたわけではなかったのである。はんこの文化がもう一度盛んになるのは、中世に禅宗《ぜんしゅう》の僧侶《そうりょ》が用いるようになって、その中国風の文化のなかで私印として定着した時期であり、現代につながるのはむしろそちらのほうである。

数値の不審な書類

律令制《りつりょうせい》下で、さまざまな書類がつくられていたことは先に紹介した。ことに地方で中央に提出するために作成された帳簿の量は、相当なものであった。中央から派遣された国司《こくし》の官人《かんじん》のもとで、書生《しょしょう》たちによってつくられたこれらの書類のなかには、ところどころ不審な部分のあることが指摘されている。正倉院文書《しょうそういんもんじょ》に残されている二つの例を紹介しよう。

天平《てんぴょう》一一年（七三九）につくられた、「備中国大税負死亡人帳《びっちゅうのくにたいぜいふしぼうにんちょう》」という帳簿がある。国家が春先に人々に稲を貸し付けて、収穫時に利息をつけて返済させる公出挙《くすいこ》の制度が全国で運用されていたが、なかには借り受けたまま亡くなってしまう者もいた。借りたまま農民が死亡した場合には、その返済は免除されることになっている。ただし、どれだけの死亡者がいて、どれだけの借り受け額を免除せざるをえなかったかは、諸国で統計をとって中央に報告せねばならなかった。この文書は、備中国が国内のこうした出挙返却免除についてまとめたものである。

この文書によると、大量の稲を借りた者が三月・五月・六月に集中して亡くなったことになっている。三月・五月・六月は出挙で稲を借りる月であり、大量に借りた者が、借り受けた直後に亡くなったことになっていて、きわめて不自然である。死亡者の日付や借り受け額には書類上の操作があった可能性が高い。このような操作の目的は、出挙返済額の免除によって、大量の稲を不正に取

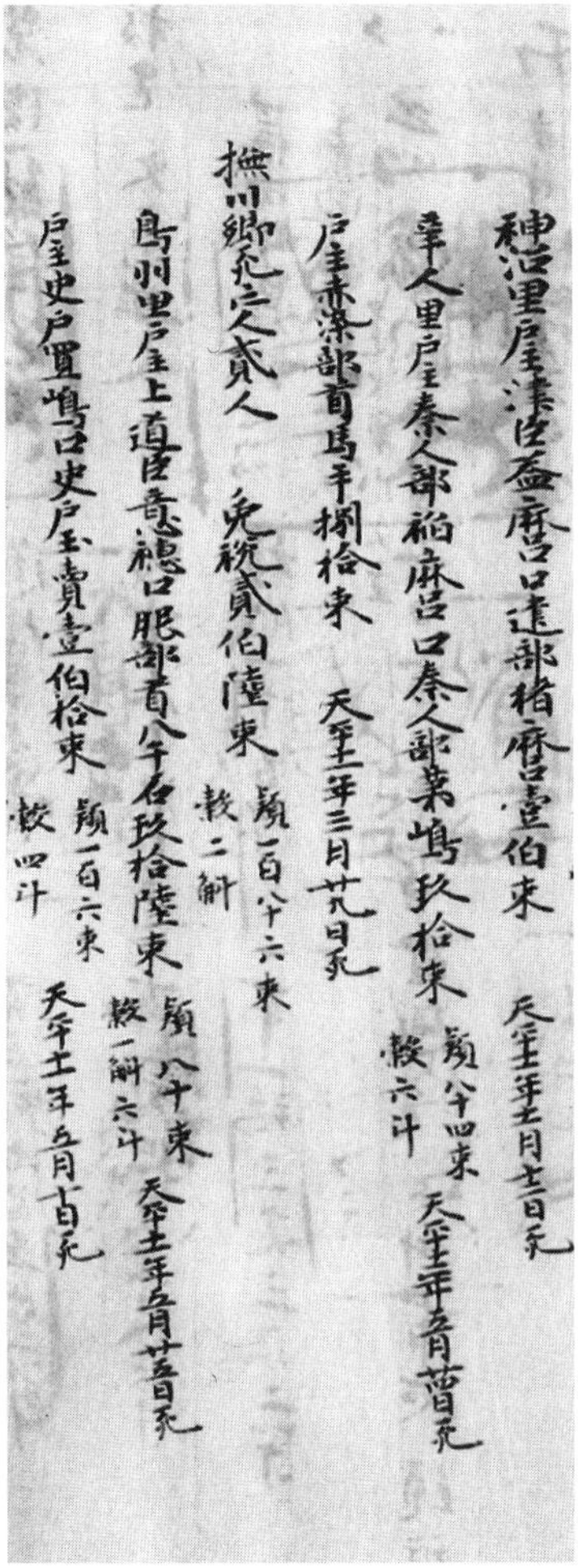

27

◉死亡日付の不審な書類
「備中国大税負死亡人帳」では、所属する郷ごとに人名が列挙される。各人の記載は、所属する里、戸主名、死亡者名、負債の束数、死亡年月日の順に書かれる。行の末尾に見える、死亡年月日を見ると、三月や五月の日付が集中している。

得することにある。出挙業務に携わったり、書類作成を担当した下級役人が結託して行なったことが想定される。

つぎにもうひとつ、天平一二年につくられた、「遠江国浜名郡輸租帳《とおとうみのくにはまなぐんゆそちょう》」と呼ばれている帳簿を取り上げてみよう。災害をこうむって通常の収穫が見込めない場合には、収穫前の時点での作柄の状況を調査し、その被害の程度によって、人々から徴収する租《そ》や調《ちょう》・庸《よう》などの負担を免除することになる。この年、浜名郡では台風などの風水害にあったようで、その被害状況を戸ごとに書き上げ、租を免除する基準に達しているか、さらに優遇して調・庸までも免除する基準に達しているかといった内容を、まとめて中央に報告したのがこの文書である。

この帳簿の場合も、内容を詳しく分析してみると、興味深い点がいくつもある。損害を受けている戸はすべて、耕作に適した口分田《くぶんでん》を律令の規定どおりの量で受け取っており、その田が被害を受けたとされる。損害を受けていない戸が莫大な量の荒れた田地を受けており、しかもその量は律令規定どおりでない。どうやら、損害を受けた戸から徴収を免除する租の計算のために数値操作が行なわれたようである。

さらに、六割の損害までの戸しかこの文書には載っていないが、損害が七割に及ぶと調も免除することになって別な手続きも必要になるので、意図的に租の免除だけの六割までに抑えて報告されていると考えられる。この文書も、どうやら関係する下級役人が不正によって浮いた租を取得する手段に使われた可能性が高い。

以上、二つの事例を紹介したが、二つの事例とも、いずれも中央で受理されており、中央では不正なものとしてつくりなおしを求めてはいなかったことになる。大量の文書を扱ってさまざまな情報を管理するようになった律令制のもとで、中央では律しきれない現場の不正が横行していた。文書で報告するから正確で厳密かというと、必ずしもそうではない。文書利用を逆手にとった不正も行なわれるようになったのである。

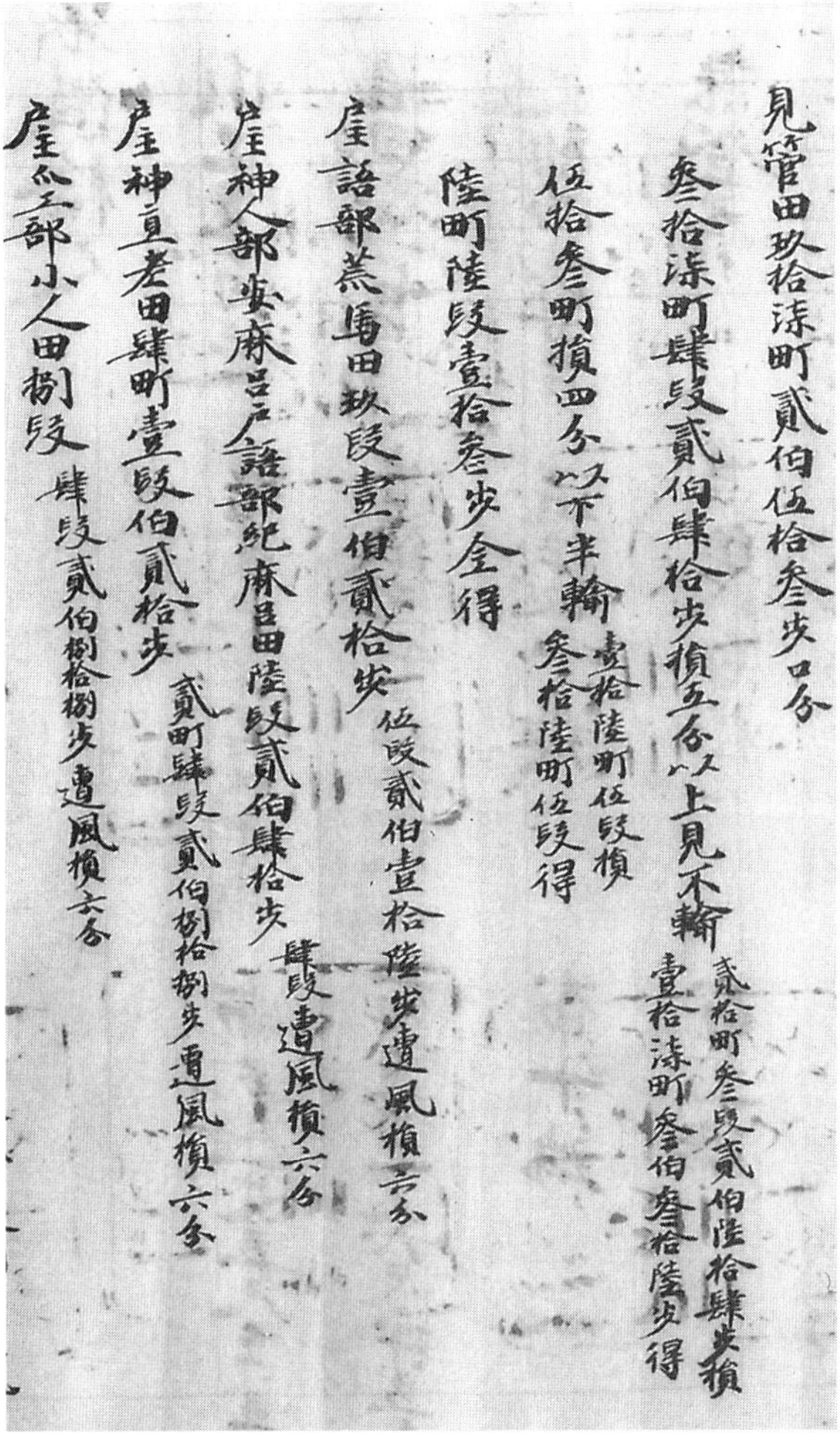

28

◉損害額の不審な書類
「遠江国浜名郡輸租帳」では、各人の記載は、戸主名、被害を受けた者とその田地の面積、損害率の順に記される。損害率は六分（＝六割）までで、七分以上はみられない。

国家の軍隊の創出

軍団の成立

七世紀後半の百済《くだら》救援戦争までは、地方豪族が支配下の人々のなかから徴兵した部隊で軍勢《ぐんぜい》を形成していた。豪族軍の寄せ集めによる部隊編成では、統率のとれた唐《とう》軍との戦い方に、大きな違いが出たことが白村江《はくそんこう》の戦いでの敗戦経験によって明らかになっただろう。

全国的な最初の戸籍である庚午年籍《こうごねんじゃく》が白村江の戦い後につくられ、またつぎの庚寅《こういん》年籍の作成が命じられた際に徴兵の方法があわせて指示されたことは、戸籍の作成と徴兵とが密接に関係していたことを物語る。現在残っている最古の戸籍である大宝《たいほう》二年（七〇二）の御野《みの》（美濃《みのの》）国《くに》戸籍には、列挙された人名の下に「兵士」と記された者がみられる。

徴発された兵士は、諸国に設置された軍団の配属となる。各軍団には数百から一〇〇〇人規模の兵士が所属し、部隊に編成された。軍団には長官《かみ》にあたる大毅《だいき》、次官《すけ》の少毅《しょうき》と、事務官として主帳《しゅちょう》という官職が設置されていたが、これらの職には郡司《ぐんじ》と同じように地方豪族が任じられた。そして、郡司と軍団はともに国司《こくし》の管轄下に置かれた。唐の律令《りつりょう》制

29

◉秋田城跡出土の墨書土器「百長」
軍団の兵士一〇〇人を統括する「旅帥《りょすい》」は「百長《ひゃくちょう》」とも呼ばれた。

では、文官による一般行政担当の機構と、武官による軍政の機構は区分されており、命令は別系統で伝達された。それに比べて、日本では国司が一般行政に加えて軍事指揮権もゆだねられていたのである。

兵士は、戦闘のない平時においては、施設の建設や修繕に動員され、また教練を受けて、組織的に行動する方法も学んだ。各軍団には、鼓《こ》をたたいたり大角《はらのふえ》や小角《くだのふえ》を吹いて、音で行動の合図を出す係の兵士もおり、日ごろから修練を積んでいたとみられる。

軍団が実際の戦闘に動員されたことは、八世紀に何度かある。しかし、蝦夷《えみし》と対峙《たいじ》している陸《む》奥《つ》・出羽《でわ》や、対外防衛の必要があった佐渡《さど》と大宰府《だざいふ》管轄下の九州諸国以外では、実際には軍団を設置していても無駄が多かった。そこで延暦《えんりやく》一一年（七九二）には、これらの諸国を除いて、軍団・兵士を廃止し、かわりに郡司の子弟からなる「健児《こんでい》」を組織するやり方に変えられた。身につけるものをすべて自分たちで用意しなければならない負担は、通常の戸からの徴発では、難しかったのだろう。

官人たちの武装化

白村江《はくそんこう》での敗戦、そしてその後の壬申《じんしん》の乱《らん》という内戦を経た政府にとっては、人々から兵士を徴発するというだけでは、国家の強化にはたりなかった。天武《てんむ》天皇の時代から、貴族層に対して武装が奨励されるようになる。畿内の官人《かんじん》たちに対して、武器や馬を備えさせ、その扱いに習熟させせようとしている。

宮廷儀式のなかでも、武芸の奨励が如実に現われた。当時の武芸として重要視されていたのは、「弓馬《きゅうば》の道」と呼ばれた、弓矢の扱いと騎馬の術である。天武天皇四年（六七五）以降、年中行事として正月の射礼《じゃらい》が定着し、五月五日に騎射《きしゃ》が行なわれるようになる。七世紀末から八世紀前半にかけて、貴族層が自分たちの邸宅に武器を備えることや、官人個人が武芸の鍛錬《たんれん》を行なうことが、望ましい姿として奨励されている。

しかし、八世紀なかばから、貴族どうしの対立が激しくなると、むしろ抑制される方向へと変わっていった。天平勝宝《てんぴょうしょうほう》九年（七五七）六月九日に、つぎのような命令が出されている。

一、氏の長たちは、公式行事でなければ私的に一族を集めてはいけない。

二、貴族は許可された数を超えて馬を飼ってはいけない。

三、私的な武器については、規定の数を超えて所持してはならない。

30

四、武官でない者が都のなかで武器を携行することは、すでに禁止されているが、まだ携行しているので、あらためて固く禁止する。

五、都のなかで、馬に乗って二〇騎以上で集団行動してはならない。

この命令を出したのは、専制政治体制を確立しつつあった藤原仲麻呂《ふじわらのなかまろ》を中心とした政権である。

このわずか一か月後には、反対派の貴族たちが、密告によって一網打尽にされた。

あとから発覚した彼らのクーデター計画では、敵にまわすと手ごわい武人たちに対しては、あらかじめ都から離れたクーデター派の別荘へ誘って酒宴を開き、その間に事を決しようとしていたようである。恐れられていた武人たちのなかには、蝦夷《えみし》の制圧に功績をあげたことで有名な坂上田村《さかのうえのたむら》麻呂《まろ》の父にあたる坂上苅田麻呂《かりたまろ》や、陸奥国《むつのくに》の地方豪族出身の道嶋嶋足《みちしまのしまたり》の名もあった。

天平勝宝九年にはクーデターは未然に防がれたが、のちに藤原仲麻呂が道鏡《どうきょう》と対立して抗争となった際には、仲麻呂たちの前に立ちはだかり、仲麻呂側による全国指令の発動を阻止したのは、やはり坂上苅田麻呂と道嶋嶋足であった。彼らのように武勇で名の通った人物の存在があるということも、官人世界において武芸が共通の関心事となっていた証拠でもある。

◉官人が弓矢を射る様子
『年中行事絵巻』より射遺の場面。正月一七日の射礼で順番のまわらなかった射手に、翌日に射させるのが射遺《いのこし》。射礼は平安時代には衛府《えふ》官人に限定されているが、成立当初は「大射《たいしゃ》」と呼ばれ対象者はもっと広範囲だった。

衛士と仕丁の身の上

軍団に所属する兵士のなかから、はるか遠方へ派遣された者たちもいる。諸国の軍団から、一年の任務で都に派遣され、都の各所の警備にあたる兵士を「衛士《えじ》」といった。また、対外防衛の最前線である北九州に派遣され、沿岸警備にあたる兵士を「防人《さきもり》」といった。さらに、蝦夷《えみし》と対立する地域に陸奥《むつ》・出羽《でわ》以外の諸国から動員され、軍事制圧のあとも城柵《じょうさく》などの施設の警備にあたった兵士を「鎮兵《ちんぺい》」という。国家によって遠方へ動員された彼らの存在も、近年ではその派遣地にあたる地域での発掘調査が進み、具体的な様子がさらにわかってきた。

平城宮《へいじょうきゅう》跡からは、衛士の養銭《ようせん》につけられていた荷札木簡《もっかん》が見つかっている。養銭などの養物《ようもつ》は、衛士の生活を支えるために、衛士を送り出した側で用意した支援物資のことである。一家の働き手を兵士として軍団に取られ、さらにそこから都に派遣されたとなれば、仕送りも用意してやらねばならないのである。同じように、地方から都に出てきていて支援物資を送られた存在としては、采女《うねめ》や兵衛《ひょうえ》がいる。采女は宮廷に奉仕した女性、兵衛は衛士よりも中枢に近い宮殿の警備にあたった兵員だが、どちらも郡司《ぐんじ》の兄弟姉妹や子のなかから選ばれて派遣されていた。同じ仕送りをするのでも、財力がある地方豪族の郡司であれば、用意に苦労はしなかったであろう。

衛士によく似た存在としては仕丁《しちょう》をあげることができる。仕丁は戸籍に登録された成人男子のなかから選ばれて都に派遣され、中央官司《かんし》のいずれかに配属されて、雑用に使役された。衛士と同じように、地元から養物を送ってもらったようである。

律令《りつりょう》には一年で衛士の勤めから解放すると定められていたが、都に出てみると、実際にはそう簡単にはいかなかった。衛士として都に到着すると、宮殿の門の警備や京内の夜警を担当する。これが一年限りというなら堪え忍ぶこともできただろうが、まわりを見ると何年も勤めているようなベテランがぞろぞろいるという状況だったようだ。『続日本紀《しょくにほんぎ》』養老《ようろう》六年（七二二）の記事によると、衛士や仕丁は、壮年で上京し、「白首《はくしゅ》」になって帰郷しているという。白首とはすっかり髪の毛が白《しら》髪《が》になってしまうこと、すなわち老年まで勤務から解放されない場合が多かったのである。

このような状況なので、衛士や仕丁はよく逃亡した。ただ、逃亡すると、地元に報告がいき、かわりの者が指名されて送り込まれるだけである。地元に迷惑をかけることをはばかって思いとどまった者も多かっただろう。長年にわたって都にいる間に、彼らも事実上、都の生活者となってしまう。むしろ、境遇としては、都での生活を楽しもうとせざるをえなかったのかもしれない。

防人と鎮兵

防人《さきもり》は、白村江《はくそんこう》の敗戦後に、九州沿岸の防衛のために派遣が開始された。おもに現在の関東地方にあたる坂東《ばんどう》などの東国《とうごく》出身者があてられ、そこから都を経由して九州まで千数百キロメートルを旅して派遣されたのである。『万葉集《まんようしゅう》』の東国防人の歌には、家族や恋人との離別の歌が多くみられる。また、『日本霊異記《にほんりょういき》』にも、故郷に帰って妻に会いたい一心の防人が、世話をするために九州まで ついてきた母親を殺してしまおうとする説話が載っている。遠方で望郷の思いに駆《か》られたとしても、律令《りつりょう》では三年間で任務から解放されることになっていた。しかし、衛士と同様、法律上の年限にどれほど実効性があったかはわからない。

防人の年限を経過しても、帰郷せずに九州の地にとどまり、そこで妻子をもち土着する者もいた。しかし、任期を終えた防人は、戸籍に登録された賦役対象者となり、登録された地に戻って、所定の賦課を負担しなければならない。国家としては現地にとどまることを認めるわけにはいかなかった。これを許してしまっては、国家の収入が減少する道を開いてしまうことになるからである。

天平宝字《てんぴょうほうじ》元年(七五七)には、防人は停止された。国家政策からみて、東北地方の経営に人員や物資を供給していた東国に対しては、九州に派遣する防人の負担はもはや二の次とせざるをえなかったのである。しかし、新羅《しらぎ》との対立が深まった九年後の天平神護《てんぴょうじんご》二年(七六六)に、ふたたび防人を復活することとなった。このとき、政府は東国から防人を動員する方式を改めて、九州にとどまっていた、もとの東国防人をふたたび徴発することにしたのであった。土着していたもと防人の徴発でまかなえると見込んだということは、土着していた者はかなりいたのではないかと想像される。

一方、東北地方では、蝦夷《えみし》が国家と対立して蜂起《ほうき》すると、これを鎮圧するうえで自国内の軍団兵士だけではたりない場合、他国から鎮兵《ちんぺい》が送り込まれる。陸奥国《むつのくに》や出羽《でわ》国に送られた鎮兵の大部分は東国の軍団兵士であった。さらに、蜂起を鎮圧したあとも、政府の出先施設である城柵などに鎮兵がとどまっていたことがわかってきた。

秋田城跡《あきたじょう》からは延暦《えんりやく》一〇年代の木簡がまとまって見つかったが、そのなかに兵士の宿直担当者を報告した宿直札がいくつもあった。下の写真は「上《かず》総国《さのくに》部領」が書き記した当日の宿直者に関する報告書といった内容である。「部領」とは兵士の引率責任者であり、上総国から複数の者が引率されてきていたことがわかる。

故郷からはるかに離れた秋田の地で、夜警にあたっていたのは、彼らだけではない。秋田城跡からは上野《こうずけ》国や下野《しもつけ》国に関する内容の木簡が多く見つかっており、東国の複数の国から鎮兵が駐留していたとみられる。だからこそ、「上総国部領」と国名を明記して宿直報告がつくられたのであろう。

衛士《えじ》・仕丁《しちょう》も、また防人・鎮兵も、国家からの命令によって遠方への移動を強制されたのであった。そして、国家権力によって強制移動させられた先で、結果的に戸籍による国家支配から離脱してしまった者もいる。国家政策によって遠距離移動を余儀なくされ、その結果として人々が遠方に移住していくきっかけになったという点では、第三章で触れた東北地方への移民の問題も含めて、日本列島における大移動はこの時代にも多々あったということができるだろう。

31

◉宿直の担当者を知らせた木簡
秋田城跡出土の宿直札。一行目には「上総国部領解申宿直…」と記され、二行目には「合五人　火長…」と記される。火長は兵士一〇人を率いる長で、この日は火長以下の五名が宿直をつとめることを報告したもの。

国家にとっての祭祀と宗教

神祇と祭祀

国家体制の確立過程において、国家支配を支えるイデオロギーも整えられてきた。人々が神を祀《まつ》ることは、各地におけるそれぞれの社会のなかで行なわれていたが、それらを統合した体系のなかに取り込んでいくことが行なわれる。日本における「やおよろず」の神の存在は、各地の神の存在を認めたまま、それをひとつの体系のなかに取り込んでいった結果なのである。その過程で、各地の神の物語は日本の神話の体系に統合された。『古事記《こじき》』や『日本書紀《にほんしょき》』にみられる神話は、強力な統一国家への指向がめざされた天武《てんむ》天皇の時代に、体系が形成され、現在知られるような内容のものになったとみることができる。

天武天皇の時代には、これと並行して、神祇《じんぎ》の制度が整えられていった。天武天皇四年（六七五）以降、祈念祭が確立し全国の諸社に幣帛《へいはく》を供える体制が整う。天皇が即位した際に執り行なわれる大嘗祭《だいじょうさい》も、持統《じとう》天皇が即位したのちに行なわれた様式がその後に受け継がれていくことになる。神話的世界観を背景として、天皇が神秘的な祭りを行なうことは、もともと行なわれてきた祭祀《さいし》に要素を加えながら、天武天皇と持統天皇の時代に確立された面が大きい。これ以後、宮廷儀礼として受け継がれていく神祇祭祀の基本的な姿は、この時期にできあがったのである。

こうして、宮廷儀礼としての大規模祭祀が成立し、天皇が執り行なう祭祀が国家の重要事として位置づけられるようになった。現実の社会で神を祀る儀礼を行なうことで、国家組織が神に対して奉仕し、またそれぞれの地域で祀られている対象への奉仕を国家組織が責任をもって行なうことにより、地域社会と国家との結合が保証されるようになる。各地域で分かれていた信仰対象が神話の体系のなかに取り込まれることによって、地域社会の信仰の安定にも国家の責任が問われるようになった。つまり、地域社会の信仰の安定を支える存在として、国家が介入していくことになり、それと同時に地域社会の構造を国家が支援していくことにもなったのである。

古代社会には、「神道《しんとう》」という言葉はない。神祇祭祀について、教義の見解が深まっていくのは、中世以降のことであり、それによってはじめて神道と呼ばれるような宗教的体系性が備わっていく。その時

32

◉平城宮第二次朝堂院で見つかった大嘗宮の遺構
大嘗祭では、悠紀殿《ゆきでん》・主基《すき》殿・回立《かいりゅう》殿といった建物からなる大嘗宮が朝堂院《ちょうどういん》の中に建てられる。建っているのはわずか数日だが、痕跡《こんせき》は柱穴跡として残る。この大嘗宮は称徳《しょうとく》天皇の大嘗祭のもの。

代に至るまでは、神を祀る行為を神道と呼ぶのはふさわしくない。古代における神祇祭祀は、中世以降のようなイメージの宗教として簡単に扱うわけにはいかないのである。むしろ、この時代の神を祀る行為とは、それを通して政権が世の中を治めていく点で、政治のなかにおける政務儀礼のひとつとしての側面があるといえるだろう。

教団道教は導入されない

中国では、宗教と位置づけられる主要なものに、仏教と道教とがあるが、仏教はインドで起こった外来のものと位置づけられることが多いのに対し、道教は中国在来の宗教とされている。日本にも、道教のなかにみられる諸要素が、朝鮮半島を経由して古くから流入していたようである。たとえば、七、八世紀のさまざまなまじないは、道教のなかにみられるものと共通する部分が多い。

このように道教に由来する要素が日本に入ってきていたことは、すでに指摘されてきたが、これをもって道教の体系が受け入れられていたとは結論できない。道教的要素は、日本に受け入れられた仏教のなかにも多く溶け込んでいたからである。中国仏教においては、インドからもたらされた仏教経典だけでなく、中国で独自に編纂《へんさん》されて教義を説明した経典もあった。中国で生まれた経典のなかには、道教的な要素をふんだんに織り込んだ内容のものも多かったようである。いわば仏教と道教の融合が、仏教の経典のなかで起こっていたのである。こうした中国仏教を学ぶことによって、日本のなかには中国仏教を通して道教的要素が持ち込まれてきたと考えられている。

仏教では寺院という組織があって、僧侶《そうりょ》がそこに所属するが、唐《とう》では道教にも道観《どうかん》があって、道《ど》士《し》がそこに所属する。道教の教団組織があり、宗教団体としてのまとまりを形成していた。しかし教団によって統制された組織立った道教については、日本は受け入れる方針をもたなかったようである。日本では、律令《りつりょう》のなかで仏教に関する編目として、僧尼令《そうにりょう》という編目がある。日本令のもととなった唐令のなかには、この編目に対応するものはなく、唐では律令よりも外側にあって律令本体を補っていた「格《きゃく》」の編目のなかに見える、道僧格が該当する。すなわち、日本令では、道僧格を参考にして、唐令にはなかった僧尼令を新たにつくりだしたのである。道僧格は、文字どおり、道教の道士と仏教の僧侶に関する法令をまとめたものである。このなかから、日本令では仏教の僧侶にかかわる部分しか取り入れなかった。最初から道教を考慮に入れず、意図的に排除している。

天平勝宝《てんぴょうしょうほう》の遣唐使が長安《ちょうあん》で玄宗《げんそう》皇帝に謁見《えつけん》したとき（七五三年）、玄宗皇帝は日本からの使節に対して、仏教ばかりでなく道教を日本に持ち帰ってはどうかと水を向けた。さすがにこれを皇帝の面前で拒否することはできなかったようで、春桃原《しゅんとうげん》ら四人をとどめて申し訳程度に道教を学ばせた格好にし、とりつくろったが、教団道教を学んで日本に輸入する意志はまったくなかったようである。日本では、中国にあった教団道教を意図的に排除していたと考えざるをえない。したがって、道教によく似たまじないや祭祀《さいし》が行なわれていたとしても、それは道教を導入したためではなく、仏教などを介して間接的に日本社会に入ってきたものと考えたほうがよいだろう。

仏教と日本社会

仏教は七世紀以降、国家の安寧を祈り、国家の護持を期待する対象となってきた。国家護持のために祈りを捧《ささ》げる場として、国家によって大寺院が建設されるようになり、国家組織の一部として、寺院が機能するようになっていく。外来の信仰であることは知りながらも、国家行事のなかに仏教行事が取り入れられ、日本社会に仏教が定着していくことになった。

僧と尼は、国家によって登録された者しか認められず、免許制となる。得度《とくど》という手続きを経れば、度縁《どえん》という免許が発行され、さらに受戒《じゅかい》という手続きを経れば、戒牒《かいちょう》という免許が発行される。免許を発行された僧・尼は、国家から認められた寺院に所属し、国家のために役立つ祈禱《きとう》の実践や教義の研究を行なうこととされた。寺院を出て外で活動するのは、国家の定めた路線をはずれる違法行為であり、あくまで寺院のなかで国家のために奉仕することが期待されていたのである。

仏教の教えのなかで位置づけられる個々の仏は、大陸から渡ってきた教えのなかにある「蕃神《ばんしん》」（外国の神）ではあったが、神を祀《まつ》る社《やしろ》と仏教寺院とは、信仰の対象を拝む場として、融合されつつあった。神社で祀る対象と寺院で礼拝する対象が重ね合わせて考えられるようになった結果、神社の近くに神宮寺《じんぐうじ》が建立されるようになる。『続日本紀《しょくにほんぎ》』文武《もんむ》天皇二年（六九八）に見える伊勢国《いせのくに》の「多気《たけ》大神宮寺《だいじんぐうじ》」や、『家伝《かでん》』の武智麻呂《むちまろ》伝に霊亀《れいき》年間（七一五～七一七）のこととして見える越前《えちぜん》国の「気比《けひ》神宮寺《じんぐうじ》」など、七世紀末から八世紀初頭にかけて、すでに神宮寺がみられる地域があり、神仏習合の様相は始まっていた。神宮寺は明治初年の廃仏毀釈《はいぶつきしゃく》に至るまで、ずっと存続していく。

日本人の仏教信仰が神祇信仰と混交しながら根づいていったのは、この時代からのことであった。

国家による仏教興隆

天武《てんむ》天皇の時代には、国家事業として仏教に力を入れた面もみられた。神話的世界観の形成によって、神祇《じんぎ》の体系をつくりだし、これによって国家を護持してくれる存在としての信仰をつくりだしただけではない。仏教の世界観までも、国家護持のために利用しようとしたのである。

すでに斉明《さいめい》天皇六年（六六〇）には、のちに護国経典として活用されることの多い仁王般若経《にんのうはんにゃぎょう》を用いた仁王会《にんのうえ》が大規模に行なわれていたが、これは朝鮮半島での同盟国である百済《くだら》の苦境と自国にとっての不安な情勢を受けてのことであろう。天武天皇五年（六七六）には、諸国で金光明経《こんこうみょうきょう》と仁王経を講説させている。天武天皇一四年には、諸国で家ごとに「仏舎《ぶつしゃ》」をつくって仏像と経典を礼拝・供養させる詔《みことのり》が発せられた。国家によって地方に仏教を普及させ、全国で国家の安寧を祈る体制の構築が模索されていたのである。

このような政策に主導されたこともあって、地方社会では、七世紀後半から八世紀初頭にかけて、寺院の建立が爆発的に広まっていく。評の官人《かんじん》となった地方豪族のなかには、国家政策に従って寺院を建立した者たちも多かったであろう。各地でつくられた寺院には、それぞれの地元で用意された写経が奉納された。写経の文化は全国的規模で基礎が築かれたのであった。

八世紀前半の聖武《しょうむ》天皇の時代は、こうした仏教への依拠が、国家政策として極端にみられるようになった時期であった。天平《てんぴょう》九年（七三七）に、諸国に釈迦《しゃか》仏《ぶつ》像と脇侍《わきじ》の菩薩《ぼさつ》像をつくらせ、天平一三年には、国ごとに七重塔をつくらせて金光明最勝王経《さいしょうおうきょう》と妙法蓮華経《みょうほうれんげきょう》を一部ずつ供えさせることにした。これによって国分寺《こくぶんじ》と国分尼寺《こくぶんにじ》とが創設された。天平一五年には都としていた紫香楽宮《しがらきのみや》で盧舎那仏《るしゃなぶつ》（大仏）をつくる詔を発したが、同一八年からは平城京《へいじょうきょう》へ造立の場所が変えられた。大仏の完成も近づいた天平二一年四月には、皇后と皇太子を従えて大仏を礼拝し、自身を「三宝《さんぼう》（仏・法・僧）の奴《やっこ》」と称した詔を発している。このころから、聖武天皇は沙弥勝満《しゃみしょうまん》と称するようになり、出家したらしい。天皇自身が出家し「仏弟子《ぶつでし》」などと自称したのは、史上はじめてのことであった。

聖武天皇の皇后であった光明子《こうみょうし》は、父母の供養のために一切《いっさい》経《きょう》の作成を発願《ほつがん》した。天平六年に入唐《にっとう》留学僧の玄昉《げんぼう》が五〇〇〇余巻の経典を持ち帰り、これをもとにして、唐に流布していた経典のリストである『開元釈教録《かいげんしゃっきょうろく》』にみられる五〇四八巻をそろえることを目標として写経事業が始められた。各経典の末

33

●**諸国に建てられた国分寺**
諸国で建立するよう命じられたのは、このような立派な伽藍であった。七重塔は諸国でもっとも高い建物となっただろう。美濃国分寺の復元模型。

尾に天平一二年五月一日の願文が記されたことから、この一連の写経を五月一日経と呼んでいる。途中、中断の時期もあったが、天平一五年からは『開元釈教録』にない経典類までそろえるよう方針を転換し、より大規模な一大写経事業となった。国内のあちこちに所蔵されていた経典を探して、それらを書写してそろえ、最終的には七〇〇〇巻近い数になった。あらゆる仏教経典を集めて、世界的な仏典図書館をつくろうとしていたことになる。経典をそろえて供えることが、仏教の功徳を期待する行為であった。五月一日経と並行して、ほかの一切経写経や、個別の写経事業も行なわれており、国家の大規模プロジェクトとしてこれらが行なわれていることから、さながら、写経の時代であったということもできる。

写経と写経生

写経を担当したのは写経生《しゃきょうせい》または経師《きょうじ》と呼ばれた専門職員である。彼らの書き写した経典の文字はとても美しい。しかし、書写の結果を点検すると、誤字・脱字がかなりあると指摘されている。ただ書ききれいな文字ではあるが、本人は内容までわかって書き写しているわけではないらしい。

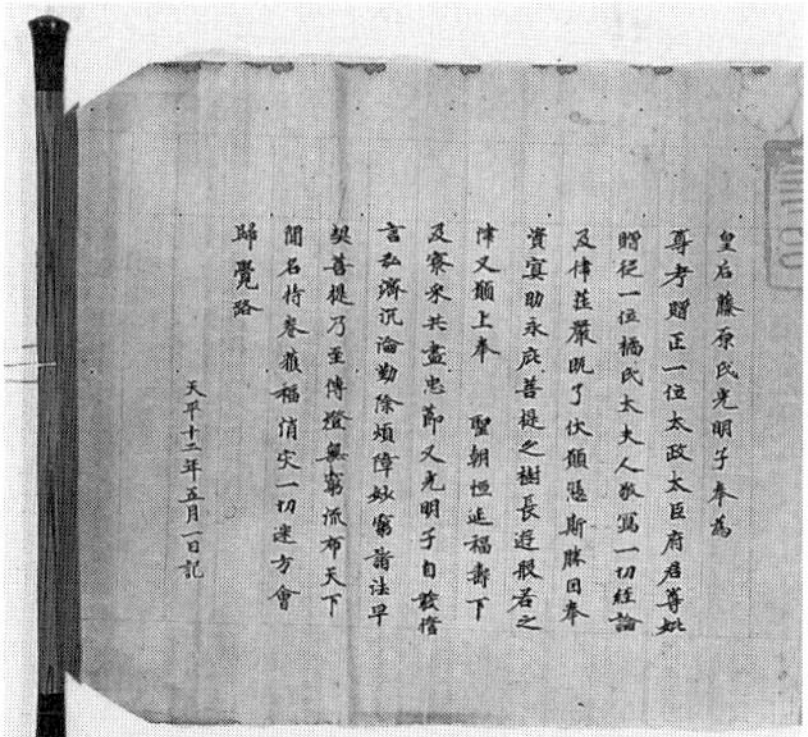

34

◉光明子の発願による一連の写経
光明子が父の藤原不比等《ふひと》と母の県犬養橘三千代《あがたいぬかいのたちばなのみちよ》の供養のために発願したことと、「天平十二年五月一日」の日付が奥書に記されている。現在まで一〇〇〇巻近くが残されている。

写すだけの技術へ特化した専門職員なのであった。彼らは、試字《しじ》と呼ばれる採用試験によって選ばれるが、この試字もまた美しく鍛え上げられた文字である。彼らは、写経のための文字を美しく書く技術だけで国家に貢献し、生業を成り立たせていた。この時代に生まれた独特な専門分野であった。なかには、別の官司《かんし》から出向してきている者もいた。

写経事業の様子は、正倉院文書《しょうそういんもんじょ》によって研究が進められてきた。正倉院文書は、写経事業を推進した事務部門が残した書類であり、内容からみて、本来なら写経事業の終了とともに廃棄されるべきものが、たまたま残されていたものである。しかし、これによって写経をはじめとする事務作業の進め方をうかがい知ることができる。事務仕事の進め方には、ほかの官司でも共通する部分もあるため、一般的な官司の姿にまで敷衍《ふえん》して考えることのできる資料としても価値が高い。

写経生たちは、板敷きの職場で、円坐《えんざ》《わろうだ》を敷いた上に正座で長時間写経にいそしんでいたらしい。書写の速度には個人差があるが、速い者で一日に五九〇〇文字程度、遅い者でも二三〇〇文字程度は書写していた。彼らには食料のほかに、布施《ふせ》と呼ばれた給料が支給されるが、これは出来高払い

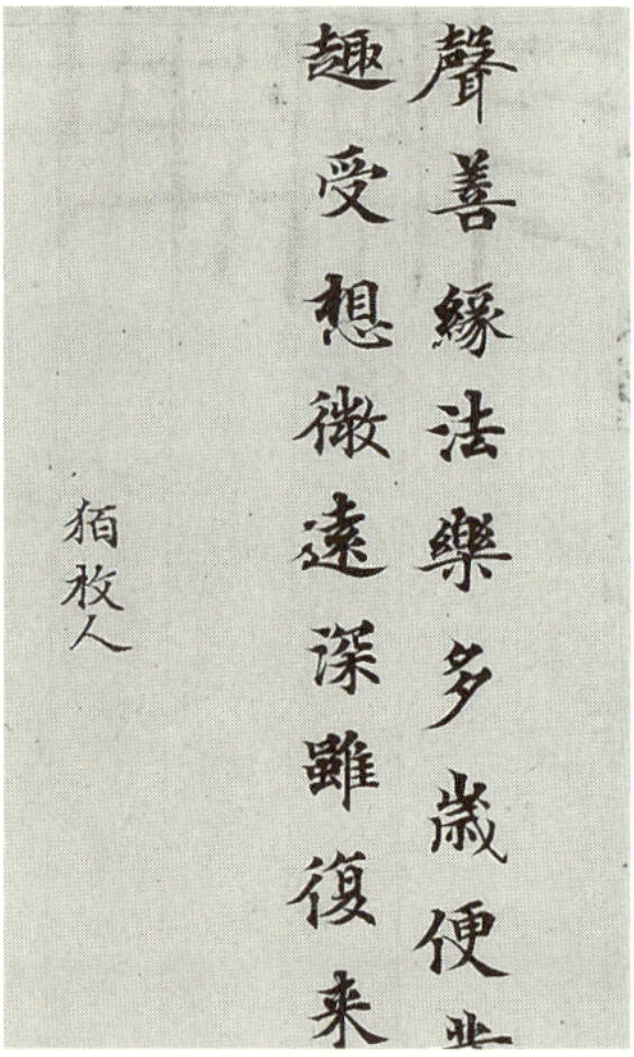

35

◉写経生採用試験の答案
写経生採用のための試字のひとつ。天平《てんぴょう》九年（七三七）以前のものとみられる。これを書いた狛牧人《こまのひらひと》は、この試験で合格したかどうかは不明だが、のちに写経生となっている。

であり、あまりゆっくり書写するわけにもいかなかった。しかも、写経が終わると校正作業があり、ここで誤字・脱字が見つけられると、その数に応じて布施から差し引かれてしまう。正確さも要求されていたのだが、誤字はつきものであった。

彼らは写経所に泊まり込みで仕事を続けていた。食事は支給されるものの、衛生状態はあまりよくなかったようで、下痢《げり》を起こして自宅に戻り、休暇願いや欠勤届けを出す者も多かった。写経生たちが待遇改善を要求した文書の草案が残されているが、そこには以下の六か条があげられている。

一、人手があまっているので、写経労働者を新たに追加するのをやめてほしい。
一、去年の二月以来使っている浄衣《じょうえ》（仕事着）が汚くなったので交換してほしい。
一、毎月五日の休暇をお願いしたい。
一、装丁と校正の担当者の食事が悪い。
一、胸の痛みと足のしびれを取るために三日に一度、薬酒の支給をお願いしたい。
一、以前のように毎日麦を支給してほしい。

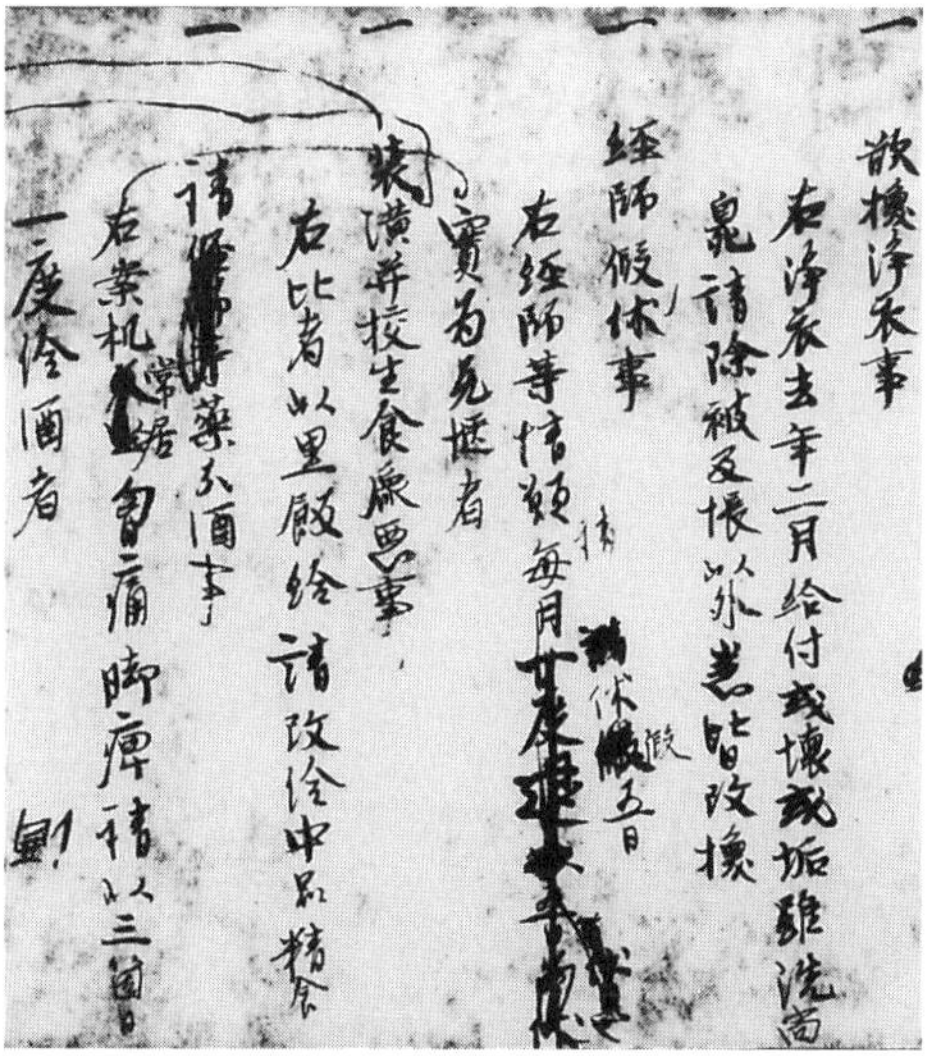
36

◉写経生の待遇改善要求書の草案
訂正や落書きもみられ、これが清書されて実際に提出されたかどうかは不明。

二か条目の仕事着は、ときどき洗ってはいるのだが、長々と使いつづけていたらしい。仕事着の洗濯のために休暇願いを出している者もいる。五か条目にある酒は、薬として服用するといっている。下級官人《かんじん》が口にできるのは、現代のような清酒ではない。酒粕《さけかす》を溶いたようなものであった。

写経生たちが劣悪な職場環境にもかかわらず、写経所という職場にしがみついていたのは、給与や借金によって銭を手に入れることができたためであろう。彼らは日常生活で、銭がたりなくなると職場で借金を申し込み、利息をつけて返済した。職場が高利貸しもしていたのである。質草があるうちは質入れするが、それもなければ、つぎの給料をあてにして前借りすることになる。職場の上司は高利貸しの管理までやっていた。

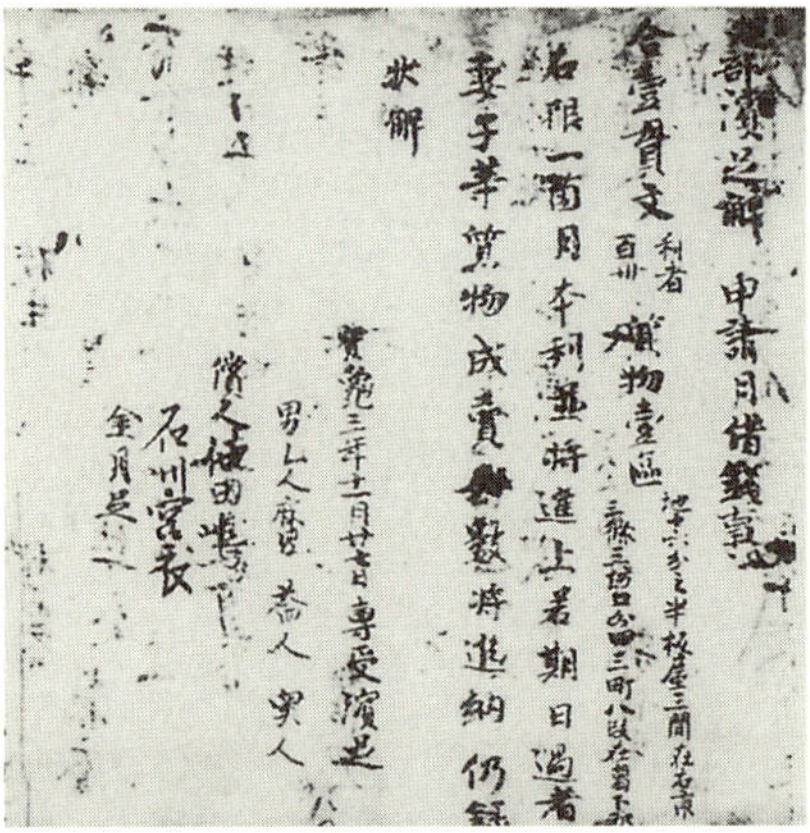

37

◉写経生丈部浜足の月借銭解《げっしゃくせんげ》
宝亀《ほうき》三年（七七二）一一月二七日に丈部浜足《はせつかべのはまたり》が一貫文《かんもん》（＝一〇〇〇文）の銭を借りた際の借用書。妻子や建物・口分田《くぶんでん》まで質入れしている。

写経事業のなかには、中央の全官人に対して、各自が一巻ずつ写経することによって、国家への功徳が期待された事業もあった。しかし、こう命じられて、すべての者がまじめに取り組んだわけではない。すでに写経を専門に行なっている部門があることは知られている。お金を払って、自分に割り当てられた写経を請け負ってもらう者は多かった。文化事業として八世紀に営まれた写経は、写経生の労働が支えていたのであった。

国家機構の末端

国郡里、国郡郷

律令制の導入によって、地方は国―郡《ぐん》―里《り》という組織に編成された。もっとも、これは大宝律令《たいほうりつりょう》で規定された姿であり、そこに至るまでの七世紀段階での変遷があり、また大宝律令施行後も変遷があった。郡の前身である評が組織されたのは、七世紀なかばのことである。そして、その下には「五十戸《さと》」という表記の組織ができた。いくつかの評を編成してできた「国」は、評の成立した時期に単位として成立したようである。こうして国―評―五十戸という組織ができ、天武《てんむ》天皇一二年(六八三)から持統《じとう》天皇二年(六八八)頃に五十戸は里の表記に変わり、国―評―里となった。

大宝律令の施行によって、評は郡となり、国―郡―里の制度となる。さらに、きめ細かな行政をめざし、霊亀《れいき》三年(七一七)からは国―郡―郷《ごう》―里という四段階の編成がとられた。従来の里は郷となり、その下にさらに里が区分されたのである。そのさらに二三年後の天平《てんぴょう》一二年(七四〇)頃、今度は最末端の里が廃止され、国―郡―郷という三段階となった。以後、この「国―郡―郷」制が続いていくことになる。律令制の地方組織として、律令規定にある「国―郡―里」いう表記が紹介されることが多いが、実際には「国―郡―郷」として存続した期間のほうがはるかに長い。

「国」は現在の都府県に相当する広さをもっている。江戸時代までは国が存続したが、明治時代に府県制が導入されて転換した。その下の「郡」は、現在の市や郡の規模である。現代でも残っているる「郡」は、この時代から続いているものもある。地方組織が整備され、現代につながる規模の単位がつくりだされたのが、この時代であった。

評や郡は、基本的にはそれまでの地方豪族の勢力範囲が基準となってできあがった単位である。したがって、その範囲を治める勢力が存在し、その権力が制度の導入前後で継承された。それに対して、国は、評をまとめる範囲として国家主導で設定され、中央から官人《かんじん》が派遣されて管轄することとなった、七世紀後半になって成立した単位である。しかし、いったん設定された単位での行政が内実をもちはじめると、その組織を核とした結合が進んでいく。八世紀のうちに地方出身者をも取り込んだ行政組織が維持されるようになり、九世紀以降には、国の組織が地方行政の中心となって、郡の組織は解体へと向かっていく。そこへ至るまでの八世紀の地方社会は、前代の地方豪族の権威が保たれながら、新たな制度である律令制のもとで機能し、起きてきた社会の変化によって、拠点としての役割が変質していく過程である。郡は、伝統的な権威による支配と、国家からの影響を受けて新たなものが結びつく、この時代の社会の変化を如実に表わす単位であった。

郡家と地方寺院の誕生

郡の行政の中心となった施設を郡家《ぐうけ》という。郡家の位置には、七世紀後半の評の段階から施設が造営されて、ほぼ同じ位置で建て替えが繰り返された。全国的に評が設置される以前には、地方豪族を国造《くにのみやつこ》という地位に任じて、国造に支配下の統治を認めながら、その地を全国支配体制のなかに組み込んでいた。間接統治的な方法である。もともと国造であった豪族は、優先的に評の官人《かんじん》に任じられていき、地方豪族による政治拠点として評や郡の施設が機能することになった。政治活動だけでなく、物資集散の場として交易や流通の拠点となったことが推察される。美濃国武義《みののくにむぎ》郡家とみられる弥《み》勒寺東《ろくじひがし》遺跡（岐阜県関市。口絵参照）は、長良川《ながらがわ》の屈曲点に立地している。眼前を流れる長良川の水運を利用して、川上や川下からさまざまな物資が集められたり送られたりしたであろう。各地の郡家の立地は、水運や陸上交通路と密接な関係をもっている。

郡家には政治の中心となる建物群があり、郡庁《ぐんちょう》と呼ばれる。各郡の郡庁は一様でないが、おおむね、南を正面とした正殿《せいでん》の東西に脇殿《わきでん》が並び、それらによって東西と北側をコの字形に囲んだ構造をとる。この構造は中央官司《かんし》でも同じであり、郡庁は官司であることを意識してつくられている。

38

◉**武蔵《むさし》国都筑郡家《つづきぐうけ》の姿**
長者原《ちょうじゃはら》遺跡（神奈川県横浜市）の発掘成果をもとに復元された模型。手前に倉庫群、谷を挟んで奥に郡庁の正殿・脇殿が見える。

また、郡家には倉庫（正倉）がいくつも建てられた。各郡の租や出挙《すいこ》の稲穀《とうこく》はこの倉に蓄えられる。諸国で管理している財源は、このように郡ごとに分けて設置された倉に収められた稲穀であった。郡家は、倉へ稲を納めにくる人々と、財源として倉を管理している国家機構との、まさに結節点であった。

七世紀後半に拠点を造営するのと並行して、地方豪族たちは寺院の建立にも熱をあげた。先に触れた天武《てんむ》天皇時代の仏教政策でも明らかなように、寺院を建立することが奨励されている。文化史のうえでは白鳳《はくほう》文化と呼ばれる時代にあたり、全国各地でこの時期に寺院が建立されていった。のちの一郡にひとつほどの割合で、寺院のまったくなかった地方社会に急激に寺院ができ、仏教文化が流入していくのである。こうして、八世紀初頭には、地方豪族の拠点となる地に、郡家と寺院がセットで立地しているものが多くみられるようになった。

先に紹介した弥勒寺東遺跡の西隣にも弥勒寺跡があり、典型的な白鳳寺院である。弥勒寺跡の前には古墳がある。寺院建立に地方豪族が熱をあげる前に、地方豪族が競ってつくっていたのが古墳《こふん》であった。七世紀後半の地方社会では、古墳から寺院

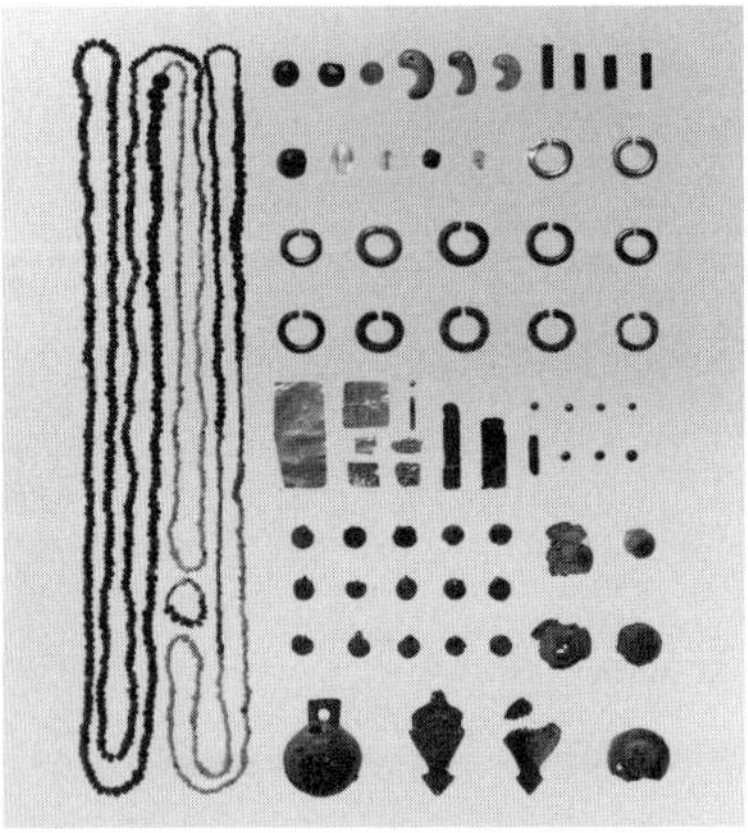
39

●飛鳥寺の塔心礎に埋納された品々
権威の象徴が古墳から寺院へと転換し、金環《きんかん》・ガラス玉・勾玉《まがたま》・管玉《くだたま》・馬鈴・刀子《とうす》など、古墳の副葬品と共通するものが寺院の塔心礎に納められるようになった。

へと豪族の権威のシンボルが変わっていったのである。中央で建立されている寺院の文化が地方豪族のもとに持ち込まれると、周辺の豪族が対抗するように寺院を建立する。そうした、地方豪族層における一種の流行によって、爆発的に寺院が増加していったのであった。

仏教はさまざまな知識・技術を取り込んだ、当時の総合文化である。地方豪族たちが最先端の総合文化に触れるためには、その担い手である僧侶《そうりょ》の受け皿となる寺院を用意しなければならない。地方豪族たちがこぞって寺院を建立したひとつの要因はここにあるだろう。もうひとつ、自分が運用している財産を名目上、寺院財産として寄付しておけば、自分は手を下していないふりをしながら、寺院の財産運用に見せかけて、私出挙《しすいこ》などの私財の運用を行なうことができる。八世紀初頭には、すでにこのようなことは国家に見破られていた。霊亀《れいき》二年（七一六）には寺の檀越《だんおつ》の子孫が田地を掌握していて、自分の妻子を養うために使っており、寺の僧侶たちに提供されていないため、これを禁止する命令が出ているほどである。

弥勒寺跡の西側にある尾根を隔てて、祭祀《さいし》を行なった遺跡（弥勒寺西遺跡）が見つかっている。郡の政治にかかわって、さまざまな災厄《さいやく》を祓《はら》うために、郡家には祭祀の空間も付随していた。武義郡家の遺跡は、行政施設・倉庫群・仏教寺院・祭祀空間が一体となった、当時の地方の拠点としての典型的な姿を見せている。

郡司《ぐんじ》からの命令の伝達の使者となったり、郡司のもとで行政の実務を担当する人々は、任務によって「書生《しょしょう》」「税長《ぜいちょう》」「田領《でんりょう》」などの肩書きが知られている。郡司のもとでこのように実務を担う存在を、「郡雑任《ぐんぞうにん》」と呼んでいる。郡雑任は郡司ほどの権威ある家柄ではないが、郡内の有力者ではあったとみられる。場合によっては郡司の親族なども動員されたかもしれない。出挙《すいこ》の際の稲の出納には税長が活躍し、毎年の計帳《けいちょう》の調査では書生が活躍した。このような、郡内の有力者によって、郡の行政のための組織が形成されていたのである。

「神の火」? じつは……

もともと、郡司《ぐんじ》には国造《くにのみやつこ》の家柄の者を優先して採用することが律令に定められていた。これは大《たい》宝律令《ほうりつりょう》を制定した段階で、地方豪族の実情をある程度反映して設けられた規定だろう。しかし、家柄第一で官職に任命していくと、任務への熱意に欠ける者が出てくる可能性も否定できない。まじめに職務に取り組まなくても家柄のおかげで郡司の地位に就ける者と、郡司の職に就けなくとも、まじめに地方社会のために貢献しようとしている者と、いずれはこの矛盾が社会のなかでの対立を生むようになっていく。

政府は八世紀のうちに、郡司の職へ任命するうえでの基準をたびたび転換させる。おそらく各地で郡司の地位をめぐって対立があり、家柄か才能か、それぞれに秀でた候補者たちが訴えを繰り返していたのだろう。政府はこうした意見によってゆらいでいたのである。

八世紀後半になると、郡司の地位をめぐる争いによって「神火事件《しんか》」と呼ばれる火事騒ぎが各地で起きるようになってくる。現職の郡司を追い落とすために、対立する勢力の者が郡の倉に放火して、「神の火」によるものだと主張する。神が現職の政治をよくないものとして起こしたとし、倉とその中にあった稲の損失の責任を現職の郡司に負わせて、失脚を迫るのである。一方、これとは異なる事情の「神火事件」もあった。現職の国司《こくし》や郡司が、国家の倉の稲を不正に流用したりした場合に、その証拠の隠滅を謀って倉に火をつけて燃やしてしまうのである。神がつけた火なので、中身の稲ごと焼けてしまったが仕方ないと主張しておいて、中身の稲は自分がちゃっかりと流用しているという算段である。

いずれの事件も、八世紀の末になると、真相は国家に見破られていたようである。宝亀《ほうき》一〇年（七七九）に出された命令では、政府は「よこしまな連中が郡司の任を奪おうと謀って、神火にことよせている」といっている。こうした者に厳罰でのぞむとともに、「空の倉を焼いた場合も同じように刑罰を加える」と命じた。もはや、悪巧《わるだく》みの方法はお見通しであった。郡司に任じられるような豪族たちは、世代を重ねていくつもの枝族《しぞく》に分かれてきており、対立を繰り返すなかで、それぞれの権威も八世紀当初の郡司より衰えていたのではないだろうか。九世紀には、伝統的な地方豪族の時代は終焉《しゅうえん》を迎えつつあり、地方では新たな社会構造へと変化していくことになる。

40
◉平沢官衙遺跡《ひらさわかんが》（茨城県つくば市）
常陸国筑波《ひたちのくにつくば》郡家にあたる。八世紀後半ごろの正倉を復元。

コラム4

富本銭と和同開珎

飛鳥池《あすかいけ》遺跡で七世紀後半の天武《てんむ》天皇時代の鋳物工房跡が見つかり、そこから「富本」という文字をもつ銅銭を鋳造した跡が見つかると、公的工房でつくられた「日本で最古のお金」として、この富本銭が評価されるようになった。しかし、はたして富本銭《ふほんせん》が日本最古の流通貨幣なのかどうかは、まだ議論の余地がある。

富本銭が鋳造されていた天武天皇の時代よりも前には、無文銀銭と呼ばれる文字のない円形の銀の板が、貨幣として使われていた。

八世紀初めの和銅《わどう》元年（七〇八）五月になって和同開珎《わどうかいちん》銀銭が発行された。同年の八月に和同開珎銅銭が発行され、翌年八月には銀銭の使用を停止する命令が出された。時代は銀銭から銅銭へと切り替えられていく。

こうした流れを考えると、和同開珎発行前までは銀銭が流通貨幣であり、富本銭は銀銭に取って代わるには至っておらず、そのために過渡的措置として和同開珎銀銭がつくられ、和同開珎銅銭によって銅銭時代が始まるとみることもできる。流通貨幣としての本格的な銅銭は、和同開珎が最初とする見方もできるだろう。

◉富本銭と和同開珎
銭は買い物以外にも、胞衣壺《えなつぼ》や地鎮に際して壺に入れ埋納された。

第五章

万葉びとの生活誌

1

万葉びとの衣食住

日常の服装

七、八世紀頃の人々が何を着て生活していたのか、とくに、庶民の服装はわからない点が多い。『三国志《さんごくし》』魏志《ぎし》東夷《とうい》伝《でん》倭《わ》人《じん》の条（「魏志倭人伝」）には三世紀に貫頭衣《かんとうい》を着ていたとする描写があり、それがそれ以降も着用された可能性もある。また、古墳《こふん》時代の埴輪《はにわ》には、上下に分かれた衣服を着ている姿もみられるが、これが庶民の衣服を表わしたものかどうかは、不明とせざるをえない。以下では、断片的な史料から、八世紀の日常の服装を推定してみたい。

記録が残っているのは、平城京《へいじょうきょう》内の写経所《しゃきょうじょ》の場合である。写経所で支給された日常の作業着は、袍《うえのきぬ》と袴《はかま》に分かれていた。上下ツーピースであり、もっとも日常的な麻布製であった。布の使い方にも、一枚で縫製する単《ひとえ》、二枚で縫製する袷《あわせ》、袷の二枚の間に綿を入れる綿入《わたいれ》といったつくり方の違いがあった。もちろん単がいちばん涼しく、綿入がいちばん暖かい。

正倉院《しょうそういん》に残されている衣服は、八世紀に中国風に改められたあとの時代のものである。上着である袍は、男性・女性ともに着用した。このほか男性用の上着としては、寒いときに外側に着る襖子《あおし》や、袖の短い半臂《はんぴ》があった。女性の冬用の上着としては背子《からきぬ》がある。上着の内側には衫《さん》を着る。夏

●人面墨書土器
下々塚《げげつか》遺跡（滋賀県野洲《やす》市）出土の人面墨書土器。側面に四面の顔が描かれる。どこなく親近感のあるユーモラスな描写である。
前ページ写真

は上着を着ず、衫だけで過ごしたようだ。今でいえばシャツのようなものである。これらはいずれも、着用の際にはトンボ頭と受緒《うけお》で留めたり、紐《ひも》で留めたりしたようである。下には、男性は袴をはき、女性は裳《も》を身につける。

男性は袴を着用せず脛裳《はばきも》の場合があったらしい。脛裳は後世の脚絆《きゃはん》のように、脛《すね》に巻いて上下を紐で結んだものであった。天武《てんむ》天皇一一年（六八二）には脛裳の着用が禁止され、四年後にはふたたび着用が認められたが、大宝律令《たいほうりつりょう》施行後の慶雲《きょううん》三年（七〇六）には、ふたたび禁止される。

七世紀末から八世紀初頭にかけて、脛裳から中国風の袴に切り替える方針だったのだが、指令を出しただけでは日常の服装はなかなか切り替わらなかったのだろう。

庶民の服装に関しては、『万葉集《まんようしゅう》』のなかにもいくつか詠《よ》まれている。八九二番（貧窮問答歌《ひんきゅうもんどうか》）には「布《ぬの》肩衣《かたぎぬ》」が見える。麻布製の袖なしの防寒着で、綿入にされることもあったらしい。二六一九番には「韓《から》

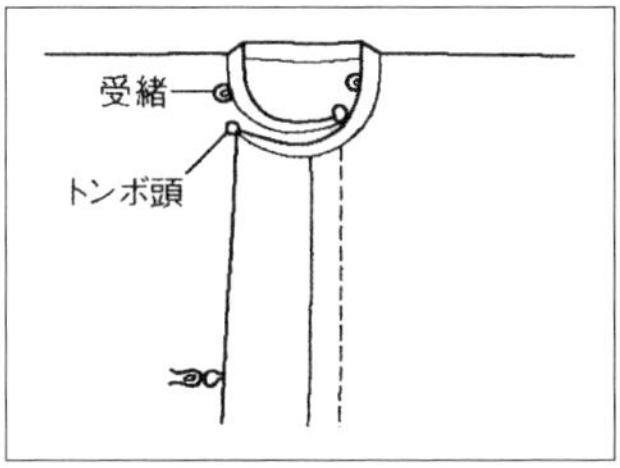

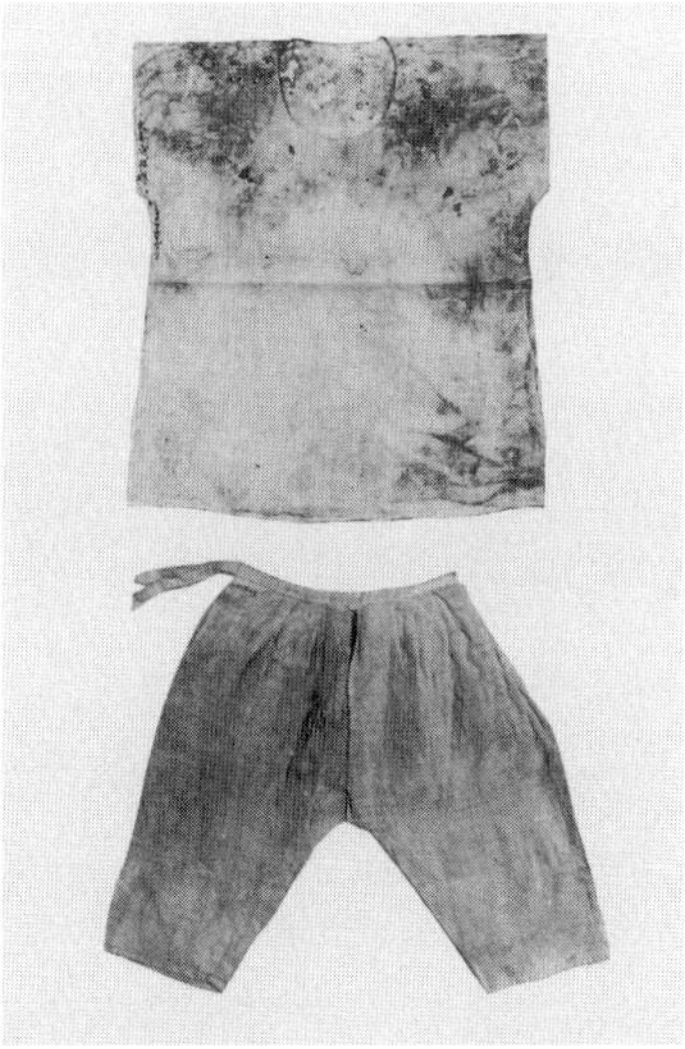

2

●古代の普段着
シャツにあたる衫（右上）、ズボンにあたる袴（右下）。上着の左右は左上のように、前襟に付けられたトンボ頭と受緒で留める。

衣《ごろも》」という大陸風の衣が見える。裾《すそ》の合わないものだと詠まれていることからすると、前で襟を合わせて留める方式の衣装をこう呼んでいたらしい。

貴族は沓《くつ》をはいていたが、庶民が沓をはく場合は少なかっただろう。三三九九番（東歌《あずまうた》）で、防人《さきもり》として派遣されるために信濃路《しなのじ》を歩いていく夫に対して、妻は、新しく切り開いた道だから足を踏み抜かないように沓をおはきなさいとうたう。日常は裸足《はだし》の場合が多かったのであろう。

万葉びとの食べ物

当時の食事は一日に朝夕の二回が基本である。この間にとる食事を当時「間食《かんしょく》」と呼んでいて昼食にあたるが、もともと厳しい労働に携わる者への支給として始まったものであった。庶民の一回の食事は、主食と一汁一菜程度であっただろう。

日常の食事では、主食として、米のほか大麦・小麦、さらには粟《あわ》・稗《ひえ》・黍《きび》・蕎麦《そば》などの雑穀を混ぜ食べていたとみられる。米は粳米《うるちまい》、糯米《もちごめ》、赤米《あかごめ》といった種類があり、貴族たちは白米を食べていたが、庶民は「黒米《くろごめ》」と呼ばれた玄米《げんまい》を食べていたのだろう。弥生《やよい》時代以降の遺跡で甑《こしき》が出土することから、土器の上に載せた甑に米を入れて蒸して食べたと考えられているが、畿内周辺の八世紀頃の遺跡からは甑があまり出土しなくなる。鍋《なべ》で直接炊いて飯にしたり、粥《かゆ》や饘《せん》（あめ、かたかゆ）の状態で食べていたようである。

麦は凶作に備えるための穀物として、栽培が奨励されていた。しかし、馬の飼料として青刈りされることもあったらしく、政府は天平勝宝《てんぴょうしょうほう》三年（七五一）に青刈りを禁じている。小麦は、現在のうどんのような索餅《さくべい》（むぎなわ）などに加工したり、麦形《むぎかた》という菓子類の材料ともなった。

野菜の類としては、蕪《かぶら》・萵苣《ちしゃ》・芹《せり》・薊《あざみ》・蕗《ふき》・葵《あおい》・水葱《なぎ》・茄子《なす》・瓜《うり》・黄瓜《きうり》・芋《さといも》・大根《だいこん》などが食べられているが、海藻《かいそう》類も食べられていた。海藻《め》（軍布とも書く、ワカメの類）・滑海藻《あらめ》・小菜《いぎす》・海松《みる》などを食べたことが知られている。もちろん海藻は、海沿いの土地か、都のように各地から産物が集まる場所でしか食べられなかっただろう。果物では、李《すもも》・桃・梅・枇杷《びわ》・梨《なし》・柿《かき》・棗《なつめ》・あけび・橘《みかん》など、木の実では、栗《くり》・椎《しい》・榧《かや》・櫟《くぬぎ》・胡桃《くるみ》などが食用にされている。『万葉集』八〇二番「子等《こら》を思ふ歌」の「瓜食《うりは》めば　子ども思ほゆ　栗食めば　まして偲《しぬ》はゆ…」という歌からは、子供のおやつとして、瓜や栗が食べられていたことがわかる。

魚介類では、堅魚《かつお》・鯛《たい》・佐米《さめ》・鰯《いわし》・須須岐《すずき》・鯖《さば》・阿遅《あじ》・鮪《まぐろ》・年魚《あゆ》・鮒《ふな》・鰻《うなぎ》・鮭《さけ》・烏賊《いか》・蜛蝫《たこ》・棘甲蠃《うに》・海鼠《こ》・蟹《かに》・水母《くらげ》などを食べたことがわかっている。肉類では鶏《にわとり》・雉《きじ》・鴨《かも》・鶉《うずら》・猪《いのしし》・鹿《しか》・牛・馬・兎《うさぎ》などが食用にされた。いずれも、地域で身近にとれるも

3

◉**下級役人と庶民の食膳**（復元）
貴族の食膳とは違い、下級役人は数品並ぶ程度で（上）、庶民に至ってはご飯と汁物のほかに一品程度だった（下）。

のを食べていただろう。腊《きたい》（丸干し）・鱐（あえつくり）・楚割《すわやり》（素干し）・脯《ほじし》（干し肉）・鮨《すし》といった加工食品にする場合もあった。

調味料として使われたのは、塩・醤《ひしお》（醤油）・末醤《みそ》・豉《くき》（納豆の類）・酢などであり、これらを使って野菜類を漬け物にすることもあった。塩漬・醤漬・末醤漬・酢漬・糟漬《かすづけ》などが知られている。甘みを出す調味料は、蔗糖《しょとう》（さとうきびからとった砂糖）や蜂蜜《はちみつ》が日本に入ってきた痕跡《こんせき》はあるが、貴族でもほとんど手に入らなかった。貴族たちは、地方から貢納された甘葛《あまずら》を使った甘葛煎《あまずらせん》を味わうことができたが、これも庶民には入手しにくい。果物などの自然の食材の甘さのみが、甘みを味わうことのできる機会であった。

このほか、嗜好品《しこうひん》として、氷や牛乳も食用にされた。氷は冬に入手したものを氷室《ひむろ》に入れて上からむしろなどをかけ、できるだけ溶けないようにして保存するが、夏には何分の一というような大きさになってしまっている。長屋王家《ながやおうけ》では氷を定期的に都祁《つげ》氷室（奈良市）から調達したが、庶民は夏に氷など味わえる立場にはなかった。牛乳も贅沢品《ぜいたくひん》であり、飲用にあたっては煮沸し、また加工して蘇《そ》・酪《らく》・醍醐《だいご》という名の乳製品もつくられたが、これも庶民の口に入ることはなかった。

酒は、祀《まつ》りに使うこともあって、各地でつくられていた。浄酒とも書かれる清酒は高級品であり、一般には濁り酒が飲用されていたほか、酒粕《さけかす》を湯で溶いた糟湯酒《かすゆざけ》も飲用されていた。下級官人の酒はもっぱら濁り酒や糟湯酒である。

日常の食器には、曲物《まげもの》容器である笥《け》、土器では坏《つき》（杯）・盤《さら》（佐良）・瓶《かめ》・鉢《はち》などが使われた。食べる際には匙《さじ》や箸《はし》が使われるようになったが、これらが普及する前は、手づかみで食べていたとみられる。七世紀末から八世紀初頭の藤原宮《ふじわらきゅう》跡ではほとんど箸は出土しないが、平城宮《へいじょうきゅう》跡からは見つかるようになる。ただし、宮殿の外ではまだそれほど普及していなかったようで、平城京のなかでの出土量は多くはない。これが八世紀末の長岡京《ながおかきょう》では多くみられるようになってくる。八世紀の間に、上流階級から庶民へと箸が普及していったことを物語っているだろう。

近年の発掘調査では、トイレの跡が見つかるようになってきた。トイレ遺構の堆積土《たいせきど》の分析によって、当時の食生活の様相が明らかになる。たとえば、藤原京右京七条一坊で見つかったトイレの跡からは、鰯の骨が出土した。その残り方からすると、軽く火であぶった程度で食べていたことがわかる。また、ブドウ・ナス・シソ・ウリなどの種子も見つかり、これらを食べたあと、種子が消化されずに排泄《はいせつ》されたらしい。さらに、寄生虫の卵も混じっており、回虫・鞭虫《べんちゅう》の卵が見つかることから生野菜・生野草を食べていたことがわかる。肝吸虫《かんきゅうちゅう》・横川吸虫《よこがわきゅうちゅう》の卵が見つかることから、淡水魚を、生か、あるいは完全には火を通さないような状態で食べていたと推測されている。生物《なまもの》の味が好まれていたのかもしれない。

住居と集落

当時の庶民が居住したのは、おおむね竪穴《たてあな》住居であった。竪穴を掘り、柱を立てたあとで屋根をかける方式は、縄文《じょうもん》時代以来、基本的な建築技術は変わっていない。縄文時代には円形の床面をもつ竪穴が主流であったが、この時代には四角い床面が主流になってくる。竪穴の壁ぎわに沿って溝が掘られたものや、壁土が崩れないように土留め材を巡らせたものもあった。

六世紀までは各地で竪穴住居がみられたが、七世紀になると、近畿地方、東海地方や中国地方ではあまりみられなくなってくる。国内におけるいわば先進地帯を中心に、平地をそのまま床面にしたり、地面の上に床を張った平地式の掘立柱《ほつたてばしら》建物による住居が使われていた可能性が高い。

縄文時代の竪穴住居には、各棟に必ず炉の跡があるが、古墳《こふん》時代以降は、炉にかわって竈《かまど》が設けられるようになった。煙を屋外に出すために、竈は竪穴の壁ぎわにつくられ、炊事の場は壁ぎわに固定されるようになった。住居の床面は、一〇〜二〇平方メートルの広さのものが多い。八畳の和室程度の広さと考えればよいだろう。入り口と炊事・貯蔵の場以外のスペースが、寝所ということになる。

六世紀中ごろの群馬県の榛名山《はるなさん》の噴火によって埋没していた黒井峯《くろいみね》遺跡では、降下した軽石《かるいし》層の下から当時の住居の姿が明らかになった。竪穴の深さは一メートルほどあり、掘り上げた土を竪穴のまわりに積んで

4

いる。屋根は寄せ棟の形をとっており、地表面に向かって葺《ふ》いた垂木《たるき》を骨組みにして、その上に茅《かや》を敷き、その上に土を載せて、さらに茅で表面を覆っていた。

通常は、竪穴の深さは数十センチメートル程度である。竪穴が浅ければ、壁を立てなければ屋内の空間が狭くなってしまうため、竪穴住居のなかには、壁を地表面より高くするために板を巡らしたものもつくられるようになってきた可能性がある。

七世紀以降の東国の集落では、このような竪穴住居が五～六棟ほど、まとまって分布していることが多い。そして、こうした五～六棟ほどのグループがさらにいくつか集まって、集落が形成されている。集落のなかには、住居を建てないで維持している広場のような空間があり、集落全体で共有する作業場のように使われていたのだろう。

そして八世紀になると、集落のなかの一区画に掘立柱建物が建てられるようになってくる。村の有力者が掘立柱建物を建てるようになってきたのであろう。こうした掘立柱建物の付近からは、帯飾りや硯《すずり》など、役人的存在をうかがわせるものが出土することも多く、村の有力者は、国家の末端とつながりをもつようになってきていたのである。

◉竪穴住居
長野県塩尻《しおじり》市平出《ひらいで》遺跡の復元された九世紀の竪穴住居外観（右）と内部（中）。竪穴の周囲に壁を立て、屋根が葺かれ、壁ぎわに造りつけの竈がある。左は木工台《ぼっくだい》遺跡（茨城県行方《なめがた》市）の竪穴住居跡。発掘によって土器や道具類が住居内部から見つかった様子。

子供と社会

子供の誕生

人が誕生するお産に関して、見てはならないという禁忌があったようである。『古事記《こじき》』では、山幸彦《やまさちひこ》の妻の豊玉姫《とよたまひめ》が、お産に際して海辺に産屋《うぶや》を立てて、決してのぞいてはいけないと告げる。産屋は見てはならない禁忌のために建てられたものということができる。妊婦がどこでお産するのかを示す史料は、そう多くはない。諸国の『風土記《ふどき》』や『日本霊異記《にほんりょういき》』では、妊婦の実家であったり、夫婦の同居の場所であったりする。実際には、かなりさまざまなケースがあったと思われる。

子供が生まれた際には、へその緒《お》を切るが、『薩摩国《さつまのくに》風土記』逸文によると、竹で切ることがあったらしい。糸でくくって切ることもあっただろう。当時の風習として、子供が生まれた直後に後産《あとざん》で出る胞衣《えな》（胎盤）を土中に埋めて、その子供の発育を願った。胞衣は、壺《つぼ》に入れて埋められたが、発掘調査でこの

6

◉正倉院に残されている人勝残欠の絵
天平宝字《てんぴょうほうじ》元年（七五七）に献納された人勝《にんしょう》の一部。人勝は、正月七日に色絹や金箔で人や花の形をつくり、長寿や子孫繁栄を願ったもの。

胞衣壺が見つかった事例がある。平城京《へいじょうきょう》跡では薬壺の中に銭五枚と筆・墨が一緒に入れられていた。また秋田城《あきたじょう》跡でも、銭五枚とともに埋められていた。ちなみに、秋田城跡の胞衣壺の中には、胎盤とみられる物質がわずかに残っており、その分析によれば血液型B型の男の子であった。辺境の地で誕生したこの子は、どのような人生を歩んだであろうか。

律令《りつりょう》では、数え年三歳までを緑児《りょくじ》・緑女《りょくじょ》（養老《ようろう》律令では黄《こう》児《じ》・黄女《こうじょ》）、四歳から一六歳までを小児《しょうじ》・小女《しょうじょ》と呼んでいる。また一七歳から二〇歳までは少丁《しょうてい》・少女（養老律令では中男《ちゅうなん》・少女）と呼ばれ、賦課はまだ成人ほどの量ではない。二〇歳までを一応、未成年者と扱うことはできるが、これはあくまで国家にとっての管理上の区分にしかすぎない。実際に社会で通用している区分は別だろう。

当時の人口比率のなかでの子供の割合は、現在に残っている当時の戸籍や計帳《けいちょう》などから計算してみると、八世紀前半には、二〇歳以下の人口が四一・三〜五八パーセントとなる。すなわち、人口のおよそ半分は子供であった。村へ行けば、現代社会

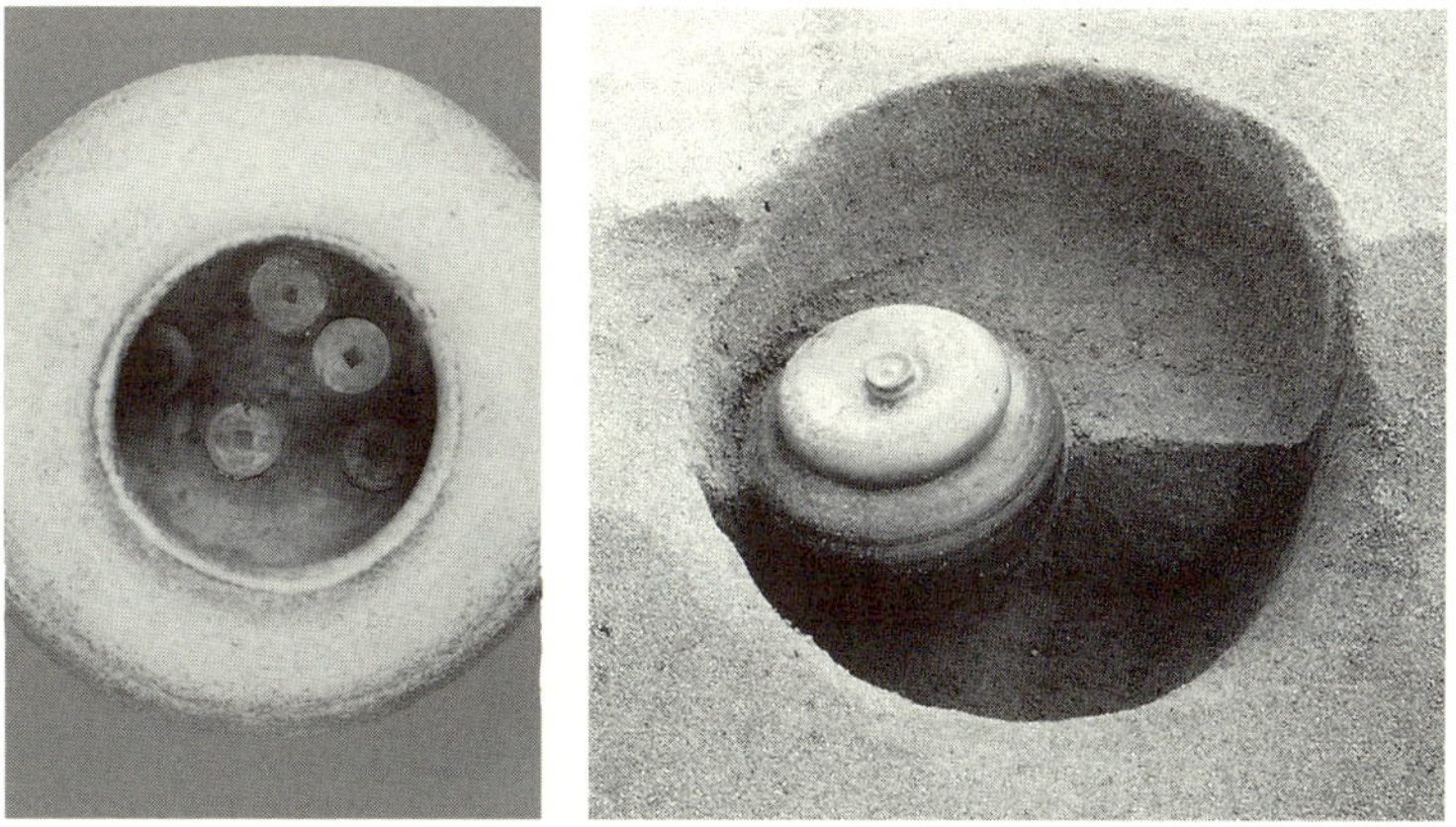

7

◉秋田城跡から出土した胞衣壺
胞衣壺には、当時の薬壺と同じ形の土器が使われている。平城京跡でも、和同開珎《わどうかいちん》と筆・墨を入れた胞衣壺が見つかっている。

よりもはるかに子供の姿が目についただろう。ただし、このような比率であるということは、成人するまでに亡くなる子供の割合も多いということである。

犠牲にされる子供

子供は社会的な弱者でもあった。天武《てんむ》天皇五年（六七六）には、下野国《しもつけのくに》で凶作による飢饉《ききん》のために、子供を売ろうとする者がいるという報告があった。政府はこの売買を許さなかったが、ともすると、こうした人身売買の対象となる可能性がつねにあったのである。

また、生活に苦しむ下級官人《かんじん》の家では、つぎのような話もあった。

「漆部司《ぬりべのつかさ》の令史《れいし》（主典《さかん》）である従《じゅ》八位上の丈部路忌寸石勝《はせつかべのみちのいみきいわかつ》と直丁《じきてい》の秦犬麻呂《はたのいぬまろ》が、漆部司の漆《うるし》を盗んだ罪で、流罪の判決を下された。このとき、石勝の息子の一二歳の祖父麻呂《おおじまろ》、九歳の安頭麻呂《あずまろ》、七歳の乙麻呂《おとまろ》がそろって言うには、『父の石勝は、私たちを養うために司の漆を盗みました。そしてその犯した罪によって遠方に配役《はいえき》されようとしています。私たちは、父の情を慰めるために死を覚悟して申し上げます。兄弟三人の身柄を没収して官奴《かんぬ》（国家所有の奴隷）とし、父の犯した重罪を贖《あがな》っていただくことをお願いいたします』。これに対して、天皇が詔して言うには、『人間が五常《ごじょう》という儒教の徳目を考えるなかでは、仁義が重いとされ、士として行動をわきまえたものなら、さまざまな行ないのなかでは孝敬《こうけい》がまず第一とされる。今、祖父麻呂たちは、自分たちの身を国家に差し出して奴となり、父の犯した罪を贖って、骨肉の情を明らかにしようとしている。道理からみて、憐《あわ》れむべきことであろう。その願い出を聞き入れて官奴とし、それによって父である石勝の罪を免しなさい。ただし、犬麻呂は刑部省《ぎょうぶしょう》の判決のままに配流の場所に送りなさい』とのことであった」（『続日本紀《しょくにほんぎ》』養老《ようろう》四年〔七二〇〕六月）

政府は孝行息子たちの願いを聞き届けて、願いのとおりに三人の兄弟を官奴とし、それと引き換えに父の罪を免除したのであった。長男は数え年一二歳であるから、現在なら小学校五年生ぐらいであり、たしかに美談ではある。儒教で尊重される孝の考え方を実践したといえば聞こえはいいが、しかし、これではまるくはおさまらないだろう。

官奴とされた三兄弟は、一か月たたないうちに、奴隷の身分から解放されて良民に戻っている。いささか過度な演出のようにもみえるが、当時は、親に孝養を尽くす「孝子《こうし》」が奨励された。和銅《わどう》七年（七一四）一一月には孝子三人が褒賞を受けたこともある。こうした措置は、強制的な「孝」の思想の押しつけでもあるのだが、政府にとっては、こうしたことも律令《りつりょう》制秩序の維持に必要な要素として考えられていたのである。

社会に生きる子供

子供は、社会の一員として、役目を与えられ働いていた。神楽歌《かぐらうた》には「あげまきを早稲田《わさだ》に遣《や》りて」とあり、まだ成人していないあげまき髪の少年も田仕事に動員されていたことがわかる。草刈りも子供の仕事であった。「草刈る小子《わらわ》」（『万葉集《まんようしゅう》』一二九一番）は、農村の日常的な風景である。このほか、『日本霊異記《にほんりょういき》』には牛飼いとして子供が登場し、これも子供の労働であった。平安《へいあん》時代になると童形《どうぎょう》の髪型をした「牛飼《うしか》い童《わらわ》」という大人が登場してくるが、もともと牛飼いが童の仕事であったことから、大人がつとめる場合にそのような髪型でなければならなかったのであろう。

子供は、その成長に応じて、違った姿をするように求められる。年齢に応じて儀礼があり、その年齢になると髪型や服装を変えて、年上の集団に迎え入れられるようになる。たとえば、三歳から七歳ほどの子供にはじめて袴《はかま》をつける「着袴《ちゃっこ》」の儀礼は、ひとりで歩けるようになった者に袴をつけるという意味合いがある。また、ある年齢を超えると髪型を切髪《きりかみ》から結髪《けっぱつ》に変えて若者集団の仲間入りをする。八歳ではまだ切髪であったらしいが、一〇歳に至るころには結髪にしたのだろう。

若者組《わかものぐみ》ともいえる同年齢階層の集団が社会にはあり、その集団独自の秩序があった。たとえば、『日本霊異記』には、若い女性たちが水汲《みずく》み労働をしている場面が描かれており、村のなかで同性の同年齢集団には、同じ労働が任されていて、その労働の場もひとつの秩序を形成していた。

村社会における成人儀礼についてはよくわかっていないが、貴族社会の事例はわりあい把握されているので、簡単に紹介しておきたい。男性は一〇代前半の年齢で行なわれる「元服《げんぷく》」という成人儀礼ではじめて冠を加え、髪型や服装も改めることになる。女性の場合は、はじめて裳《も》をつける「裳着《もぎ》」がこれにあたり、一二～一四歳ごろに行なわれた。

古代の名前

名前をつける

『古事記《こじき》』の垂仁《すいにん》天皇の段に「凡《おお》そ子の名は、必ず母の名《なづ》くるに、…」と述べられているが、実際には誰が名付ける習慣であったのかはわからない。奈良時代の戸籍に見える名前を眺めていると、いろいろと興味深いことに気づく。

たとえば、養老《ようろう》五年（七二一）の下総国葛飾郡《しもうさのくにかつしか》大島《おおしま》郷の戸籍には、与理売《よりめ》のつぎの子が古与理売《こよりめ》、そのつぎの子が真与理売《まよりめ》、さらにそのつぎの子が若与理売《わかよりめ》、といった名前が見える。二人目以降には「古」や「真」や「若」をつけただけというような兄弟は多い。それと、動物にちなむ名前が多いのも、この時代の特徴であろうか。第四章で述べたように、戸籍や計帳《けいちょう》の作成にあたって、実際には役人が戸ごとに調査してまわったと考えられるが、名前を書き上げていく際に、役人が便宜上、名前をつけてしまった可能性はある。動物にちなむ名前は、生まれた年の干支《えと》によってつけたとも考えられるが、必ずしも生まれた年の干支と一致しない例もある。あるいは、それぞれの動物のイメージを、その子の理想的な姿として名前に託したのであろうか。

なかには、とんでもない名前をつけられてしまった者もいる。大宝《たいほう》二年（七〇二）の御野《みの》国味蜂間《あはちま》郡春部《かすがべ》里の戸籍には、「阿弥多《あみだ》」と「无量寿《むりょうじゅ》」の兄弟が見える。親がよほど仏教に関心があるのか、それとも役人が戸籍に名前を記録する際にふざけたのであろうか。神護《じんご》景雲《けいうん》二年（七六八）には、政府が「仏菩薩《ぼさつ》」と「聖賢之号」を名前に用いてはならないという命令を出して、仏にかかわるような名前を禁止した。「阿弥多」や「无量寿」は、こうした名前の事例として変更させられただろう。

当時は男性には「〇〇まろ」、女性には「〇〇め」という名前が多い。「まろ」は「麻呂」「万呂」「萬侶」などと書かれ、「め」も「売」「女」「咩」など、いく通りかの用字があるが、どれでも通用する。音が合っていればどんな漢字でもよく、読み方が定まっているだけで、表記は自由であった。

「麻呂」は八世紀の前半までは、「麻呂」と二文字に分けて書いていたが、よく使われたために、八世紀末ごろには一文字で「麿」と書かれることが多くなる。また、平安《へいあん》時代になると「丸」と書かれることが多くなり、中世には男性名として「〇〇丸」という書き方のほうが定着する。「牛若丸《うしわかまる》」は、平安時代の終わりの人物であったからそういう名前なのであって、彼が奈良時代に生きていたとし

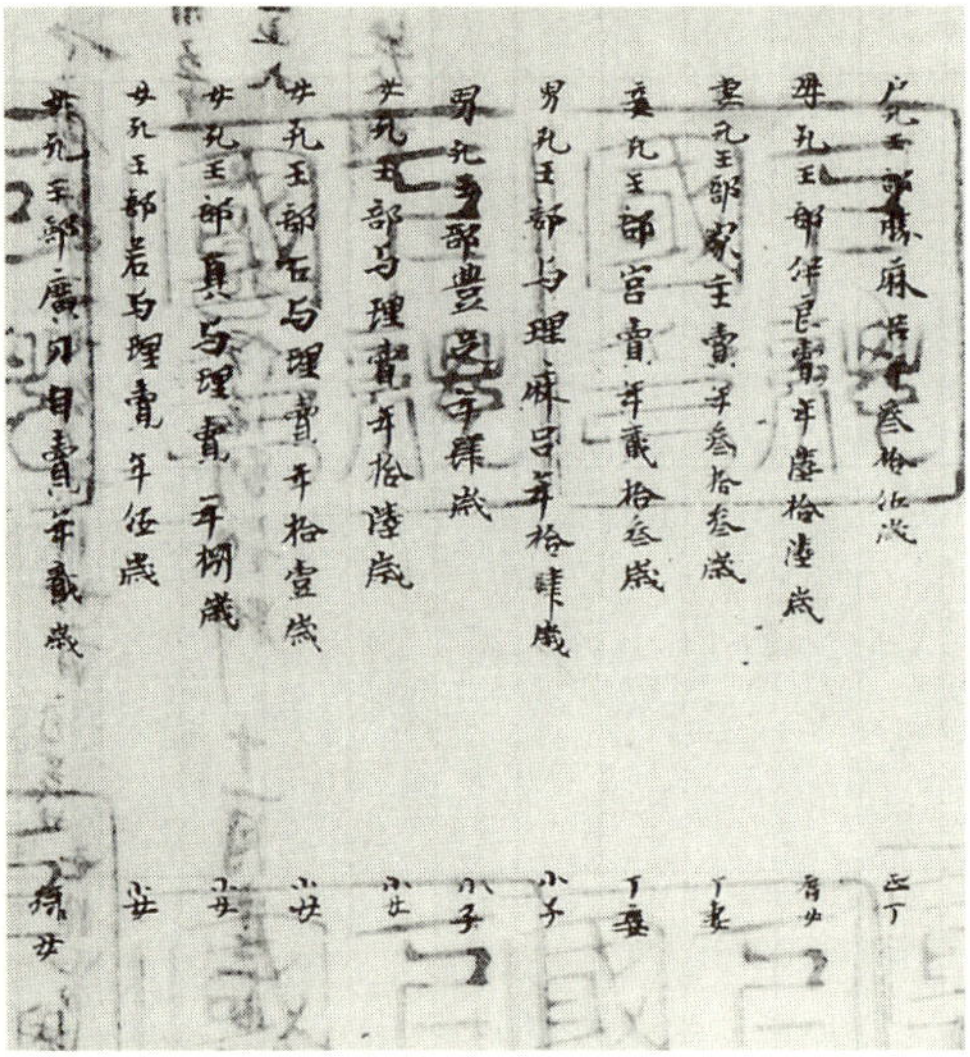

8

◉戸籍に見える名前
養老五年下総国葛飾郡大島郷戸籍に見える孔王部勝麻呂《あなほべのかつまろ》の家族たち。勝麻呂の娘の四姉妹に一六歳の「与理売」、一一歳の「古与理売」、八歳の「真与理売」、五歳の「若与理売」が見える。

たら「牛若麻呂」であったかもしれない。

生活のなかの略称

名前を呼ぶときに、かしこまった場では正式名で呼ばねばならないだろうが、日常生活で家族や友達が呼ぶ際には、愛称や略称で呼ぶことが多い。じつは、八世紀末にもそのような略称のあったことがわかってきた。長岡京《ながおかきょう》跡で、つぎのような告知札と呼ばれる種類の木簡《もっかん》が見つかっている。

謹告知往還上中下尊等御中迷□少子事　右件少子以今月十日自勢多□
錦□〔織カ〕□麻呂 年十一 字名者錦本云音也
皇后宮舎人字名村太之□〔家カ〕□□

（謹んで往還の皆様へ迷子の少子の事を告知いたします。錦□〔織カ〕□麻呂、年一一、字名《あざな》は「錦本」という音です。右の少子は、今月一〇日に勢多の……から……）

9

◉迷子捜索願
長岡京跡出土の告知札。行方不明の人や馬を探す際に、往来の人々に立て札で問うことがあった。近《おう》江国《みのくに》の勢多《せた》付近で行方不明になったこの子はどうなっただろうか。

迷子を捜してほしい旨を、往来の人々に知らせており、迷子になった子供の名前の部分は、木簡が傷んでいて文字が判読しにくいが、おそらく「錦織本麻呂」だろう。日常での呼び名が、姓の最初の一文字と、名の最初の一文字をとって「字名は錦本」と書かれており、この「字名」が略称を指すらしい。それにしても、「錦本」と漢字で書かれても、「にしきもと」なのか、「にしもと」なのか、あるいは全部音読みで「きんぽん」なのか。私たちには、この一点の木簡だけではどう発音するのかすらわからない。当時はこう書くだけで、当たり前に発音できたのだろう。

このような表記としては、私印《しいん》の文字も共通している。全国で多くの私印が見つかっているが、そのなかに「〇〇私印」という四文字のものがある。たとえば、丈部《はせつかべ》氏が分布していた地域である福島県岩瀬《いわせ》郡天栄《てんえい》村の志古山《しこやま》遺跡で見つかった私印は、「丈龍私印」という四文字であり、高志《こし》氏の分布した新潟県上越《じょうえつ》市の江向《えむかい》遺跡のものは、「高有私印」といった具合である。

姓の一文字を使うのは、同姓どうしが集まる一族のなかでは意味がないので、他姓の者が交じる場面での呼び方であったと考えられる。今でいうなら、学校や職場での呼び方が近いだろう。この略称にあたる字名だが、今のところ、どう発音するのかは不明である。新たな木簡などの発見によって、手がかりがつかめるようになることが期待される。

姓のある者とない者

当時の名前の構造は、たとえば、藤原朝臣不比等《ふじわらのあそんふひと》という人名の場合、「藤原」というのが氏族の名前で、その氏族全体が朝廷からどのような位置づけを与えられているかを表わすのが「朝臣」という姓《かばね》である。彼の一族は、朝廷から「朝臣」という位置づけを与えられた「藤原朝臣」ということになる。その一族のなかの個人として「不比等」という名をもっているのである。

一族の名称をウヂナ（氏の名）というが、これと、そのウヂ（氏）が朝廷から与えられている姓の名称であるカバネナ（姓の名）とは、いずれも天皇から与えられるものである。天皇から、このように名のることを許すとして与えられたのが、一族の名称なのである。このような関係になっているので、天皇にはウヂナもカバネナもない。天皇はこれらを与える側の存在であり、無姓で個人名をもっているだけなのである。

ウヂナとカバネナをもっていない存在がまだある。それは奴婢《ぬひ》である。奴婢は、売買可能な所有される財産として扱われた。ウヂナとカバネナのある良民は、氏族を構成し、社会のなかで氏族集団として位置づけを与えられているが、奴婢は氏族集団に所属して社会的位置づけを与えられることが許されていないのである。日本古代の賤民《せんみん》は、氏族集団の一員として社会に参加する道を与えられていない点が、もっとも大きな差別といえるかもしれない。

天皇と奴婢を除いた人々は、みな氏姓をもっていた。姓をもつあらゆる人々を指す語が「百姓《ひやくしよう／ひやくせい》」である。天皇と奴婢以外のあらゆる人々という意味で理解しておかなければならない。江戸時代のように百姓といえば農民を指すというような使われ方は、まだなされていない時代である。政府が書いた文章には頻繁に「百姓」が出てくるのだが、ただたんに「人々」と解するのが無難だろう。

負担と労働

人々への負担

律令制《りつりょうせい》で定められた人々への賦課は、租《そ》・調《ちょう》・庸《よう》・雑徭《ぞうよう》である。租は、口分田《くぶんでん》を与えられるかわりに田地の広さに応じて徴収されるもので、収穫高の約三〜五パーセントに相当する額である。調は地方の特産物を納め、納められた物品は国ごとにまとめられて京へ送られ、中央官司《かんし》で使われたり、官人《かんじん》の禄《ろく》にあてられたりする。庸は年一〇日間の労働のかわりに、その労働量で生産できる相当量の布や米を納める。これも京に送られて、中央で必要としている雇役労働の代価として使われる。雑徭は年間六〇日の労働であり、地方の官衙《かんが》（官庁）での役務や、土木工事などの労働に動員される。租以外はいずれも成人男子にかかる負担であった。

調・庸を京まで運ぶ担当である運脚《うんきゃく》も、人々のなかから選び出される。大量の物品を都に送り届けるのは、ただ歩いて上京するのとは違い、重労働であった。無事送り届けたあとも、帰郷の際に病気になったり、食料が尽きたりする恐れもある。とくに遠

10

◉**調の絁《あしぎぬ》（絹織物）に記された墨書銘**
調として納められた布などの織物製品には、荷札木簡に書かれるような国名などの情報が、納められる製品に直接記される。

方の諸国にとっては大きな負担である。労働に駆り出されるものとしては、このほか、第四章で触れた仕丁《しちょう》がある。成人男子のなかから選ばれて都での下働きに駆り出されるのだが、本人だけでなく、家族にとっても働き手をとられることは大きな負担であった。このようにみていくと、租は比較的軽い負担であったが、人々に重くのしかかるのは、調・庸とその運脚、さらには雑徭と仕丁などの動員であった。

さらに、これに輪をかけて負担となるのが公出挙《くすいこ》である。春に種籾《たねもみ》となる稲を借りて、秋の収穫時に利息をつけて返却する制度だが、稲は基本的に国家が管理しており、誰でも春には借りるというのが実情であった。実質的には、国家による強制貸し付けとして機能していたのである。出挙によって得られた収穫稲が諸国の財源となり、毎年の行政活動のための経費となる。出挙の利息の額内に毎年の支出を抑えておけば、国の財政が目減りすることはない。国家財政は、人々が稲を毎年借り受けることを前提として成り立っていたのである。

この出挙の負担も、軽くはない。八世紀当初は五割の利率であった。順調に収穫までたどり着いてくれれば、心配するほどのことはないが、凶作となった場合には、返済額の負担が重くのしかかる。また、出挙を管理している郡司《ぐんじ》は私出挙《しすいこ》も運営していたと考えられ、人々に貸し付ける際に、公出挙と私出挙とが混然一体となって貸し付けられたこともあっただろう。農作業のうえで借りる時期は同じであり、帳簿管理のうえで分けられていれば問題はなかったのである。私出挙には担保をとる場合があり、返済できずに宅地や家、さらには田地をとられてしまう者も出ていた。

大量生産される調・庸物品

調《ちよう》や庸《よう》として納める物品は、制度上は個人に割り当てられ、個人の責任で納入すべきものであった。しかし、その実態はかなり異なっていたことが明らかになってきた。

調として塩を納入する場合は、個人が自分の納入するぶんの塩を細々と生産してから納めたのではなく、一度に多くの労働力を集めて大量に塩を生産し、そのなかから割り当てとなる個人のぶんを出すのである。こうした集約的なやり方が生産の実態であり、納入が義務づけられている個々人のぶんは、大量生産した品物を使って、個人が提出したかのように荷札をつけていくのだろう。要は都に必要な物資が届き、個々人の負担分が規定どおり納入されていればよいのである。

魚介類の貢納の場合も同じような集約労働が想定される。伊豆国《いずのくに》からは堅魚《かつお》が調として貢納されるが、堅魚は回遊魚であり、獲《と》れる時期が決まっている。漁獲の時期に大量にとり、その場で一気に加工してしまうのである。都には鮮魚のままでは運べないために、煮たり鰹節《かつおぶし》にしたりして運ぶのだが、堅魚煎汁《いろり》という鰹のだし汁も、調の物品として納入された。その時期には伊豆国内のいくつかの浜で、多くの人々が一度に動員されたであろう。

生産量は必要な最小限の分量だけにとどめるというわけにはいかないため、塩の生産でも、鰹の加工でも、余剰生産分が出ることが予想される。個人が自分の責任で別々に物品を納入していれば、そのようなことは起こらないのだが、集約的な大量生産を行なった結果、これらの余剰生産物の行方が問題になるだろう。じつは、これらの集約労働を指揮しているのが、郡司《ぐんじ》などの地方豪族であり、おそらく彼らが余剰生産物を手に入れていたのであろう。それらの品物は特産物として、おそらく他地域との交易に使われ、そして交易によって得た実利は、地方豪族をますます経済的に豊かにしていくことになる。このように、中央への貢納品生産労働を通して、地方豪族が利潤を得ていく構造ができあがっていたと考えられる。

課された舂米労働

米は精米してしまうと保存が難しくなるので、通常は籾殻《もみがら》のついたままの状態で保存する。これを食用にするためには、臼《うす》に入れた籾を杵《きね》で搗《つ》いて脱穀するのだが、この作業を舂米《しようまい》といい、かなりの労働量を必要とする。こうして脱穀のすんだ米も舂米と呼ばれ、炊飯に提供できるようになる。

中央官司《かんし》では多くの官人《かんじん》が働いているが、彼らの食料となる米を確保するために、政府は都に比較的近い諸国から、舂米の形にして納入させることにした。ただ米を運搬すればよいというのではない。舂米労働のおまけつきであり、このおまけがかなりの負担なのである。中央官人の食料供給のための必要労働を地方で肩代わりして、すぐに使える米をもってこいというのであるから、高圧的な命令である。舂米労働をさせるということが、国家の権威を示すことでもあった。

滋賀県野洲《やす》市の西河原森ノ内《にしがわらもりのうち》遺跡では、籾殻が大量に堆積《たいせき》した跡が見つかっている。すなわち、ここで大量の脱穀作業が行なわれたことにほかならない。この遺跡は琵琶湖に面していて、琵琶湖を通って多くの物資が集散された場所とみられる。七世紀から八世紀に豪族が活動した痕跡《こんせき》を示す木簡《もっかん》も見つかっている。

琵琶湖の水運は、北陸地方からの物資運搬でも利用された。北陸方面から都へ物資を運ぶには、越前《えちぜん》から山を越えて琵琶湖北岸に出て、船を使って琵琶湖南岸まで運ぶ。西河原森ノ内遺跡は琵琶湖南岸にあたっており、都に運ぶ際の中継場所として、交易の拠点となったことも考えられる。すぐ近くの西河原宮ノ《みやの》内《うち》遺跡では倉の跡が見つかっており、周辺の豪族たちが倉を設置して、交易用の稲を用意していたのだろう。

大量の籾殻は、ここでの食料のための脱穀とは考えにくい。この場所に運び込まれた籾を、つぎの用途にまわすために、ここで舂米作業が行なわれたことを物語っている。人々を駆り出して、こうした労働を行なわせうる力をもった豪族が、ここを管理し、流通を押さえていたのであろう。自分が食べるためではない交易のための舂米労働にも、人々は動員されていたのであった。

逃亡と浮浪

人々に対する賦課の結果、負担に耐えられなくなった者は、その地から逃げ出す。逃げていなく

11

12

◉古代に使われた臼と竪杵
脱穀には臼《うす》（右）と杵《きね》（左）が用いられた。籾を入れて杵で搗き、籾殻と中身の米に分離させる。（右／奈良県宇陀《うだ》市谷遺跡・左／福島県いわき市根岸遺跡出土）

なってしまった地では、彼らを「逃亡」した者と呼び、逃げてほかの地で生活している者を、逃げた先の地では「浮浪《ふろう》」の者と呼んでいる。つまり、「逃亡」と「浮浪」は表裏一体の関係にある。

当初、政府は逃亡した者が浮浪人として見つかると、もとの地に戻すことを徹底しようとした。戸籍に登録された地で、律令《りつりょう》規定どおりの負担を果たさせることが、国家にとって大切な大原則だと認識していたのである。しかし、逃亡・浮浪が各地で頻発することによって、この大原則を維持できる状況をはるかに超えた事態に至ってしまう。数人の者を連れ戻すといった規模ではおさまらなくなってしまった。

八世紀のうちに紆余曲折《うよきょくせつ》はあるが、九世紀には、浮浪人を、浮浪している現地で掌握し、それに賦課をかけるかたちで、なんとかして国家の収入に貢献するように落ちついていくのである。逃亡じたいを完全には否定できなくなったことで、戸籍に登録することの厳格さは失われていく。もはや国家は自分の手で戸籍制度崩壊の糸口をつくってしまったのであった。

浮浪人は各地の大規模庄園《しょうえん》の労働者として吸収されていったり、東北地方の城柵《じょうさく》支配下に定着し、移民として城柵経営に協力したりする場合があった。国家のさまざまな場面で、こうした存在が肯定され、必要とされるように評価が変わっていったのである。律令制の導入を契機として、その負担から逃れるかたちで、人々が広域に移動するようになった時代ということもできる。

一年の過ごし方

奈良時代の集落では、季節ごとにどのようなことが行なわれていたのだろうか。ここでは、一年間を通して、人々が何を、どのような手順でこなしながら過ごしていたのか、概観してみることにしたい。

農事と季節の把握

律令制《りつりょうせい》では、人々に口分田《くぶんでん》を与え、稲作農業をさせることを前提として、さまざまな期日を設定している。一年間の体系的な日程がわかるのは、こうした農事を中心とした生活の場合である。もちろん、海の民や山の民には、それぞれまた違った一年間のサイクルがあるのだが、なかなか復元しにくい部分も多い。ここでは農村の一年間を扱うことにする。

農事に季節の把握が重要なのは、今も昔も変わらない。作物は、もっとも条件のよい時期を選んで、世話をしていかなければ最良・最大の収穫を得ることができない。暦を掌握し、時節に応じた作業が、毎年続けられていく。しかし、大部分の人々は、具注暦《ぐちゅうれき》を見ながら作業の進め方を判断しているわけではないだろう。官僚機構の末端に位置する豪族たちであれば、暦が入手できたかもしれないが、暦が普及するよりも前の時代からやってきた方法を、経験的に把握しながら、毎年の作業が行なわれていた部分のほうが多かっただろう。

もちろん暦は旧暦である。現在の太陽暦とは一か月ほどずれていると考えたほうがよい。梅雨《つゆ》は五月雨《さみだれ》、中秋の名月は八月一五日である。そのずれを頭に入れて、一年の始まりである春からみていくことにしたい。

春

一年の始まりは正月だが、一年間過ごしていくうえで中心となる農作業は二月頃から始まる。六年に一度行なわれる、口分《くぶん》田《でん》の登録替えによる再分配も、その年の農作業の開始にまにあわせることから、二月までに終えることを義務づけている。

農耕の開始の時期に行なわれるのが、春時祭田《しゅんじさいでん》である。この年の豊作を祈り、種籾《たねもみ》を受け取る行事で、酒と食事を用意し、村じゅうが集まって飲食をともにする。この場で国家の法が説明されることもあった。越前国足羽郡司《えちぜんのくにあすはぐんじ》の大領《たいりょう》であった生江東人《いくえのあずまひと》は、東大寺《とうだいじ》の庄園《しょうえん》経営の現地管理を任されていたが、天平神護《てんぴょうじんご》二年（七六六）の春の祭礼のときに酔いつぶれてしまい、東大寺から派遣されていた担当の僧侶《そうりょ》のもとへ出向くことができ

13

◉農耕の開始を告げる春時祭田
春時祭田の様子を復元したもの。村で神聖視された木を祭った前の広場で宴が行なわれ、老若男女がそろって楽しんでいる。写真左上には、神木への供え物が見える。

なかったという。ほんとうに酔いつぶれていたのかどうかはわからないが、地元の豪族にとっては、一年のうちでも大事な行事であり、職務上の目上にあたる東大寺の僧侶からの呼び出しであっても、村の祭礼に出るほうが優先されるべきものだったのかもしれない。

春の農作業開始の前には、歌垣《うたがき》もあった。詳しくはあとで触れることにするが、桜の花咲く盛りに、人々が集まってきて歌舞飲食する楽しみであった。歌垣も、その地の山の神のもとで豊作を祈って祝杯をあげる性格をもっていた。人々は野に出て、冬が終わり新しい年になったことを花の盛りとともに喜び、いよいよ始まる農作業にのぞんでいくのである。

農作の開始にあたって、春二月から三月にかけて、出挙《すいこ》が行なわれる。国司《こくし》の官人《かんじん》のなかから担当者が国内を巡回して、郡ごとの倉の開封に立ち会い、稲を倉から出して人々に貸し付ける。各地で見つかっている木簡《もっかん》などによると、一〇束単位の倍数で貸し付けており、一〇束借りる者もいれば、四〇束借りる者もいた。男も女も借り受けていき、種まきに備えたのである。

これと並行して、田づくりも開始される。男の仕事として田打《たう》ちが行なわれた。田打ちは田植えの前に田地《でんち》を耕し直す田起こしの作業であり、力仕事であった。木製の柄《え》の先に鉄製の鍬《くわ》先や鋤《すき》先をつけて、冬の間ほうっておかれて固まった土を掘り返していくのである。

奈良時代には、種籾を田地に直接まく直播《じかま》きと、苗代《なわしろ》にまいて育ててから、田地に植え直す田植えと、両方の場合がみられた。品種にもよるのだろうが、直播きで育てている田があったことは、『万葉集《まんようしゅう》』などからもうかがわれる。田植え用に苗を育てる場合には、苗代に草を敷き込んで肥料とすることが一般的であったらしい。

春先には、用水路や排水路の整備も行なわれた。越前国の東大寺領栗川庄《くりかわのしょう》では、天平神護《てんぴょうじんご》二年に幅一・三メートルで深さ一・二メートルの溝を、長さ一・八キロメートルにわたって開削するために、のべ三〇六人が動員された。計画に伴う労賃の出費の計算が三月一八日に提出されており、三月の作業であったことがわかる。特別な大規模工事に出て、一日あたりで一人六メートルを掘れば、食事のほかに労賃として稲一束がもらえることになっている。しかし、自分の田の用水整備も並行して行なわなければならず、事業に駆り出された人々は、家の農作が気が気ではなかっただろう。

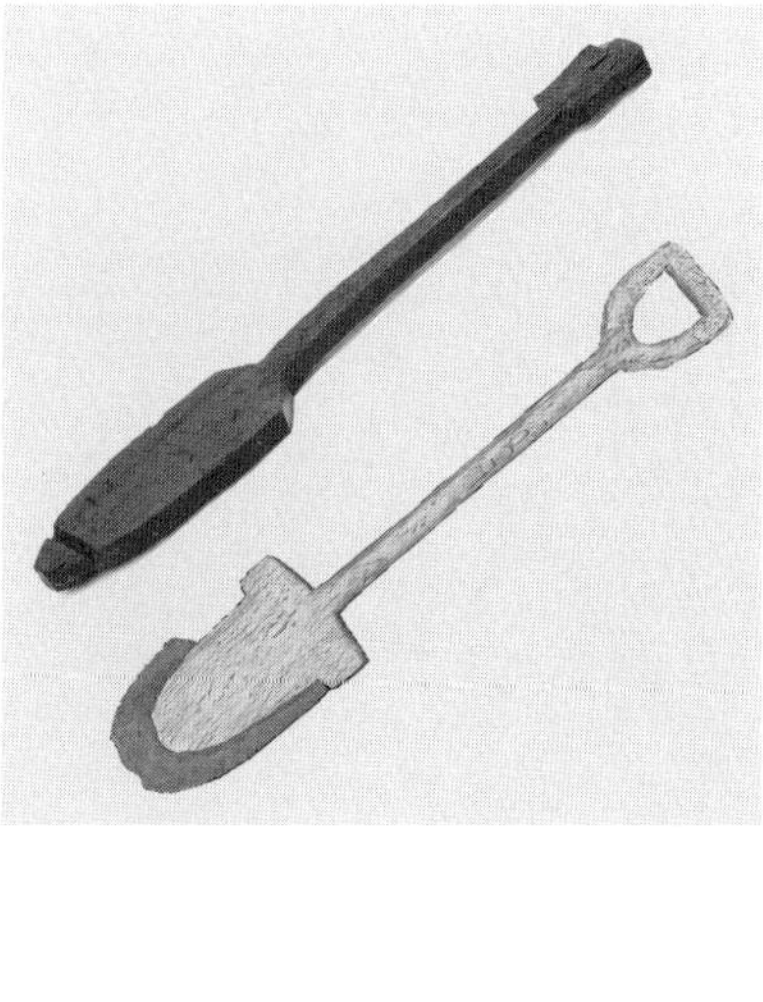
14

◉木製の鋤
上は藤原宮《ふじわらきゅう》跡出土の未完成品、下は平城宮《へいじょうきゅう》跡出土。U字形の鉄製鋤先を木製の柄に付けて使う。鍬も鉄製の鍬先を付けて使われた。鉄器は再鍛造が可能で、柄を取り替えて再利用した。

夏

四月になると種まきが行なわれ、順調ならば苗代で苗が育っていく。この時期に、氏族によっては、祖先の神を祀《まつ》ることがあったようである。都の写経生《しゃきょうせい》たちのなかには、「私神」を祀るためと称して、四月一〇日頃に三日から五日の休暇を申請している者がみられる。田植えを前にした時期に、やはり農作の無事を祈る意味合いがあったのだろうか。

都に近い国々では、舂米《しようまい》の運び出しが始まる。四月の日付が記された白米の荷札が、平城宮跡《へいじようきゆう》や長岡宮跡《ながおかきゆう》で見つかっており、四月に脱穀作業が行なわれたのだろう。

三月の田打ちから五月の田植えに至るまで、田地の整備と田植えの作業などに、多数の労働力が必要となる。人手を集めるためには、公共事業では労賃を高く設定するなどの工夫があっただろうが、私的な労働力集めには酒や肴《さかな》が用意された。延暦《えんりやく》九年（七九〇）に出された太政官符《だいじようかんぷ》では、田の仕事に従事する人々に「魚酒」をご馳走《ちそう》することを禁じ、つぎのような状況が指摘されている。

「『魚酒』を禁じる命令は毎年のように出してきている。しかし、聞き及ぶところによると、このごろ畿内の国司《こくし》は命令の趣旨に従わず、まったく禁制を実施していない。これによって、富裕な人はたくさん『魚酒』を用意して、家の産業を進めやすく、貧乏な人はわずかに粗末な食事が用意できるだけで、おかげで種まきも田植えもうまくいかないことを嘆いている。こういうわけで、貧しい者も富める者も、ともに競って財産をなげうって田仕事をする人々に食事を出しているが、これは人々にとっての弊害で、これよりひどいことはない」

「魚酒」は、今でいえば、酒と肴であり、働き手をもてなす食事である。富裕な者が豪華な酒と肴で労働力をかき集めるおかげで、酒や肴を振る舞えない者のところには働き手が集まらない。労働力確保のために酒や肴を競い合う事態が起き、国家からみれば、人々が不必要に豪勢な酒食に経費を出して家計を傾けているというのである。役人の目からみればおかしな状況ということになるが、人手の確保に血眼《ちまなこ》になっている村の者たちを、そう簡単に責めるわけにもいかない。忙しいこの時期には、あちこちで労働に駆り出され、人々は集めたり集められたりを繰り返したのである。

五月頃には田植えが行なわれる。官人《かんじん》には田仮《でんか》という田植えのための一五日間の休暇が認められており、自分の家の田植えに精を出す。田植えは一族総出なだけでなく、付近から働き手を募って行なわれ、先に述べたような「魚酒」が振る舞われた。

五月には夏の出挙《すいこ》もあった。三月と同じように、国司のなかから担当者がやってきて、郡の倉からの貸し付けに立ち会うのである。五月に借りた稲では田植えにまにあわないので、これは種籾《たねもみ》用ではなく、収穫時までの食料や、それこそ「魚酒」用の費用にするのだろう。

六月になると、田植えも終わってひと息つく間もなく、草取りが始まる。田の管理は今も昔も、夏の間は変わらない。日照りが続くと雨乞《あまご》いをする必要も出てくる。

これと並行して、夏に調《ちょう》を納めることが指定された国では、その物品を整える必要が出てくる。天平《てんぴょう》六年（七三四）の「出雲国計会帳《いずものくにけいかいちょう》」には、八月二日に期限よりも遅れて夏調《かちょう》を出した記録があり、本来ならばもう少し早い時期に送ったらしい。夏調ということなので、六月までに人々から徴収されたものが七月に送られるのだろう。夏調で貢納されたものとして、生糸がある。蚕《かいこ》を飼い繭《まゆ》から糸をとる作業が、稲の管理の合間をぬってあわただしく進められた。

また、計帳の作成のための個々の戸の人口調査も、六月末が締め切りであった。たいていは、戸主が自己申告書を書き上げることができなかっただろうから、役人が巡回して書き上げていくことになる。毎年のことながら、田植えの終わったこの時期に、今度は役人がやってきて、いろいろ家族のことを聞き出されるのであった。逃亡してしまった者がいると、根掘り葉掘り厳しく聞かれることになる。こうして戸口調査を終えて郡ごとにまとめられた文書を、また国司のなかの担当者がそれぞれの郡家《ぐうけ》にやってきて、受け取っていくのである。

秋

暦が七月になると、いよいよ秋である。夏調《かちょう》の糸（生糸）は七月が納入期限なので、とりまとめが行なわれるが、村のほうでも収穫を前にして、稲の番が必要になってくる。鳥に食べられないための工夫としては、引板《ひきいた》がある。いわゆる鳴子《なるこ》の類で、縄で引いて板を鳴らし、鳥を追い払うのである。勝手に板が鳴るわけではないから、誰かが一日じゅう番をしながらときどき縄を引かねばならない。肉体労働というわけではないが、しかし手は離せない。案山子《かかし》のようなものもあったらしい。『古事記《こじき》』には「久延毘古《くえびこ》」や「曾富騰《そほど》」という名で見えている。

稲が実る一方で、秋まきの蕎麦《そば》や麦の準備も必要になってくる。さらには調《ちょう》・庸《よう》の納入も開始され、稲刈り前に塩や布の生産労働に駆り出されることもあったようである。

稲刈りは早い場合には七月から始まった。集落の遺跡から見

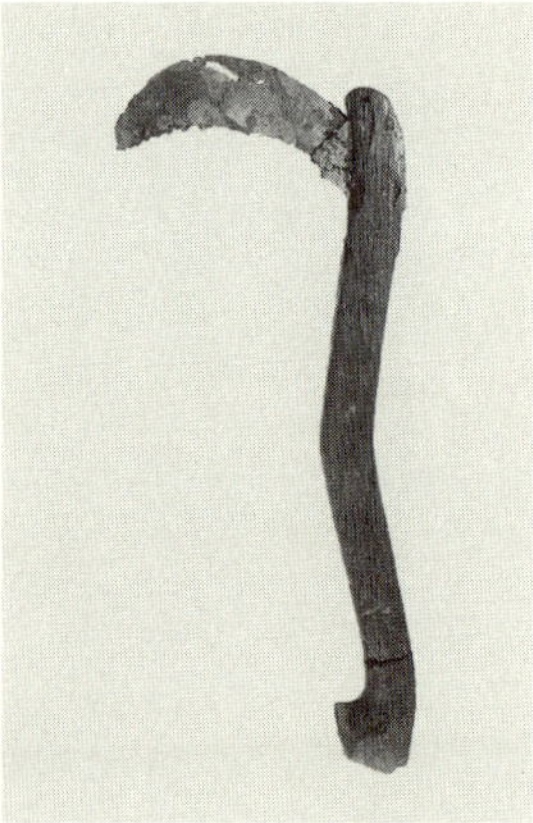

15

●木製の鎌の柄（平城宮跡出土）
鉄製の鎌の刃を木製の柄に取り付けて使う。全国各地の集落跡からも鉄鎌の刃の部分が出土している。鍬先や鋤先と同様に、再利用が可能である。

つかる鉄鎌《てつかま》は、この時期に大活躍する農具である。早稲《わせ》から中稲《なかて》、そして晩稲《おくて》と、品種によって稲刈りの時期がずれるため、村全体では一か月から二か月にわたって稲刈りが続いたであろう。官人《かんじん》の田仮《でんか》は、八月にも稲刈りのために与えられることになっている。稲刈りの時期には、集中して田で労働するために、寝起きのための仮廬《かりいお》がつくられた。自宅から遠くにある田地で、刈り取りや乾燥など数日間の作業を行なうため、田地の近くに泊まり込んだのである。いつも家で過ごしているのと違った光景は、秋の季節感とともに印象深いものであっただろう。『万葉集《まんようしゅう》』にも収穫時の仮廬での様子を詠《よ》んだものがみられる。

秋田刈る　仮廬《かりほ》の宿り　にほふまで　咲ける秋萩《あきはぎ》　見れど飽かぬかも　（二一〇〇番）

秋田刈る　仮廬を作り　我《あ》が居《を》れば　衣手《ころもで》寒く　露そ置きにける　（二一七四番）

収穫を感謝する秋祭りも、春と同じく村総出であった。村の神にはこの年の収穫物を捧げる。これを「初穂《はつほ》」といい、田租《でんそ》はもともと「初穂」として集められた稲が起源だと考えられている。収穫された稲のなかからは、国家に納めるものを提出しなければならない。田租は九月中旬から納入が開始され、一一月末が期限である。同時期に、出挙《すいこ》で借りた稲の返済がある。もちろん利息をつけて返すのだが、なかには、返済にまにあわない者もいたらしい。

茨城県石岡市《いしおかし》の鹿《か》の子《こ》C遺跡で見つかった漆紙文書《うるしがみもんじょ》のなかには、出挙の管理を記した帳簿がある。

そのなかに見える「若桜部尼□女」は、三月と五月に借りた計四〇束を返すにあたって、九月二二日に三〇束は稲で納めたものの、残りのぶんを用意できなかったようで、九月末の二八日に布二段《たん》で代納している。ほかにも九月末に布で代納している者がみられ、出挙を管理している部署への返済の目安は、どうやら九月末だったらしい。

冬

一〇月になると、人々から返済された出挙稲《すいことう》が郡の倉に収納される。またこのときも国司《こくし》の官人《かんじん》がやってきて、倉に運び入れる作業を見届ける。無事に返済が終わったとほっとする間もなく、さまざまな労働負担が待ち受けている。国家は農作の妨げとならないよう、夏の稲作の時期を避けて、稲刈りのあとから田づくりの前までを目安に、人々を労働徴発するようにしている。農閑期とはいうものの、人々がゆっくり休む暇はない。

調《ちょう》や庸《よう》の物品を都に送り出すのは、一〇月からのことである。どの国でもこの時期から始めるので、遠方の国では都にたどり着くと一一月や一二月になっているはずである。都に物品を送り届ける運脚《うんきゃく》の人夫として選ばれると、冬場の長旅が待っている。運脚に選ばれなくても、雑徭《ぞうよう》や雇役《こえき》として土木工事に徴発されることがあった。雇役とは、労賃を払って雇う労働のことであるが、実際には強制的な労働で、雑徭の者には労賃は出ず、雇役には労賃が出たといった程度の違いなのであろう。いずれにせよ、土木工事に駆り出されることは自由に断われるようなものではなかった。

一〇月から一一月にかけては、氏神の祭りを行なっている者もいる。収穫の終わったこの時期に、一年の感謝も込めて、祖先の神を祀《まつ》るのであろう。

田地《でんち》が農作から解放されている時期に、田地の調査や口分田《くぶんでん》の再登録の作業がある。六年に一度の口分田の再登録では、つぎの春からは今までと同じ田で作業できる者ばかりとはかぎらない。前回の割り当て登録の際には口分田をもらえなかった子供も、六年たつと支給の対象となる。誰もが前回とまったく同じ田をもつというわけにはいかないのである。なかには、これまでとは違った、自宅から遠く離れた田を割り当てられる者もいたかもしれない。

集落に入り込む文字

集落のなかの文字

八世紀になると、集落からも文字資料が見つかる。発掘調査で見つかる出土文字資料のうち、木《もっ》簡《かん》や漆紙文書《うるしがみもんじょ》は、官衙《かんが》（官司《かんし》）の書類やそれが廃棄されて転用されたもので、ほとんどが官衙遺跡からの出土である。集落遺跡から見つかるのは、土器に文字が墨で書かれた墨書土器《ぼくしょどき》が大半である。

墨書土器が出現するようになっても、文字がその集落に普及したと簡単にいうことはできない。墨書土器に記されているのは一文字から二文字程度。しかも、集落から出てくる文字は、「吉」「富」「得」といった、おおむねよい意味を表わす一文字のものが多い。この類の墨書土器は、お供え物を盛り付けて、目に見えない鬼神《きじん》と取り引きするための道具として使われたようである。

『日本霊異記《にほんりょういき》』には、疫病にかかった女性が、閻羅王《えんらおう》からの使者の鬼に食事を提供して、閻羅王のもとへ連れていかれるところを、同姓同名の別人と換えてもらう話が見える。目に見えない鬼神にも心があり、食事を用意して恩を与えると、自分の願いを聞いてくれることもあると信じられていたのだろう。墨書土器に書かれた「吉」「富」「得」といった文字は、それぞれ書いた者の願いを表わすものだろう。

このように、墨書土器は自由な筆記の道具というよりも、まじないの道具として考えたほうがよい。書かれる文字はある程度決まっていて、その形式で書かれるという点で、記号的な面もある。同じ文字の墨書土

16

●願いを記した墨書土器
右は千葉県八千代《やちよ》市井戸向《いどむかい》遺跡から出土した「冨」。左は石川県小松《こまつ》市高堂《たかんどう》遺跡から出土した「得」。いずれも八世紀の土器に記されたもの。

器をいくつも書いているうちに、字の崩し方が独特に変化していく場合もある。そして、それを見よう見まねで書く者があれば、本来の文字がどんな形だったかにはこだわらず、願い事をするときの土器には、このような記号を書くのだと思って書いているかもしれない。

実際のところ、文字から記号化してしまったものや、見よう見まねで変形してしまったもの、さらには左右反対に書いてしまったものなど、文字を知っていたとは思えないものがたくさんある。

サインを書かされる

文字の書けない者でも、書類作成に参加する必要のある場合があった。土地などを売った場合には、売買契約書に署名をしなければならない。文字が書ければ契約者本人が自署するのがふつうだが、契約者本人が字を書けない場合には、画指《かくし》で本人自身であることを証明し、契約に同意していることを示す。

画指とは、中国で開発された方法で、自分の指の長さの線を引いておいて、そこに自分の指を並べて、関節の位置にしるしをつけて署名のかわりにする。指の関節の位置を使って、本人自身であることを証明するのである。

次ページの嘉祥《かしよう》二年（八四九）に秦鯛女《はたのたいめ》という女性が土地を売った際の事例を見てみると、鯛女の名前の脇《わき》に画指が書かれており、鯛女は自分ではサインが書けなかったとみられる。鯛女は山城国《やましろのくに》葛野《かどの》郡川辺《かわのべ》郷という都に近い地に住んでいる。このころになってもまだ、都に近い土地でも文字の書けない人がふつうにいたのである。

もうひとつの例は、延暦《えんりやく》一五年（七九六）に民首田《たみのおびとた》次麻呂《すきまろ》という人物が墾田を売却した際のものである。この文書では、本人が署名を書こうとしているらしい。しかし、よれよれの墨線は、本人の名前の字にはとても読めない。この具合だと、名前を書いた字を見せられて、これと同じに書くようにと言われてまねをしたというところだろうか。

都や、その周辺のように、官僚の数が多く、文筆に触れる機会が多い場所では、文字を書ける人の割合も高かっただろうが、日本全体でみれば、まだまだ集落に文字は普及していなかった。

命令を伝える文字

郡符《ぐんぷ》木簡《もっかん》や召文《めしぶみ》木簡などによって、郡司《ぐんじ》から召し出される場合がある。人々は召喚命令を伝える文書を読めたのだろうか。『日本霊異記《にほんりょういき》』に、召し出され

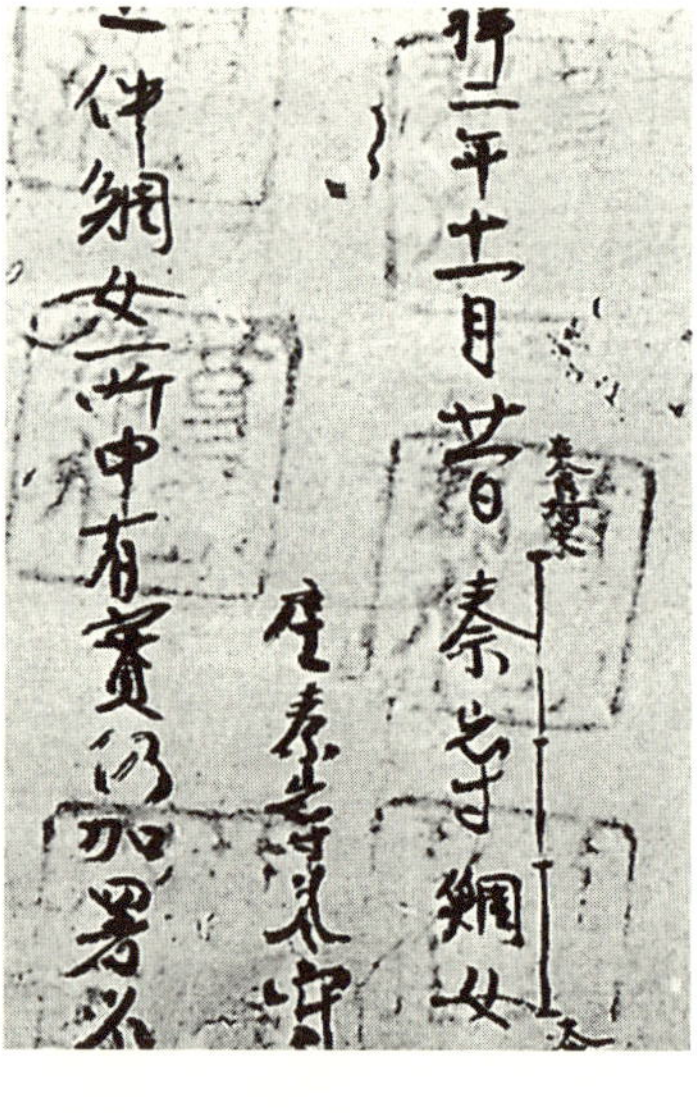

17

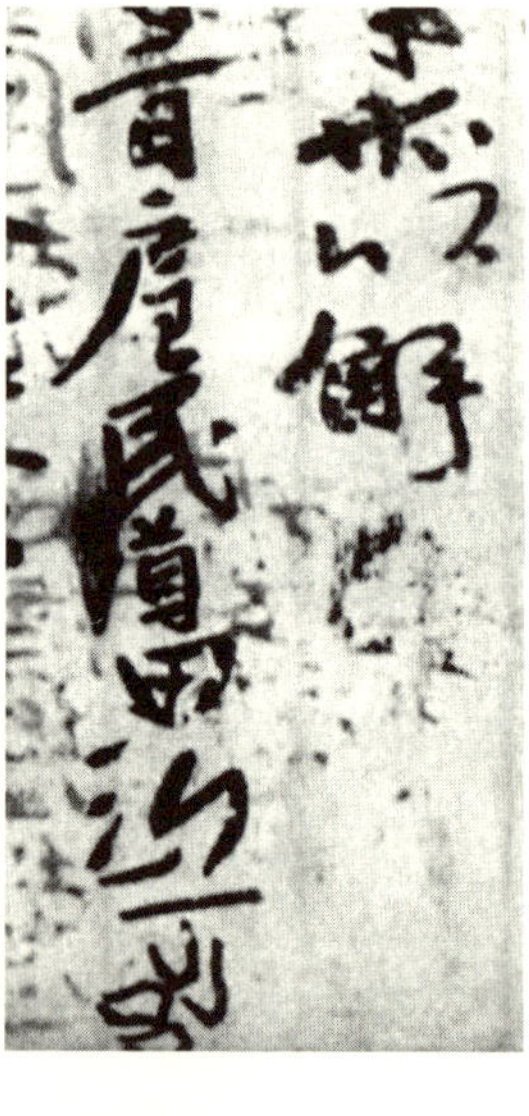

18

◉秦鯛女の画指（右）と民首田次麻呂のサイン（左）
右の写真では、名前の右横の画指の上に「右方食指末」と小さく記され、右手の人差し指の先端を画指の上にあてている。左の写真の「田次麻呂」の自署は、本人が日ごろから書いていないものを無理やり書かされたような印象を与える。

る際の説話がある。
「和泉国《いずみのくに》和泉郡の下痛脚村《しもあなし》にひとりの若者がいた。姓名はわかっていない。生まれつき心がよこしまで、因果応報の道理を信じなかった。いつも鳥の卵を探しては煮て食べていた。天平勝宝《てんぴょうしょうほう》六年（七五四）三月のある日、見知らぬ兵士が来て、若者に『国の役所がお呼びである』と言った。兵士の腰を見ると、四尺ほどの木の札を身につけていた。そこで、若者はこの兵士についていった」

国司《こくし》が召喚しているという内容は、口頭で伝えられたらしい。召喚された男は、使者の兵士が持参した、召喚命令が書かれた木の札をちらっと見て、これがほんとうに召喚命令であるということを確認した。木の札の姿は、たしかに本物の命令が出ているのだぞということを暗黙のうちに示す、形としてのメッセージである。使者として男を召喚しにきた兵士は、最後まで命令の書かれた札を渡してしまうことはしなかった。しかし、それでも目的どおり男は召喚の使者についていく。

文字が読めなくても、言葉で伝えられることで、人々は命令に応じることができた。その命令内容が書かれた文書は、伝えるべき相手が文字を読めなくても、文書として発行されたのである。文書が発行されたことをもって、相手が文字を読めたと考えてはいけない。こうした事例をみていくかぎり、八世紀の集落では、まだまだ文字が普及していたとはいえないだろう。

人々の遊び

双六と囲碁

奈良時代の庶民の遊びでわかっているものは、そう多くはないが、史料にみられるものを中心にいくつか紹介しておこう。

博戯《ばくぎ》（賭事《かけごと》）として流行し、たびたび禁令が出されたものとして、双《すご》六《ろく》がある。持統《じとう》天皇三年（六八九）に禁止令が出されており、七世紀にはすでに流行していたらしい。文武《もんむ》天皇二年（六九八）には「博戯遊手の徒」を禁じているから、博戯を専門にする者がいたらしい。天平勝《てんぴょうしょう》宝《ほう》六年（七五四）に出された禁止令によると、双六に夢中になるあまり、親の言うことをきかず、家業を亡ぼす者まで出るありさまだという。処罰対象は庶民から上級官人《かんじん》にまで及び、しかも男女を問わない。

当時の双六は、現在のようなひとりがひとつのコマで進んでいくものではなく、むしろ西洋のバックギャモンに近いものであった。正倉院宝《しょうそういんほう》物《もつ》に双六盤が残っている。正倉院宝物は聖武《しょうむ》天皇や光明《こうみょう》皇后の遺愛の品であるから、天皇が使ったことがあったのかもしれない。

19

双六に使われたさいころも、人々になじみのものになっていたようで、『万葉集《まんようしゅう》』には、戯れの歌として、つぎのようなものが載っている。

一二《いちに》の目　のみにはあらず　五《ご》六三《ろくさむ》　四《し》さへありけり　双六の頭《さえ》

（三八二七番）

まるで子供の謎《なぞ》かけのようだが、人間の体についているような二つの目だけではない、さいころには六つまでも目があるぞ、という歌である。

囲碁も、奈良時代にみられた娯楽であった。第三章で触れた遣唐《けんとう》留学僧であった弁正《べんしょう》が、のちの玄宗《げんそう》皇帝となる李《り》隆基《りゅうき》と囲碁をしていた話のように、社交において有用な手段ともなった。

正倉院にも碁盤と碁石が残っているが、囲碁は上級官人だけでなく、下級官人や庶民にも浸透していたようである。『日本霊異記《にほんりょういき》』には、街角で僧と俗人が碁を打っているところへ物乞《ものご》いがやってくる説話がみられる。藤原京《ふじわらきょう》跡や平城京《へいじょうきょう》跡の調査でも碁石が見つかっているが、庶民の使ったこれらの碁石は、形も整っていない白黒の小石であった。

20 ◉**双六盤（右）と碁石（碁盤は復元）**
正倉院の双六盤は高級品。庶民は板に絵を書いて双六盤にでもしたのだろうか。藤原京跡から出土した碁石は、ふぞろいな白と黒の小石である。

『続日本紀《しょくにほんぎ》』天平《てんぴょう》一〇年（七三八）七月にひとつの事件を伝える記事がある。

左兵庫《さひょうご》の少属《しょうさかん》の従《じゅ》八位下大伴宿禰子虫《おおとものすくねこむし》が、右兵庫頭《うひょうごのかみ》の従五位下中臣宮処連東人《なかとみのみやこのむらじあずまひと》を刀で斬り殺した。かつて、子虫は長屋王《ながやおう》に仕えて、とても恩恵のある待遇を受けていた。たまたま東人とは隣の役所どうしの所属となり、職務の合間に一緒に囲碁をしていた。話題が長屋王の話に及んだとき、憤慨して東人をののしり、ついに剣を抜いて斬り殺してしまった。東人は、無実だった長屋王のことを、事実をまげて密告した張本人だったのである。

職場のつきあいから囲碁に興じていたが、何気なく話題になった身の上話から、相手がかつての主人である長屋王の敵《かたき》だとわかったのであろう。囲碁の場は凄惨《せいさん》な仇討《あだう》ちの場となってしまった。

このほか、藤原京や平城京の跡からは、独楽《こま》や木製の竹とんぼが見つかっている。現在の独楽まわしや竹とんぼは、当時から都の子供たちの遊びだったのだろう。

21

◉独楽と木製竹とんぼ
平城宮跡から出土したもの。独楽は軸のない形で、ムチでたたいてまわす。竹とんぼは木製なので「竹とんぼ」とは言わなかったかもしれない。当時はなんと呼んだのだろうか。

踏歌と歌垣

八世紀の宮廷では、踏歌《とうか》という行事があった。大陸から伝わった、足踏みして音を鳴らしながらの踊りである。宮廷で官人《かんじん》たちが列になって踊り、終了後には酒宴が開かれて、「糸引《いとひき》」と呼ばれる福引きの余興まである。同じころ、庶民の間でも踏歌が浸透し、流行していた。

庶民の踏歌は、天平《てんぴょう》二年（七三〇）、天平神護《てんぴょうじんご》二年（七六六）、延暦《えんりやく》一七年（七九八）というように、たびたび禁令が出されている。足を踏みならして踊るという歌舞だけでなく、男女交じり合っての夜祭りになっており、風俗矯正の観点から禁令が出されていた。公共の場で夜遅くまで男女がたくさん集まって大騒ぎをしている……という、まあこれは国家が禁止命令のなかで描いた姿であるが、若者たちの貴重な出会いと恋愛の場でもあっただろう。

地方では、春の花や秋の紅葉の季節に行なわれた歌垣《うたがき》が、こうした男女の出会いの場となった。なかでも筑波山《つくばさん》の歌垣は、関東平野の広い範囲から若者たちが集まる大規模なものであった。奈良時代に編纂《へんさん》された『常陸国風土記《ひたちのくにふどき》』には、「足柄《あしがら》の坂より東にある諸国の男も女も、春の花の開く季節、秋の紅葉の季節に、手をつないで列をなし、食事も持ってきて、馬で登っ

22

●筑波山
筑波山は茨城県の中央にそびえる。関東平野の中心にあって平野の各所から眺めることができ、信仰の対象となった。男体・女体の二峰からなり、平安時代には歌枕としても著名である。

たり歩いて登ったり、楽しみ憩うのである」と描かれており、日ごろの労働から離れて楽しそうな人々の様子が目に浮かぶ。各地からいっせいにやってくるハイキングであった。そして、はじめて出会った男女が互いに惹《ひ》かれれば、男は「妻問《つまど》いの財」（婚約の証《あかし》としての品物）を渡し、結ばれていくのである。

『万葉集《まんようしゅう》』にあるつぎの歌からは、既婚者も含めて、開放的にふるまう男女の姿が想像される。このときに限り、筑波山の神がこうした行為を諫《いさ》めないのだという。

鷲《わし》の住む　筑波の山の　裳羽服津《もはきつ》の　その津の上に　率《あども》ひて　娘子壮士《おとめおとこ》の　行き集ひ　かがふ嬥歌《かがひ》に　人妻に　我も交はらむ　我妻に　人も言問へ　この山を　うしはく神の　昔より　禁《いさ》めぬ行事《わざ》ぞ　今日のみは　めぐしもな見そ　事も咎《とが》むな　（一七五九番）

また、夏にも、歌垣のようなことがあった。『常陸国風土記』久慈《くじ》郡の条によれば、久慈川の石門《いわと》という淵《ふち》に、遠くから人々が避暑にやってきて、男女が歌い踊り、飲食を楽しんだという。おそらく各地で、農作業の手があく季節に、野外へ繰り出して飲食し、歌い踊る楽しみがあったのだろう。

病気と社会的弱者への対策

病気とその対処

医学と薬学は、当時の最先端の技術であった。中央には典薬寮《てんやくりょう》と内薬司《ないやくし》があり、医療機関として治療にあたるとともに、医学や薬学を学ぶ学生を教えていた。しかし、地方にはこうした技術はなかなか広まっていかなかったようである。律令《りつりょう》では国ごとに医師をひとり置くよう定めており、地元の出身者を採用することになっているが、和銅《わどう》元年（七〇八）には、中央で学んだ者を派遣することを前提とした待遇改善策が出された。霊亀《れいき》二年（七一六）には、きちんと卒業しないうちに、国医《くにい》師《し》として赴任する者のいることが問題となっている。地方における人材不足は歴然としていた。

このような時代に、大規模な流行病《はやりやまい》が広まっても、地方ではなかなか対処できようはずもなかった。天平《てんぴょう》八年（七三六）から九年にかけて、赤斑瘡《あかもがさ》（麻疹《はしか》）と呼ばれた疫病が流行した。とくに、九年の流行の際には、都もそのただなかにあり、太政官《だいじょうかん》の首班であった右大臣《うだいじん》の藤原武智麻呂《ふじわらのむちまろ》をはじめ、多くの官人《かんじん》たちがその命を失った。太政官における最高会議のメンバーである議政官《ぎせいかん》は当時八名いたが、わずか四か月の間にそのうちの五名が亡くなった。まさに緊急事態である。

この病への対処が書かれた太政官符が伝えられている。それによれば、粥《かゆ》や穀類の汁物を食べ、冷水は決して飲んではならないことや、魚・肉・果実・菜類を食べてはならないことなど、かなり具体的な食材まで、どれは食べても大丈夫で、どれは食べてはいけないといった指示が事細かに書かれている。地方に行けばおそらく医学書もそれほどそろってはいない。また薬も不足しがちであろう。全国的な医療体制が整っていない条件下での、せめてもの対処策であった。

科学的な医療技術と医療体制は、都に極端に集中していたと推測されるが、その都でも、いわば非科学的とでもいえそうな治療法がまかり通っていた。典薬寮や内薬司では、医学・薬学的処方だけでなく、まじないで病を治す呪禁《じゆごん》も行なっていた。呪禁師も立派な医療スタッフだったのである。また、僧尼《そうに》も療病にあたっていた。僧の看病といえば、聖武《しようむ》天皇の母の藤原宮子《ふじわらのみやこ》は玄昉《げんぼう》の看病によって快復したため、玄昉は聖武天皇から恩寵《おんちよう》を受けることとなり、道鏡《どうきよう》は孝謙《こうけん》上皇を看病して上皇の恩寵を受け、やがて法王にまで栄達するきっかけを得たのであった。非科学的な療法は、間接的に政治の混乱にも結びついている。

なかには、温泉治療を試みた者もいたことがわかっている。天平一〇年度の「駿河国正税帳《するがのくにしようぜいちよう》」には、中央官人であった小野《おの》氏の者が、那須《なす》の温泉に向かった記録が載っている。那須の温泉が当時も都に知られていたことにも驚くが、都からわざわざ那須まで数百キロメートルもの旅をするというのは、よほどのことだったのだろう。

ふつうの人々には、薬は高くて買えないし、医者にみてもらうのも同様の理由で難しかった。特別の薬を服用することなしに、昔から伝えられてきた民間療法で治していたのだろうか。これに加えて、誰もが試みたであろうことは、呪術《じゆじゆつ》であった。先に紹介したように、『日本霊異記《にほんりようい き》』には疫神《えきじん》にご馳走《ちそう》することで、病気による死からまぬがれようとする者が描かれている。疫病の手から逃れるには、病人の身代わりになるものを差し出すことであった。こうした目に見えない鬼神《きしん》とのやりとりに、ご馳走を載せた墨書土器《ぼくしょどき》が使われたらしい。

宮城県多賀城《たがじょう》市の山王《さんのう》遺跡で見つかった大量の墨書土器のなかに、下の写真のようなものがあった。「腹」や「病」といった文字が見え、腹病平癒《へいゆ》を願った可能性が考えられる。このようなまじないが、人々の常套《じょうとう》手段であった。また、山王遺跡からは「丈部弟虫女代《はせつかべおとむしめ》」と書いた墨書土器も見つかっている。「代」とは身代わりのことで、病気になった本人のかわりにこのご馳走を持っていってもらいたいということだろうか。こうした鬼神とのやりとりを通して、病気をコントロールしようと試みるほかはなかった。

23

◉呪文の書かれた墨書土器
山王遺跡の河川跡から出土した、呪文の書かれた土器。底には「平」とあり、内側の呪文が読める位置に置くと、正面外側に「口上」と書かれている。

社会的弱者への対応

高齢者や身寄りのない者に対しては、たびたび賑給《しんごう》という米などの特別支給による救済策がとられた。大宝律令《たいほうりつりょう》では「鰥寡惸独《かんかけいどく》」といっているが、伴侶《はんりょ》のいない老年の者、孤児、子のいない老人などは、社会生活に特別な配慮が必要だと考えられていた。これはもともと中国での律令制の考え方にあり、儒教にみられる社会的弱者救済の考え方にもとづいている。こうした賑給は、国家の慶事に行なわれることが多く、国が社会的弱者に配慮しているという姿勢を見せることに意味があった。しかし、実質的な効果がどれほどあったかは不明である。

戸籍や計帳《けいちょう》に登録される際に、残疾《ざんしつ》・廃疾《はいしつ》・篤疾《とくしつ》という障害者の扱いを受けると、残疾には調《ちょう》の半分が免除され、庸《よう》・雑徭《ぞうよう》がすべて免除される。廃疾と篤疾は賦課対象でなく、さらに、篤疾には「侍《じ》」という世話係が子孫や近親者から選ばれることになっていた。「侍」は篤疾者や八〇歳以上の高齢者の世話にあたるので、庸・雑徭が免除される。しかし、現在残されている戸籍や計帳を見るかぎり、そのなかで「侍」に指定された者の痕跡《こんせき》はうかがわれない。律令はたしかに社会的弱者に篤《あつ》い制度をうたっているが、律令制が社会福祉に先進的だとしても、それはあくまで儒教にもとづく法理念のうえでのことであり、実際には当時の社会の認識はまだまだであった。

都で孤児の養育にあたっていた葛木戸主《かつらぎのへぬし》のもとで、天平勝宝《てんぴょうしょうほう》八年（七五六）に成人した一〇人は、彼の戸に編入されることになった。彼のように孤児を養育していた者も、あくまで個人の意志として取り組んでいるにすぎなかった。天平宝字《てんぴょうほうじ》八年（七六四）の恵《え》美押勝《みのおしかつ》（藤原仲麻呂《ふじわらのなかまろ》）の乱後に処罰された人々の縁者のなかから、身寄りをなくした孤児がたくさん出たとされている。この時期、葛木戸主の妻であった和《わ》気広虫《けのひろむし》は、八三人もの孤児を養育していたという。個人が取り組まなければ何も解決できていない。つね日ごろから社会福祉が進んでいた国家ではなかったのである。

民衆仏教と人々の信仰・世界観

国家仏教と異なる「仏教」

国家が、仏教を国を護《まも》るための術として、また、僧侶《そうりょ》を寺院のなかで国家のために奉仕する存在として位置づけたことは、第四章で述べた。しかし、仏教とはそもそもそうした国家のためだけに始まった宗教ではない。仏陀《ぶつだ》が開いた悟りに近づくために、さまざまな修行がなされ、人々のためになる善行にも、いろいろな考え方の成り立つ余地があった。

八世紀の初頭に実在した役小角《えんのおづぬ》は「役行者《えんのぎょうじゃ》」とも呼ばれ、修験道《しゅげんどう》の祖として名高い。彼は奈良盆地の西方にそびえる葛城山《かつらぎさん》の山中にこもって山林修行を行ない、優れた神通力を得たと伝えられる。彼は『日本霊異記《にほんりょういき》』では男性の仏教者を指す「優婆塞《うばそく》」と扱われ、仏道修行者の範疇《はんちゅう》に含めて考えられていた。異能ではあっても、仏教者とみられていたことは間違いない。

また、七世紀なかばに唐《とう》に留学して玄奘三蔵《げんじょうさんぞう》の弟子になり、日本に禅の修養法を伝えた道昭《どうしょう》は、役小角とほぼ同時期の僧侶であるが、彼も国家が規定した路線とは異なる面をもっていた。彼は国内でも崇《あが》められた高僧ではあったが、ほうぼうに出かけて寺院外での活動を実践したらしい。『続日本紀《しょくにほんぎ》』に載せられた道昭の伝記には、天下をめぐり歩いて、道路の脇《わき》には井戸を掘り、あちこちの渡し場には舟を備えたり橋を架けさせたと伝えている。

彼はこのように諸国をめぐりながら人々の利益になる利他の行ないを実践したが、天皇の「勅請」によって、飛鳥寺《あすかでら》の隅に唐からの帰国後に建てていた禅院に戻ったのだという。天皇の「勅請」とは、おそらく、今後は寺院外での活動を禁じるというような内容であり、道昭の利他の精神は、ここに国家によって封じ込まれたのである。

人々とじかに接するような場に出て、利他の精神からさまざまな善行を行なったのは、行基《ぎょうき》も同じであった。行基は、畿内各地をまわって布施屋《ふせや》や橋や農業用の溜池《ためいけ》をつくり、のちに大仏造営にも協力したことでも著名であるが、彼にとって先駆者としての道昭の存在は大きかっただろう。

道昭が没したのが文武《もんむ》天皇四年（七〇〇）。行基は天智《てんち》天皇七年（六六八）の生まれで天武《てんむ》天皇一一年（六八二）に出家したと伝えられるので、世代的にも上の道昭の利他行からは、直接ないし間接的に影響を受けたに違いない。仏教者が各地で井戸を掘り、橋をつくったのは、たんに感化を受けた人々を動員できたからというだけではない。僧侶は、仏教経典を通してさまざまな知識を学んでいた。第四章でも触れたように、そのなかには科学技術に類するものもあった。水利

24

●大輪田泊《おおわだのとまり》の建設を命じる行基
行基は付き従う信徒たちを率いて、このように港や橋などの建設工事も指揮した。（『行基菩薩《ぎょうきぼさつ》行状絵伝《ぎょうじょうえでん》』）

や、土木・建築に関係する知識についても、仏教を学ぶなかで身についた可能性はあるだろう。庶民にとって、道昭や行基のような僧侶は、宗教者である以上に、地域改善の指導者として映っていたのであろう。

一方で、行基は当初は国家から批判を受けていたが、それは人々の前で指に火をともしたり、皮膚をはいだりする術を見せて幻惑させたということのためらしい。律令《りつりょう》の規定ではこのような行為は、禁止されていた。行基が具体的にどのようなことを行なったのかは明確ではないが、寺院でない場所で人々を集め罪福を説くことが、国家によって予定された仏教のあり方には抵触していた。しかし、大寺院のなかに囲い込まれた仏教の姿は、庶民の日常生活とはまったく接点のないものである。人々にとっては、毎日の慰めになったり、実践的に試してみることのできるまじないのようなもののほうが、魅力あることとして受け入れられたのであった。

先に触れた役小角のような呪術者《じゆじゆつ》というべき存在までが、仏教者として扱われているのであり、さまざまなまじないは、仏教の範疇《はんちゆう》に入るものとして受け入れられたものも多かっただろう。のちに陰陽道《おんようどう》として確立していく呪法のなかにも、仏教に近いものもあったに違いない。

延暦《えんりやく》一五年（七九六）に、都のなかで罪福を説いていた越前《えちぜん》出身で越優婆夷《こしのうばい》と呼ばれた女性が、都からの強制退去を命じられた。彼女は、毎日道端にいて悩める人々の相談にのり、さまざまな呪術を行なっていたのだろう。街角の占い師であり、祈禱師《きとうし》のようであった。彼女も、世間から女性の仏教者を指す「優婆夷」と呼ばれていたのであった。

八世紀を通して、こうした呪術を実践する者たちは、仏教者と扱われていた。彼らは、寺院のなかで修行する正規の資格をもった僧侶よりも、庶民の生活の場に近いところにいて、実際に人々が困ったときには頼りにされる存在だったのである。人々が仏教に期待したものも、現実に直面している悩みの解決だったのであろう。

まじないの世界

遺跡の発掘調査で祭祀《さいし》に関係する場所が見つかると、ほんとうにさまざまなものが出土する。斎串《いぐし》と呼ばれる薄板の両端を削って尖《とが》らせたもの、実際には使えない大きさのミニチュアの竈《かまど》や土器や紡織の道具、土をこねて焼いてつくった土馬《どば》、木でかたどった馬形や鳥形、蛇のような形、木や石をくりぬいてつくった舟形、刀や鏃《やじり》などの武器を模したもの、勾玉《まがたま》や丸玉《まるだま》、絵馬、人形《ひとがた》、土器に人間の顔を描いた人面墨書土器《じんめんぼくしょどき》、呪文《じゆもん》を書いた呪符木簡《じゆふもっかん》など、多くの種類のものが使われている。それだけ多様な祭祀やまじないが行なわれていた証拠である。

斎串は『万葉集《まんようしゆう》』に登場する言葉で、神祀《かみまつ》りなどの際に、これらを立てて結界を張り、神酒《みき》などを供えたようである。人間の穢《けが》れや罪をはらうためには、人形をなでて穢れや罪を移し、これを川や池に流してはら

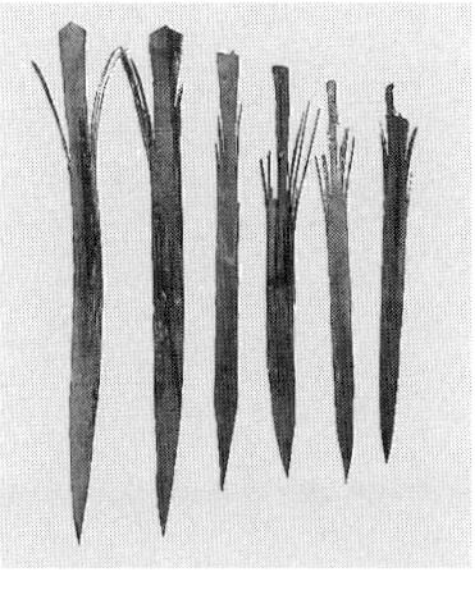
25

26

い去るのだともいわれる。身代わりにした人形を運ぶために、舟形や馬形、鳥形が使われたのだともいう。このように身から悪いものをとりはずして、流してしまうという発想で行なわれたためか、水辺で祭祀やまじないが行なわれたことが多い。役所の近くにもそうした祭祀の場所が設けられており、川やわき水の流れを利用して、こうした祭祀の道具を流していた。

人面墨書土器には、さまざまな顔が描かれている。それが現実世界の人間の顔なのか、あるいは目に見えない神や鬼の顔を想像して描いたのか、まだまだ不明なことだらけである。土器の口に息を吹き込んで流すのだともいわれるが、これもまだ使い方の詳細はわかっていない。

さらに不可思議なのは呪符木簡である。何やら怪しい記号が記され、「鬼」の字が使われていることも多い。もっとも、どのような呪文なのかがすぐにわかるようでは秘術といえず、一部の呪術専門家以外には、符号の意味はわからなかったと思われる。現代の私たちがわからないのも当たり前といえば当たり前である。そうした符号の最後に「急々如律令」と書かれる場合がある。「急ぎ急ぐこと律令のごとし」とは、じつは中国の漢《かん》の時代の公文書に使われていた文言である。中国では呪術の

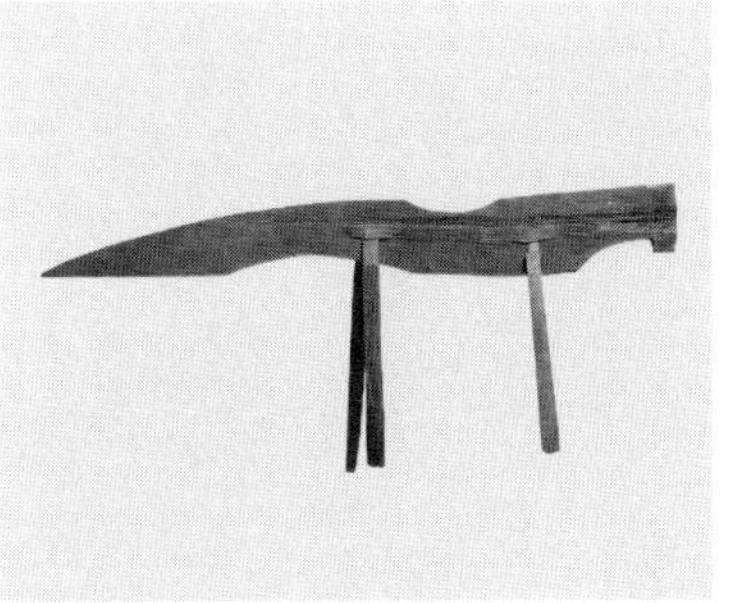
27

28

●さまざまな祭祀遺物
右より、斎串（兵庫県豊岡市但馬《たじま》国分寺跡出土）。土馬（三重県明《めい》和《わ》町斎宮跡出土）。木製の馬形（長野県千曲《ちくま》市屋代《やしろ》遺跡群出土）。絵馬（静岡県浜松市伊場《いば》遺跡出土）。

効果がすぐ現われるようにと、呪文の最後にこの文句を書き添えるようになり、そうした呪術の文句として確立したものが、日本社会に入ってきたのであった。

呪《のろ》いの人形と思われるものも見つかっている。平城宮《へいじょうきゅう》跡では「重病死受」と書かれた人形や、両目と胸に木釘《きくぎ》が打ち込まれた人形が見つかった。このような人を呪う呪術は厭魅《えんみ》と呼ばれ、律令でも厳しく禁止されていたのだが、こうした遺物が見つかるところをみると、都や宮殿でも行なわれていたらしい。

もう少し明るいおまじないに話題を移そう。長岡京《ながおかきょう》跡から「蘇民将来之子孫者《そみんしょうらいのしそんもの》」と書かれた、小さな木の札が見つかった。蘇民将来伝承としてもっとも古いものは、『備後国風土記《びんごのくにふどき》』逸文に見え、神様に一夜の宿を貸した蘇民将来が、子孫にわたって災いからまぬがれることができるという伝承である。中世になると各地の遺跡から蘇民将来の子孫であると書いた札が見つかり、外からの災いを防ぐために家の各方角に立てたりしたようである。長岡京跡からの出土によって、八世紀にもこうした蘇民将来信仰のあったことが、わかるようになってきた。この木簡は長さ二・七センチメートルほどの大きさで、紐《ひも》を通す孔《あな》もあり、身につけてお守りにでもしたのであろうか。

死と葬送

最後に、七、八世紀の人々の死とのかかわり方をみておきたい。

貴人の死に際しては、殯《もがり》が行なわれた。天武《てんむ》天皇の殯が、もっとも大々的に行なわれたものとして著名である。崩御の翌々日には宮殿に殯宮《もがりのみや》を建てて遺体を安置し、二年二か月にわたる、慟哭《どうこく》や誄《しのびごと》という故人をしのぶ儀礼のあとに、山陵に葬られた。殯宮で行なわれる一連の儀礼が殯である。ほかの天皇や、貴族の場合にも、これほどではないにしても、殯が行なわれたと考えられる。殯は、死者と決別するために、残された人々が通らねばならない儀礼であった。

殯を終えた遺体は棺《ひつぎ》に入れられ、横穴古墳《よこあなこふん》の石室《せきしつ》に安置される。石室は、死者の横たわる空間であり、死者を慰めるために絵が描かれた場合もある。今日、装飾《そうしょく》古墳と呼んでいるこうした絵の描かれた横穴古墳は、高松塚《たかまつづか》古墳やキトラ古墳のように都の近くにあって明らかに中央の貴人が葬られたとみられるようなもののほか、関東地方東部から東北地方南部にかけての地域と、北九州にも分布しており、赤色顔《がん》料《りょう》などで独特な絵が描かれている。

また、横穴古墳がつくられた五世紀からは、ひとつの石室に複数の遺体が安置されるようにもなる。竪穴《たてあな》を掘ってひとりを埋葬する方法と異なり、横穴

29

◉虎塚《とらづか》古墳（茨城県ひたちなか市）の石室内部
七世紀初頭の前方後円墳。横穴式石室最奥の玄室《げんしつ》には、奥と左右の白壁に、三角形や円の模様と武器・武具などが、赤色顔料で描かれ、天井と床は全面赤く塗られている。

式石室には最初の埋葬者の縁者を追葬することが可能になり、家族の墓としての意味合いももつようになる。古墳のようにひとつずつの土盛りを行なったもの以外にも、軟質の岸壁を利用して多数の横穴をあけ、そこをまるで蜂の巣のように墓室として利用したものもある。北は東北地方から南は九州まで、七世紀の国家の勢力圏の範囲に共通する葬送の方法として、横穴式の墓がつくられたのであった。

しかし、七世紀末になると、火葬が取り入れられるようになる。『日本書紀《にほんしょき》』六四六年には、薄葬《はくそう》を命じた記録があり、かつてはこれをきっかけとして火葬が普及したという見解もあったが、これは経費節減の命令であって火葬を命じたものではない。『続日本紀《しょくにほんぎ》』には、先に触れた道昭《どうしょう》が文武《もんむ》天皇四年（七〇〇）に亡くなった際の火葬が日本での初例であると記されているが、今日までに見つかっている火葬墓は、この時期より早いものもみられる。火葬は、七世紀後半の仏教の普及とともに広がっていったとみてよいだろう。

大宝《たいほう》二年（七〇二）に、持統太上天皇《じとうだいじょう》が亡くなった際には、遺言で火葬にされた。天皇の火葬はこれがはじめてである。自身を火葬にせよという遺言を残した彼女は、支配者として、そ

30

◉吉見百穴《よしみひゃくあな》（埼玉県吉見町）
凝灰岩の斜面に二一九基の横穴墓がつくられている。金環《きんかん》・銀環・勾玉《まがたま》・管玉《くだたま》のような装身具や、刀・鉄鏃《てつぞく》などの武具が副葬されていた。

れまでの古式にとらわれない意志を示したといえる。これもまた、世の中の流れが中国方式へと舵《かじ》をきった時代に起きたことであった。

火葬墓には、埋葬者の名前や経歴を記した墓誌《ぼし》が埋められるようになり、あるいは遺骨を納める骨蔵器《こつぞうき》に文字が刻み込まれる場合もあった。故人の功績を称《たた》え、この墓が誰のものであるかを、墓の所在する土地や冥界《めいかい》の神に示したのであろうか。

八世紀後半には、西日本で買地券《ばいちけん》と呼ぶべきものがお墓に埋められた例も、みられる。岡山県で見つかっている天平宝字《てんぴょうほうじ》七年(七六三)につくられた買地券は、粘土でつくって文字をヘラで書いたあとに焼かれた塼《せん》という素材のもので、白髪部《しらかべの》毗登《ひと》富比売《ほひめ》という女性のために郷長《ごうちょう》の矢田部益足《やたべのますたり》がこの地を買って墓地として用意したことが記されている。冥界《めいかい》の神に対してこの墓地が死者のために用意されたことを示す買地券は、同じ時代の唐《とう》にもみられる。この地域は、二度も唐に渡った吉備真備《きびのまきび》を出した下道《しもつみち》氏の根拠地に近く、真備などの知識人を経由して買地券の知識が伝わった可能性もある。唐風化は各地に根を下ろしはじめていたのであった。

31

32

◉文字の記された骨蔵器と墓地買地券
右は吉備真備の祖母の骨蔵器(下道圀勝圀依母《くにかつくにより》夫人骨蔵器)。蓋に文字が彫り込まれている。左は矢田部益足墓地買地券。同文のものが二枚見つかっている。

コラム5

奈良時代の賀茂祭

賀茂祭《かものまつり》といえば、今でも葵祭《あおいまつり》として京都の三大祭りに数えられる、伝統のある祭りである。斎王《さいおう》や勅使の行列が、下賀茂社《しもがも》と上賀茂社《かみがも》に詣《もう》で、行列の服装や牛車が華麗に飾り立てて目を奪うので、平安時代のうちから、多くの見物人が出てたいへんなにぎわいを見せた。

賀茂祭は奈良時代以前からすでに行なわれていたが、じつは奈良時代までのものは、平安時代以降の華麗な貴族絵巻とはまったく違ったものであった。山背国《やましろのくに》以外からも人々が集まってきて、武器を振りまわして騒いだり、流鏑馬《やぶさめ》のような騎射が行なわれていたらしい。

八世紀にはたびたび制限が加えられており、それは祭りの場で乱闘騒ぎが起きていたためであった。各地から集まってきた人々が大騒ぎをする荒々しい祭りだったようである。平安京《へいあんきょう》に都が遷《うつ》ってから、都を守り国家を鎮護する神として賀茂社が位置づけられるようになり、それによって賀茂祭も貴族が関与する祭りに変わっていったのである。

第六章

開発と環境問題

1

開発と大義名分

開発と祭り

人々の生活を支える産業を振興させていくと、どうしても自然のままで手のつけられていない土地に分け入って開発を進める必要が出てくる。古代社会においても、このようなことが各地でみられたであろう。『常陸国風土記《ひたちのくにふどき》』に、つぎのような興味深い説話がある。

「継体《けいたい》天皇の時代に、箭括麻多智《やはずのまたち》という人物がいた。行方郡《なめたかのこおり》の郡家《ぐうけ》より西側の谷にあった葦原《あしはら》を切り開いて新たに開墾した田を献上した。このとき、夜刀《やと》の神《かみ》が群がって勢ぞろいして現われ、さまざまに田の耕作の邪魔をした（地元では、蛇のことを夜刀の神といっている。形は蛇で頭に角がある。一族を連れて何かの危険から逃れているときに、その姿を見た者があれば、その一族は滅び、子孫は続かないという。この行方郡家の近くの野原には、とてもたくさん棲《す》んでいる）。この様子を見て、麻多智は激しく怒りをあらわにし、甲鎧《よろい》を身につけて杖《ほこ》を手に持ち、夜刀の神を打ち殺し追い払った。そうして山の登り口の位置の堺の堀に、標《しめ》（しるし）となる柱を立てて、夜刀の神に告げて言った。『ここより上の山側は神の地とすることを認めよう。ここから下の湖側は人間の田とさせてもらう。今より以後、私が神を祀《まつ》る者となって、永久に敬い祭ることにしよう。願わく

◉藤原京復元模型
復元模型のうちの藤原宮《ふじわらきゅう》の部分。日本にはじめて登場した中国風の都城の中枢部。大きな建物とともに、広大な広場の空間も見える。
前ページ写真

は、どうか祟《たた》らないでくれ、恨まないでくれ』。こう言って、社《やしろ》をつくってはじめて夜刀の神たちを祭った。そして、この社を運営する財源を得るための田を一〇町ほど開墾し、麻多智の子孫が跡を継いで祭りを担当し、今でもその祭りは絶えることなく続けられている」

　この説話にある開発の対象となった行方郡の谷地《やと》は、茨城県の霞ヶ浦《かすみがうら》のなかに北から延びている半島の西側にあたる。半島の台地を浸食する何本もの谷筋があって、それぞれの谷の奥には崖下《がけした》から水がわき出している。古代の水田は、こうした地形を利用して開かれていた。現代の私たちにとっては、水田といえば、広大な平野の低地に水をたたえた田んぼが延々と広がっている姿を思い起こす人も多いだろう。しかし、低湿地の水田化は、近世以降の新田開発による場合も多く、古代における水田の開墾は、むしろ、湧水《ゆうすい》を利用できる谷地が比較的便利で、開発対象とされていたことが多かったようである。

　谷地は、水田として利用される前は、自然のまま、たくさんの生き物が棲んでいたであろう。夜刀の神とは、開発対象とな

2

◉箭括麻多智の開発伝承地と今に残る椎井
茨城県行方《なめがた》市。霞ヶ浦沿岸から入り込んだ谷筋に沿って田が広がり（右）、谷の奥の椎井《しいい》は今も水がこんこんとわき出ている（左）。

った谷地にもともと棲んでいた蛇をそう呼んでいたのである。蛇は人間にとって、自然のなかで畏《おそ》れ敬う存在であった。麻多智は、開発によって衝突した自然の存在を、祀るという行為によって鎮め、耕作に従事する人々の精神的安定を図ったのであった。土地の自然神を祀る行為は、こうして人間の営みと自然とのかかわりのなかで生まれてきたのであろう。

継体天皇の時代は六世紀の前半にあたる。伝承であるから時代設定が正確とはかぎらないが、あとから紹介する七世紀なかばの時期よりも前であることは間違いない。ちょうど古墳《こふん》文化の時代にあたるが、その時期に社をつくって自然の存在を神として祀った結果、神社が生まれたのである。各地の神社も、人間の開発と自然とのかかわりがきっかけとなって生まれたものが、少なくなかっただろう。人間の活動のために犠牲を強《し》いられた自然に対し、その見返りとして祀るという行為を行なったことは、古墳文化の時代における、自然と人間の関係を示す伝承として興味深い。

地方豪族と開発

豪族が配下の人々を率いて、困難な自然に立ち向かったことは、『出雲国風土記《いずものくにふどき》』にも見ることができる。日本海に面した秋鹿郡《あいかのこおり》の恵曇浜《えとものはま》について書かれた部分に、つぎのような一節がある。

「…掘って穴を穿《うが》った岩壁が二か所ある。一か所は、岩壁の厚さは三丈《じょう》（約九メートル）、穴の大きさは幅が一丈（約三メートル）で、高さが八尺《しゃく》（約二・四メートル）ある。もう一か所は、厚さは二丈二尺、大きさは幅一丈で高さも一丈である。その中を流れる川が、北へ流れて日本海に注ぐ。川の東側は嶋根《しまね》郡、西側が秋鹿郡である。河口から、川の源《みなもと》である南方の水田までの距離は一八〇歩《ほ》(約三二四メートル)、川の幅は一丈五尺である。……古老の言い伝えによれば、嶋根郡の長官の大領《だいりょう》となっている社部訓麻呂《こそべのくにまろ》の祖先である波蘇《はそ》たちが、稲田が水浸しになるので、その排水のために掘り抜いたものだという」

九メートルもの厚さの硬い岩盤を、どれほどの人数と期間をかけて掘り抜いたのだろうか。配下の田の経営のため、またその耕作によって身を立てている人々のために、この地の豪族であった波蘇という人物は、困難な自然に戦いを挑んだのであった。こうした努力による開発が、一〇〇年、二〇〇年にわたって、地域の農耕に利をもたらしていたのである。

一方、『常陸国風土記《ひたちのくにふどき》』では、先に引用した箭括麻多智《やはずのまたち》の伝承に続けて、同じ土地のその後についてつぎのような伝承が語られる。

「孝徳《こうとく》天皇の時代になって、壬生麻呂《みぶのまろ》がその谷を占有することになり、池の堤を築かせたときに、夜刀《やと》の神《かみ》たちが池のほとりの椎《しい》の木に群れ集まってきて、いつまでも去ろうとしなかった。そこで麻呂は大声をあげて『この池をつくって、君主に誓って配下の民を生かそうとしているのだ。どのような神が大王のもとに従わないのか』と言った。そして、池をつくるのに動員した人々に対して、『目に見えるさまざまな物、魚や虫の類は、遠慮したり恐れたりすることなく、ことごとく打ち殺せ』と言った。これを言い終わるやいなや、夜刀の神の蛇たちはその場を去り、隠れてしまった」

壬生麻呂は、六五三年に壬生夫子《みぶのおのこ》とともに行方評《なめかたのこおり》の設置を申請し、その後、評の長官となった人物である。この伝承は、七世紀なかばのいわゆる改新《かいしん》政治の時期において、地方の変革が進行していた時期のこととしてとらえることができる。壬生麻呂は、君主に誓って行方評の民のためになるはずの灌漑《かんがい》用の池を築いていると述べた。君主とはすなわち孝徳天皇のことであり、評の役人となっていった彼らのような地方豪族が、政府に誓いを立てて、民のため、ひいては国家のためになるような開発を進めていったことがうかがわれる。

七世紀なかばに、各地に評という行政単位が設置されていったと考えられているが、この評の長官に任じられたのは、壬生麻呂のような地方豪族であった。彼らは地方豪族として、何代にもわたってみずからの支配下に土地や人々を掌握してきたはずである。国家側からすれば、一連の政治改革のなかで、彼らの掌握していた土地と人々を、国家の土地と民というように位置づけなおしたのである。『日《に》本書紀《ほんしょき》』の改新之詔《かいしんのみことのり》をはじめとして、根拠となる史料に慎重な考察を要するものは多いが、七世紀なかばにこうした動向があったことじたいは間違いない。

壬生麻呂のように地方で権力をもっていた豪族が、どうして自分たちの配下の土地や人々を国家のものとすることに同意し、みずからは国家機構の役人となることに従ったのだろうか。そのことを考えるうえで、先の伝承が手がかりになると思われる。壬生麻呂は、池をつくり、より安定的に農耕を営めるようにした。彼の農業振興策はやはり自然との戦いであったが、その際に自然を克服し、人々に自然を恐れぬ決意を促す根拠となったのが「君主に誓って、君主の民のために行なっていること」であり、君主の徳に従わない地方神は排除されるべきだという考え方である。この時点で、箭括麻多智が夜刀の神を祀《まつ》った時代の考え方は失われてしまった。壬生麻呂は国家機構の役人となり、君主のために開発を進めるという、いわば大義名分を得たのであった。彼の時代の考え方からすれば、神の祭りも、さらに自然への畏怖《いふ》も、開発の大義名分のなかに呑《の》み込まれつつあった。

もちろん、君主のため、国家のためということが、彼ら地方豪族の本音であったのかどうかはわからない。自身が管理している評の耕地が広がることは、国家のためだけでなく、自身が私的に営む経済活動に利益をもたらすはずである。七世紀になって国家と強く結びつくようになった豪族は、自身の利益になる道を模索していくうえで、国家の権威を利用していったのである。第五章で触れたように、地方豪族は、調《ちょう》・庸《よう》の徴収を名目として、人々を生産労働に駆り出し、そこから余剰生産物を得て私的な経済活動に利用していたとみられる。「国家に指定された」あるいは「国家のために」という大義名分を得て、豪族たちは堂々と人々を駆り出していたのに違いない。

律令制《りつりょうせい》の国家機構が整えられても、地方豪族が地方の人々を支配していた関係はそう変わることはなく、むしろ国家によって保証された面すらあった。郡司《ぐんじ》のこうした立場が変質していくのは、八世紀後半になって各地の有力者によって郡司の地位をめぐる争いが激しくなったり、また九世紀に地方行政のあり方が「郡」よりも「国」を単位として集権化されていくようになってからである。しかし、それまでは律令制導入の前後を通して、地方社会で人々を支配しつづけたのである。

道路と馬

直線道路の建設

人間が活動し往来するために、どの地域にも道路がある。そうした生活に必要な道路や、地域の経済活動に必要な道路は自然につくりだされてきたが、七世紀の国家は、それとは異質な、生活に必要なレベルを超えた道路をつくりだした。その道路は平野のなかをまっすぐに、ある箇所では丘を削ってまでも、できるだけまっすぐにつくられた。道幅は広いところで一二～一三メートル、現在の道路なら四車線分になる。自動車のない時代に、不似合いなほど幅の広い、人工的な道路である。こうした道路跡を上空から見ると、まるで現代の高速道路のように直線が大地に延びている。

この直線道路は、駅馬《えきば》の通る道である。約一六キロメートルごとに駅家《うまや》が置かれて、そこに優秀な馬が集められ用意された。都と大宰府《だざいふ》を結ぶ山陽道には、駅家ごとに二〇頭の駅馬を置くように定められていた。もし、地方で反乱が起きたり、外国の軍隊が攻めてくるなどの緊急事態が発生したら、駅馬を使って急いで都に報告することになる。それぞれの駅家に選《よ》りすぐりの優秀な馬を置いておけば、駅家から駅家へ乗り継いでいき、当時の交通手段のなかではもっとも速く使者の往来ができる。一頭の馬で終点まで走りつづけるよりも、リレー方式で馬を乗り継いだほうが、馬の疲労も少なくてすみ、目的地までかかる時間も少ないのである。古代の中国に設けられていた郵駅《ゆうえき》の制度を取り入れたものであり、交通というよりは、高速通信に重点が置かれた制度である。

直線であることは、最短距離を結ぶことが目的であったと考えられるが、一二メートルという幅にはどのような役割があったのだろうか。ひとつには、非常事態が起こった場合に、それに対処する軍隊が移動する必要から、ということが想定できる。反乱の現場へ部隊を急行させるだけでなく、大規模な緊急事態には、援軍のために、別の方面から軍事動員をかけて部隊を移動させる必要も出てくる。最短距離を結ぶ一二メートル幅の道路は、いざというときに軍隊が通る道でもある。

このような直線道路が人工的につくりだされたのは、七世紀後半であった。『日本書紀《にほんしょき》』では、天武《てんむ》天皇一四年（六八五）に全国支配のための七道制ができあがったことが知られるが、発掘調査の結果からは、それを若干さかのぼる時代に建設された可能性も考えられる。七道制が編成される前提として、各地を結ぶ幹線道路があったのかもしれない。天武天皇よりも前の天智《てんち》天皇の時期に建設が始まったとすれば、

3

◉**古代東山道の跡**（栃木県宇都宮市）
写真中央縦に二本の溝が平行してまっすぐ伸びており、溝に挟まれた部分が路面。

その時代に直面していた問題と密接に関係するだろう。百済《くだら》再興のために出した援軍が、六六三年に白村江《はくそんこう》で唐《とう》・新羅《しらぎ》の連合軍に大敗を喫したことにより、七世紀後半には軍事制度の立て直しが緊急の課題になっていた。軍事動員に便利な幅の広い直線道路は、国家の危機に対応するためという大義名分のもとに、多くの労働力を駆り出して建設されたのである。

自然の景観が広がる地方の野山のなかに、突如出現した、幅一二メートルで延々とのびる直線道路は、異様な光景であったに違いない。この道をたどれば、都へと続いている。地方の人々にとっては、都とつながっていることが目に見えてわかったかもしれないし、道路に立てば都の香りが届いてくるような錯覚を起こしたかもしれない。

七道制成立直後の全国

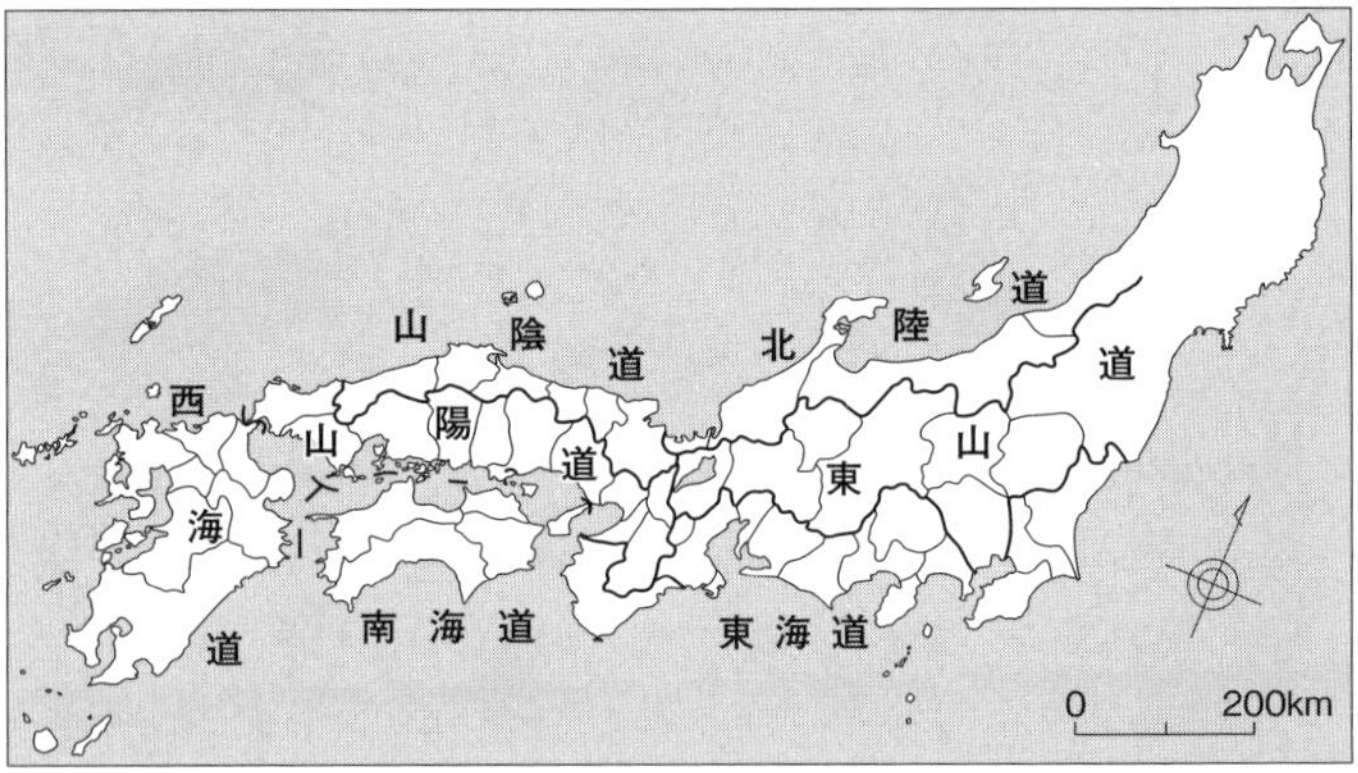

馬と駅家

駅馬《えきば》の制度によってつねに最速の通信網を維持するためには、規定された数の良馬を確保する必要があった。通信目的の駅馬の制度以外にも、郡家《ぐうけ》ごとに五頭ずつ管理され、中央から派遣された国司《こくし》などの役人が任地に赴任する際などに、乗ったり荷物を運んだりできるように用意された伝馬《でんば》と呼ばれる馬もいた。いずれも、国家のために地方で用意することが定められたものであった。

また、馬は日本国内で人間の利用できる最大の動物である。国内で戦乱が起きた場合には、当時の乗り物としては、今でいえば戦車に相当する威力があるといっても過言ではない。軍事的な観点からも、いざというときにどのぐらいの馬が確保できるかも重要であった。

駅馬や伝馬は、指定された馬の数を確保するために、病気や死亡によって数が減れば補充された。国家の管理する牧《まき》があるところでは、そこから優秀な馬が選ばれる。しかし、近くにそうした牧場がなかったり、あっても適当な馬がいなければ、周辺から優秀な馬が買い上げられた。さらに、ふだんは農耕に使われている馬であっても、戦時には徴用することを前提として、諸国では人々のもっている馬が帳簿に登録されていた。八世紀前半の天平《てんぴょう》年間(七二九~七四九)には諸国で「百姓《ひゃくせい》牛馬帳《ぎゅうばちょう》」がつくられ、中央で軍事を担当する兵部省《ひょうぶしょう》にあてて提出された。人々がもっている農耕用の馬や牛でさえ、軍事を管理する役所で把握されていたのであった。

兵庫県龍野《たつの》市の小犬丸《こいぬまる》遺跡は、山陽道に面して見つかった遺跡で、「駅」と書かれた墨書土器《ぼくしょどき》や、駅家《うまや》の経営に携わる駅戸《えきこ》に関する木簡《もっかん》も出土したことから、駅家の遺跡とみられる。見つかった建物跡は、東西や南北の方向をそろえて整然と建てられており、それぞれの建物の規模も役所としてふさわしい。駅家は各地方に点々としているが、国家によって重要な道路沿いに設置された立派な役所だったのである。ことに、山陽道は、大宰府《だざいふ》から都にのぼる道路であり、新羅《しらぎ》などから日本に派遣された外交使節が都に向かう際に通る道路であった。『日本後紀《にほんこうき》』大同《だいどう》元年(八〇六)五月の記事に、山陽道の駅家では外国からの使節を迎えるのに備えて「瓦葺粉壁《かわらぶきふんぺき》」にしてきたとある。「瓦葺」は文字どおり瓦葺き、「粉壁」は通常の家屋では用いない白壁のことである。外交使節が立ち寄ったり宿泊する可能性があったからであり、最大限立派な見栄えのする外観を用意したのである。国家が侮られないためとはいえ、外交使節が通るのは何年かに一度、まして、付近の住民には瓦葺の白壁の建物が置かれている意味は、修理のためにたびたび動員されること以外には何もない。

駅家に用意された駅馬についても、そう頻繁に緊急事態があるわけではないから、ふだんはただ厩舎《きゆうしや》につないでおくか、駅家の近くで運動させておくしかない。馬の体調を維持するためには放牧しておくほうがよいが、牧場まで連れていったらいざというときに戻ってこられないので、連れていくわけにもいかない。そのため駅家の付近でごろごろしてほとんど暇をつぶしている良馬を、道路を通る人間で事情を知っている者たちが、ほうっておくわけがない。各地方で選《よ》りすぐりの良馬を、飼い殺しになる前に利用しない手はないだろう。

遠方の諸国から上京する公務の使者の一部には、律令《りつりよう》の規定で駅馬を利用することが認められていたが、養老《ようろう》六年（七二二）にはこれを改めて、都に近い数か国を除く、全国のほとんどの国司《こくし》官人《かんじん》が、公務で往来する際に駅馬を利用できるようになった。おそらく、実際に往来していた官人からの希望が多く出されたので、政府が規制を緩めたのだろう。さらに、利用する官人たちのなかには、自分のほうが駅長《えきちよう》よりも身分が高いのをいいことに、許可されたよりも多く駅馬を借り出そうとする者もいたらしい。駅長もなかなか拒みきれず、見逃さざるをえない場合もあったのだろう。

こうして、本来は緊急事態に備えて厳重に管理され、ふだんは利用しないようにしていた駅馬は、実際にはどんどん日常的に利用されていった。そして、利用頻度が上がった結果、疲弊する馬が目立つようになる。緊急事態への備えの観点からは、もはや厳重な管理体制とはいいがたい。国家が理想を求めて設置した高速通信網は、国家を動かす役人たちの濫用《らんよう》によって、やがて九世紀には崩壊を迎えることになる。ただし、駅馬を借り出した役人たちだけの責任にすることはできない。利用頻度の少ない施設に選りすぐりの良馬をつないでおく制度じたいに、矛盾はなかっただろうか。

都市の建設

都の建設と古墳の破壊

第二章でも触れた藤原京《ふじわらきょう》や平城京《へいじょうきょう》について、その造営に関する問題を取り上げてみることにしたい。藤原京は、東西、南北ともに五・四キロメートルの範囲、平城京は東西五・八キロ、南北五キロの範囲に及ぶ。このような広大な面積を都とする計画が立てられた段階では、それぞれの都に取り込まれる範囲内に古墳《こふん》もあったし、人も住んでいた。

　都をつくるにあたっては、それ以前の古墳があったとしても、計画に従って古墳を削り、地形が変えられた。藤原京の建設では、藤原宮の中心からまっすぐ南に延びる朱雀大路《すざくおおじ》の造成工事において、七世紀初めからなかばにかけての横穴墓《よこあなぼ》があった斜面を削り、谷を埋め立てて道路をつくっていった。発掘調査では、道路の建設に伴って埋められた墓穴が見つかっている。わずか数十年前のお墓を削ってしまうのであるから、ばちのあたりそうな話である。持統《じとう》天皇七年（六九三）には、都の建設を担当する役所に対して、掘り出した屍《かばね》を納めることを命じる詔《みことのり》が出されており、実際に造営工事によって古墳が壊されていることは、天皇も知る事実であった。

　こうしたことをふまえてか、平城京の建設にあたっても、和銅《わどう》二年（七〇九）に「墳墓を掘り出してしまったら、埋めおさめて、そのまま露呈させることをしないようにし、被葬者を祭って魂を鎮めるように」という趣旨の命令が出された。しかし、古墳を削ってでも都が建設されることに変わりはない。平城宮の内裏の北に隣接する場所に円墳《えんぷん》のような墳丘があり、現在は平城天皇陵《へいぜいてんのうりょう》として扱われている。しかし、調査の結果、これはもとは円墳ではなく、前方後円墳《ぜんぽうこうえんふん》だったことが判明し

平城宮の位置と市庭古墳のもとの形

た（市庭古墳《いちにわ》）。どういうことかといえば、もともと約二五〇メートルの大型の前方後円墳であったものが、内裏の建設予定地にかかる前方部が平らに削られ、後円部の墳丘のみが残されたのである。すっかり削られて平らになった宮のなかの地で、調査によって前方部の周濠《しゅうごう》跡が見つかった。平城宮が建設される以前に誰を葬っていたのかわからないが、数百年前の古墳は、もはや避けるべき対象ではなくなっていたのである。

水害をおさめる

藤原宮《ふじわらきゅう》の地は、現在は水田が広がるなかにある。決して水はけがよいとはいえない地形の場所に政治の中心となる施設がいくつもつくられた。『万葉集《まんようしゅう》』には、藤原京の建設を始めた天武《てんむ》天皇を称《たた》えるつぎのような歌がある。

大君《おおきみ》は　神にしませば　赤駒《あかごま》の　腹這《はらば》ふ田居《たい》を　都と成しつ　（四二六〇番）

大君は　神にしませば　水鳥の　すだく水沼《みぬま》を　都と成しつ　（四二六一番）

藤原京がつくられはじめるまで、その地には、赤駒が腹をつけながらしか進めないほどぬかるんだ湿田があり、水鳥が集まる沼があった。そうした湿地を都に変えられたのは、困難なことを実現させてしまったほどの、天皇の指導力があったというのが歌の趣旨である。

建て込んでいた飛鳥《あすか》の地から少し離れ、新たな都を置く地として藤原京の地が選ばれたのだが、そこは湿地の広がる場所であった。水害と戦う人々の姿が、藤原京の発掘調査で出土した資料からわかっている。

藤原宮の西部に位置する役所跡から、藤原宮を建設する際に埋められた井戸跡が見つかり、下の写真右のような呪符《じゅふ》木簡《もっかん》が出土した。いちばん上に書かれた絵のようなものは、九つの星からなる羅堰《らえん》という星座であり、大雨による洪水をせき止める意味をもっている。洪水を防ぎ、水があふれ出ないように井戸を埋め立てた際に入れられた呪符であろうか。

藤原京南西の右京《うきょう》九条四坊の街路の側溝の橋跡付近からは、写真左のような木簡が見つかった。四方の神である大神龍王に、水などを七里の外へ追い出すことを願ったものと考えられる。藤原京を建設し、そこで活動した人々にとって、水害の危険はつねに頭から消えなかったのであろう。

日本で最初の中国風の都城は、水害の可能性のある地ではあったが、多少の無理をしてでも建設が進められたのであろう。これもまた、天皇の選んだ地に画期的な都をつくるという大義名分によって、開発が強行されたことを物語る。

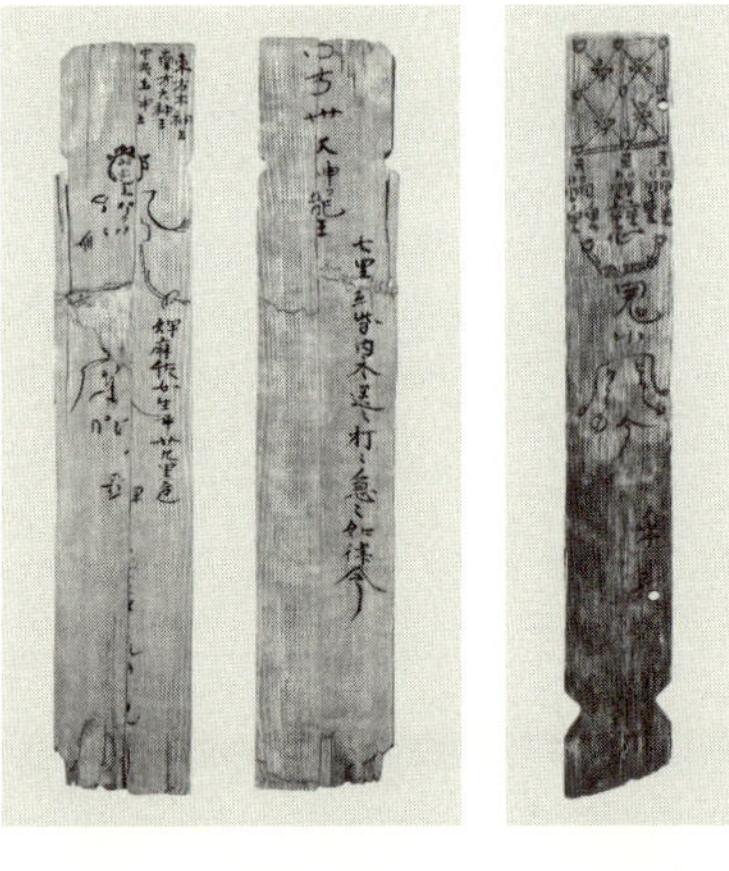

4

◉藤原京跡出土の呪符木簡
右は藤原宮跡の井戸から見つかった、「羅堰」を書いた木簡。左は、藤原京内の道路の側溝に架かる橋の近くで見つかった、水に関係する大神龍王などへの祈願を記した木簡の表裏。

強制移住と宅地の指定、都市住民の誕生

宮殿の範囲となった地では、古墳が削られただけでなく、その範囲に居住していた人々は強制退去の対象となった。藤原宮《ふじわらきゅう》の造営では、宮の範囲となってしまった一五〇五戸の人々に麻布《あさぬの》が支給された。今でいえば立ち退き料である。平城宮《へいじょうきゅう》の場合にも、地鎮祭が挙行されるより一か月前の和銅《わどう》元年（七〇八）一一月に、菅原《すがはら》の地の民の九〇戸あまりが強制移住させられ、麻布と穀物が支給された。のちに知られるところでは、右京三条四坊に菅原《すがわら》神社があり、現在でもそのあたりに奈良市菅原町という地名が残っている。強制移住させられた先が、この菅原町付近なのであり、移住させられた人々は、もともとは、平城宮となった場所に住んでいたのであろう。

一方で、都の範囲の外にいた者が、都に居住させられたこともあった。都の中心にある官庁に出勤する役人たちには、位階の高さに応じて、都のなかに宅地が分け与えられた。官人《かんじん》となった者は都に居住しなさいという、国家の意思表示である。

藤原京ができるまで、政府の要人たちは、個々に自分たちの根拠地となる邸宅をもち、そこを活動拠点にして周辺の耕作地を所有していた。いわば、豪族の経営体が飛鳥《あすか》周辺の各地にあり、豪族たちはそこから出仕してきていたのである。ところが、藤原京の出現とともに彼らの境遇は一変する。それまでは、皇親がそれぞれ自身の宮をもち、即位した天皇の宮が政治の中心となるのであって、天皇が変われば、また別の場所が政治の中心となるのであった。しかし、藤原京の中心である藤原宮は、そのような政治中心地の移動を否定し、今後何代にもわたって使っていく「万代《ばんだい》の宮」

として建設がなされた。持統《じとう》天皇から文武《もんむ》天皇へ、そして元明《げんめい》天皇へと、藤原宮が受け渡されていったのである。

天皇の宮が固定化されるとともに、そこへ出仕する豪族たちも、宮周辺の京域から出勤することを義務づけられた。彼らは個々にはそれ以前から根拠地としてきた経営体をもってはいたが、都のなかに分け与えられた宅地に拠点を構えることを強制されたのである。豪族たちは、都のなかに居住して給料を支給される貴族として、国家との新たな関係に移行することとなった。

都における貴族たちの邸宅跡は、近年の発掘調査でいくつか明らかになってきている。藤原京では、持ち主はわからないものの、右京七条一坊で立派な邸宅跡が見つかった。ここは藤原宮に近接した場所であり、高級貴族の邸宅であったとみられる。平城京の貴族の邸宅跡でもっとも有名なのは、長屋王《ながやおう》邸

◉**長屋王邸の復元模型**
平城京左京三条二坊の地にあった邸宅の復元。広大な敷地の内部は塀で仕切られ、大きく三つの区画に分かれていた。長屋王家木簡が見つかったのは、この敷地の北東隅に近い地点である。

だろう。昭和六一年（一九八六）から四年間にわたって奈良国立文化財研究所（現・奈良文化財研究所）によって行なわれた発掘調査で、平城宮とはす向かいの地に、広大な邸宅跡が営まれていたことが判明した。敷地内からは、邸宅内で使われていた木簡《もっかん》を一括廃棄した長大なゴミ穴も見つかり、三万五〇〇〇点あまりの木簡が出土した。木簡からは、主人である長屋王とその家族以外にも、従者である資人《しじん》や奴婢《ぬひ》など邸宅内に数多くの者がいたことがわかる。

一方、宮殿から離れた地域には、位階の低い官人や、位階をもたない人々、商人や工人たちが居住した。彼らの宅地は、高位の貴族に比べれば、はるかに狭い。都のなかは身分の差が顕然とした社会であった。しかし、狭いとはいっても、平屋の戸建て住居で庭付きである。現代の都市生活よりは、はるかにゆったりとしている。

現代の都会のような高層建築はないので、人口密度の点では比べようもないが、それでも、都市住民と呼ぶことのできる一群が世の中に出現したことの意義は大きい。農業や漁業のような食料供給に携わる人々が集まっている集落とは異なり、政治にかかわる者が集住し、消費者が多数集まった空間は、政治都市とも呼ぶべき存在であった。都の誕生によって、日本の歴史上それまでにはなかった人間社会が成立し、都市の文化が生まれ、これまでとは違った社会問題も発生することになったのである。

大寺院と九重塔

都には、大寺院も建立された。藤原京《ふじわらきょう》では左京《さきょう》に大官大寺《だいかんだいじ》、右京《うきょう》に薬師寺《やくしじ》が所在し、大伽藍《がらん》を誇ったが、平城京《へいじょうきょう》では、それぞれが当初から大安寺《だいあんじ》と薬師寺として造営されたほか、のちには東大《とうだい》寺《じ》・西大寺《さいだいじ》などの官立寺院が建立されることとなった。

国家が建設した大寺院の始まりは、七世紀前半の舒明《じょめい》天皇の時代に建設が始められた百済大寺《くだらおおでら》である。飛鳥寺《あすかでら》をはじめ、それまでの寺院が諸氏族によって建てられた性格が濃厚であったのに対し、舒明天皇は即位して一一年目（六三九年）の七月に、奈良盆地南の百済川《くだらがわ》のほとりに大宮と大寺の造営を始め、同時並行で進行させた。『日本書紀《にほんしょき》』では、この年の一二月に九重塔を建てたと書かれているが、九重塔の建設にとりかかったということであろう。官立の寺院としてつくられたこの寺は、百済大寺と呼ばれるようになり、六四一年に舒明天皇が亡くなったあとは、その伴侶《はんりょ》であった皇極《こうぎょく》天皇が跡を継いで、造営は継続された。そして、数年のうちには国家第一の寺院と扱われるようになり、六四五年八月には、僧尼《そうに》を集めて仏教界の再編を命じる舞台となった。

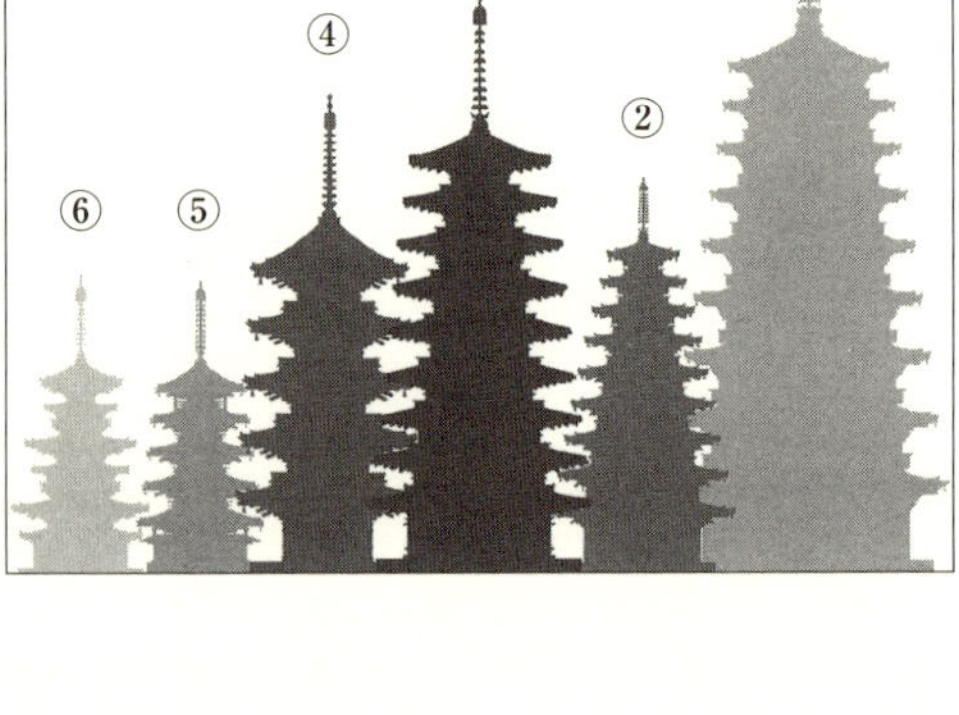

◉朝鮮半島と日本の仏塔の高さ
①皇龍寺（新羅）、②弥勒寺（百済）、③大官大寺（日本）、④東寺五重塔（現存）、⑤法隆寺五重塔（現存）、⑥薬師寺三重塔（現存）
（原図、奈良文化財研究所。一部改変）

この大寺は長らくその所在がわからなかったが、平成九年（一九九七）から桜井市吉備《きび》池《いけ》で行なわれた発掘調査で見つかった吉備池廃寺《きびいけはいじ》が、これにあたると考えられるようになった。同時代の寺院と比べてけた違いに大きな金堂《こんどう》と塔の基壇《きだん》が発見されている。塔の基壇で比べてみると、一辺一二メートル程度の方形の基壇をもつ飛鳥の諸寺院に比べて、一辺が三二メートルにもなり、約二・六倍の規模を誇る。この規模から推定される塔の高さは、約八〇メートルになる。現存するなかでもっとも高い木造の塔は、京都の東寺《とうじ》の塔で五四・八メートルであり、その約一・五倍の高さである。実際に完成に至ったかどうかは不明だが、同時期の塔と比べるなら、たとえば法隆寺《ほうりゅうじ》の五重塔が三一・五メートル、薬師寺東塔が三三・六メートルであるから、それらに比べても倍以上の高さであった。いかに大規模なものをつくろうとしたかがわかる。

こうした大規模な建物の場合には、きわめて頑丈な基礎工事がなされるが、古代においてコンクリートのような素材はなく、版築《はんちく》という工法がとられることになる。版築は、土層を数センチメートルほどの厚さで積むごとに、上から丁寧にたたき締めて、一層ずつ固めながら土台を積み上げていく建築技法である。寺院や宮殿において、建物や城壁などの建築に用いられてきた、古代において、もっとも耐久性の必要な建築の基礎工法

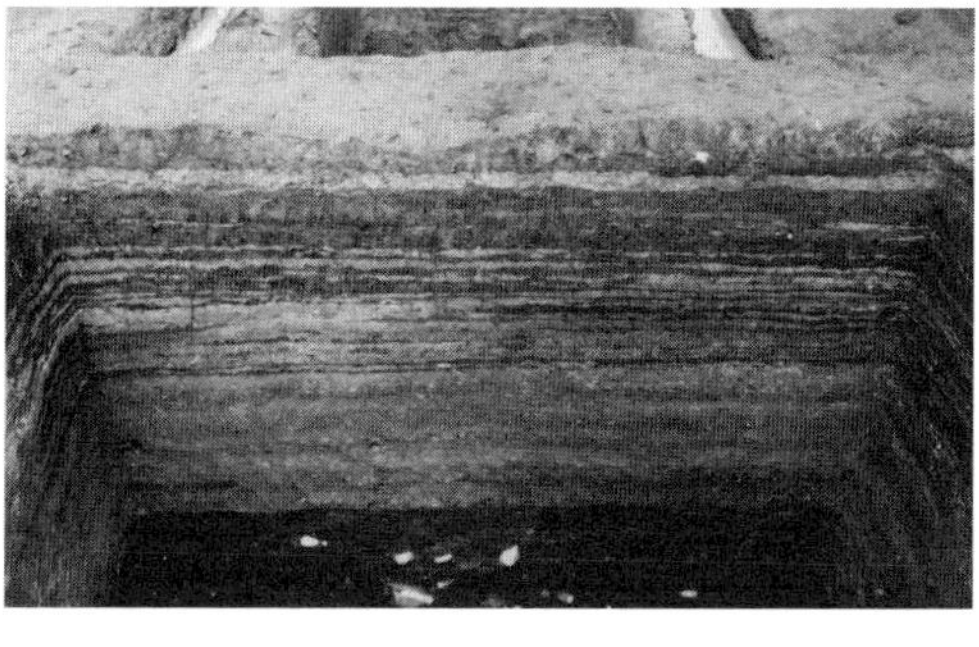
6

◉大官大寺跡の版築
発掘調査で見つかった基壇の版築。たたき締めて積み上げられた土層の縞模様が見える。

といえるだろう。第一章で紹介した水落遺跡《みずおち》（奈良県明日香村《あすか》）の建物でも用いられており、寺院だけでなく、官衙《かんが》の建物にも取り入れられた工法であった。

じつは、百済《くだら》や新羅《しらぎ》でも、同規模の塔がほぼ同じ時期に建てられていた。百済では七世紀前半に弥勒寺《みろくじ》が造営され、木造の九重塔が建設された。新羅では、都のあった慶州《キョンジュ》に所在する皇龍寺《こうりゅうじ》に、六四五年から九重塔が建てられたと伝えられる。皇龍寺跡の発掘調査では、吉備池廃寺と同規模の三二メートル四方の塔基壇が見つかっており、百済大寺とほぼ同じ規模の塔が建てられたらしい。超高層の塔の建設は、七世紀前半に東アジア諸国がしのぎを削った、建築競争でもあった。

百済大寺は、舒明と皇極の子である天武《てんむ》天皇の時代、天武二年（六七三）に高市《たけち》の地（奈良県明日香村）へと移転したようで、高市大寺《たけちのおおでら》と呼ばれるようになった。この年は舒明の三十三回忌と皇極の十三回忌にあたっており、天武が両親供養の名目で整備したのであろう。移転に伴い、百済大寺の建物は解体され、瓦《かわら》や建築資材が転用された可能性が高い。天武天皇六年には高市大寺を大官大寺と改称したようで、以後も、国家にとって最高位の寺院として格付けられた。

文武《もんむ》天皇の時代（六九七～七〇七年）になって、藤原京のなかに新たに大官大寺の伽藍が建設された。「大安寺《だいあんじ》流記資材帳」や『扶桑略記《ふそうりやつき》』には、この造営工事で九重塔がつくられたと記されている。藤原宮の南東、香具山《かぐやま》の南にあたる地で昭和四八年（一九七三）から行なわれた発掘調査では、大規模な寺院の伽藍が見つかり、文武天皇時代に造営された大官大寺であることが判明した。金堂や塔はほぼ完成し、九重塔の高さはすぐ北に位置する香具山よりも高かったと推定される。地方から上京した人々は目を見張ったことだろう。現代の東京に東京タワーがあるように、藤原京には大官大寺の九重塔があった。国家が建設した建物として、その威容を誇る姿は、藤原京のシンボルでもあったはずである。

こうして建設された大官大寺であったが、伽藍の完成を迎える前に、和銅《わどう》四年（七一一）に火災によって焼失する。発掘調査によって火災で焼け落ちた痕跡《こんせき》が見つかり、多くの資材と労力をかけて完成を迎えようとしていた巨大寺院は、灰燼《かいじん》に帰した。時代は平城京遷都が決定された翌年にあたる。火災の後始末をして平城京に寺院組織を移転させ、霊亀《れいき》二年（七一六）に移建を開始して大安寺として再出発を図ったものの、そこに九重塔が建てられることはなかった。大安寺の伽藍は、大官大寺としての華やかな記憶のうえから塗りつぶすように、唐《とう》から帰国したばかりの道慈《どうじ》に造営が任され、彼が住んでいた唐長安《ちょうあん》の西明寺《さいみょうじ》の伽藍様式がとられた。

平城京に建設された寺院のなかで、もっとも高い塔をもったのは、東大寺であった。東大寺の地は外京《げきょう》と呼ばれた平城京の東張り出し部分のさらに東に隣接しているから、正確には京外にあり、奈良盆地の東の山地にかかっている。大仏殿の造営に際しても、山側を削った土で谷側を埋めるなどの工夫によって、広い平面をつくりだしている。大仏殿より南に東西に並び立った東塔と西塔は、七重塔と伝えられる。宮殿からはるか東の山ぎわに立ち上がった二本の塔は、遠くからもよく見えたことだろう。今、平城宮跡に立って東を眺めれば、若草山《わかくさやま》のふもとに大仏殿の大屋根を見ることができる。往時にはそれに並んで、さらに高い塔が二本見えたのであった。

土木工事と人々の逃亡

藤原京《ふじわらきょう》、平城京《へいじょうきょう》と続き、さらには同時並行で行なわれた難波京《なにわきょう》（大阪市）・恭仁京《くにきょう》（京都府加茂《かも》町）など、七世紀末から八世紀にかけての都の建設に動員されたのは、どのような人々だったのだろうか。八世紀の制度では、京や畿内諸国以外の人々に賦課して取り立てた庸《よう》を中央に集め、それを財源として雇役《こえき》を行なうことになっている。庸は、もともと一年に一〇日間の労働負担であり、それをその労働対価と同じ布や米で納めることを指していた。一〇日働くかわりに、一〇日の労働で生産されるぶんの布で代納するのである。地方で集められたその布や米は都に送られて、都で労働者を雇った際の労賃にあてられる。地方の人々が庸を納めているのに、京や畿内の人々に庸が賦課されていないのは、彼らが造営工事などの都での労働に駆り出される立場だったからである。こうして、労賃を支払って働かせる制度を雇役という。

宮殿や都の道路・橋といった造営工事の労働は、ほぼこの雇役によって担われたと考えられている。しかし、延々と毎年続く造営工事に対して、雇役労働の担い手は京と畿内だけでは実質的にはおさまらない。各地で集められた雇民《こみん》が、都へ向けて送り出されることになる。彼らは、戸籍に登録されているなかから選ばれ、ほぼ強制的に都へ送られたのであった。

天平《てんぴょう》六年（七三四）にまとめられた、「出雲国計会帳《いずものくにけいかいちょう》」が正倉院文書《しょうそういんもんじょ》に残されている。計会帳は、役所ごとに一年間にやりとりした文書を書き上げて、中央での点検を受けるために提出した記録であり、この文書からは、出雲国を担当した出雲国司《こくし》が一年間にどのような文書を授受したかがわかる。そのなかに、出雲国から送り出された雇役民に関する文書の送付記録が残されていた。表のように、雇民の情報を中央で管理している民部省《みんぶしょう》から出雲国司にあてて、雇民が逃亡したという知らせが届くと、出雲国司の側ではすぐに逃亡者にかわる雇民を送り届ける措置をとっている。逃亡者が出た場合には、その逃亡者の出身国から補充するというのが、政府のとった原則であった。表では、同じような措置がとられた衛士《えじ》・仕丁《しちょう》と匠丁《しょうちょう》についても、あげておいた。

「出雲国計会帳」は、すべてが残っているわけではない。中央から逃亡の知らせが届いたことのわかる部分は、一年間のうちの六か月分である。それでも仕丁・匠丁を含めて一二通が届いたことがわかり、なかには難波宮《なにわのみや》をつくる雇民が逃亡したという知らせもある。神亀《じんき》三年（七二六）に聖武《しょうむ》天皇は難波宮の再建を始めており、この帳簿の天平六年になっても、平城宮の充実・修理と並行して土木工事が行なわれていた。計会帳に残った記録だけでも、逃亡者の代替人として雇民一九人、仕丁など三三人、匠丁三人

「出雲国計会帳」に見える逃亡代替者の送り出し

中央からの連絡	出雲国への到着	連絡の内容	出雲国からの返信	送り出した交替者数
民部省符	2月19日頃	仕丁・匠丁・雇民の逃亡	3月6日	26人
民部省符	3月4日頃	雇民の逃亡	3月26日	4人
民部省符	3月13日頃	匠丁の逃亡	4月8日	3人
兵部省符	3月17日	衛士の逃亡と死去	4月8日	3人
民部省符	4月10日	雇民の逃亡	不明	不明
兵部省符	4月10日	衛士の逃亡	4月20日	1人
民部省符	5月9日頃	難波宮をつくる雇民の逃亡	不明	不明
民部省符	5月14日頃	匠丁の逃亡	不明	不明
民部省符	5月14日頃	匠丁の逃亡（あるいは他国あてか）	不明	不明
民部省符	6月14日頃	雇民の逃亡	不明	不明
民部省符	7月4日頃	雇民の逃亡	不明	不明
兵部省符	7月13日	衛士の死去	7月23日	1人

が送られている。一年間を通した数字では、おそらく倍近いものになるだろう。

出雲国から送られた者たちだけで、この数字である。全国各地から送られたことを考えると、現場から逃亡した者の数は相当な量にのぼるだろう。都での強制労働の毎日のなかで、ある者は仲間と相談し、ある者は単独で、逃亡して行方をくらました。作業現場では逃亡が日常茶飯事のように繰り返されていたのかもしれない。彼らは逃亡したあと、地元に帰れば捕まって都の現場に送り返されるか、処罰を受けることになるだろう。もはや故郷に帰ることもできず、行方をくらまして浮《ふ》浪人《ろうにん》となった者も多かったに違いない。

地方都市の建設

都の建設が繰り返されるのと並行して、地方でも都市が建設されるようになった。諸国には、地方行政の中心となる施設として、八世紀の前半になると国庁《こくちょう》が設置され、これを中心として、さまざまな行政機能が集約された空間である国府《こくふ》が成立した。

国庁は、一〇〇メートル四方ほどの、塀で囲まれた空間であり、そのなかに中心になる正殿《せいでん》が南を正面にして配置されている。正殿の左右に、南北に細長い建物が配され、それぞれ東脇殿・西脇殿《わきでん》と呼んでいる。正殿の南側に、正殿よりもやや小さい前殿《ぜんでん》が置かれたり、あるいは正殿の背後に後殿《こうでん》が置かれたりする場合もある。これらの建物の南には建物のない広場が設けられており、儀礼などの際には、出席者がそこに整列することになる。

このような国庁の空間の性格は、都の宮殿中枢部を小型化したものであり、政務・儀礼の空間として、地方諸国でも国家の支配理念にもとづいた儀礼や手続きを行なわせるための場であった。諸国の長官《かみ》である国守《こくしゅ》は、天皇からの命《みこと》を受けて中央から派遣され地方を治めにやってきた者（ミコトモチ）であり、天皇の命令に従って、その代行者として諸国行政にのぞむ者であった。国庁の正殿は、都のなかでいえば、正式儀礼の際に天皇が出御《しゅつぎょ》する高御座《たかみくら》が設けられていた大極殿《だいごくでん》にあたるものなのである。

　国庁跡の発掘調査によって、興味深い事実が明らかになっている。次ページの図のように、まず第一に、近接する諸国の国庁どうしがよく似た建物の配置をとっている。近江《おうみ》国庁と伊勢《いせ》国庁は建物の大きさや配置がそっくりだが、ほかの国では別な配置をとっている。また、西海道《さいかいどう》の肥前《ひぜん》国庁は大宰府《だざいふ》の政庁にそっくりでやや小型化した建物配置をしており、大宰府の管轄下にあった西海道諸国の国庁では、大宰府の建物配置の影響を受けているようである。おそらく、近接する地域で、同じ図面をもとにして設計されていたのだろう。政府の指導のもとで、いくつかの地域ごとにまとまった方針で建設が進められたとみられる。国庁に対して、第四章で触れた郡家《ぐうけ》の場合は、国庁に比べると規模が小さい点は行政上の格の違いとみることができるが、建物配置の様相は国庁ほどの共通性はない。建設主体は郡司《ぐんじ》となっている地方豪族たちであり、政府が主体となって建設した国庁に比べて画一性が薄いのも、地方豪族たちの自主的な建設によるところが大きいのだろう。

　第二に、国庁は同じ場所で数度の建て替えが行なわれているが、その変遷のなかで、概して八世紀末から九世紀にかけての時期が、もっとも立派な外観を見せるようになる。それまで中心となる建物は掘立柱《ほったてばしら》建物であったが、この時期に礎石《そせき》建物に変化し、瓦葺《かわらぶき》の屋根をもつようになっていく。朱塗りの柱に瓦葺の屋根が載った、中央の宮殿と同じような色彩の建物になるのである。

地方の国庁がこの時期にもっとも立派な姿になっていくことは、律令制による国家組織が充実されてきたことを示している。かつて、古代国家展開の歴史を叙述する際には、律令国家は大宝律令《たいほうりつりょう》の制定された当初が頂点で、それから崩壊の一途《いっと》をたどるかのような描き方がなされる場合もあった。しかし、余力のない衰退状態の国家に、このような立派な国庁を建設できようはずもない。国家機構は大宝律令制定ののち、数十年をかけて充実の方向へ進んできたとみるべきであろう。

この時代、地方において、諸国の国府よりも大き

類似する国庁の建物配置

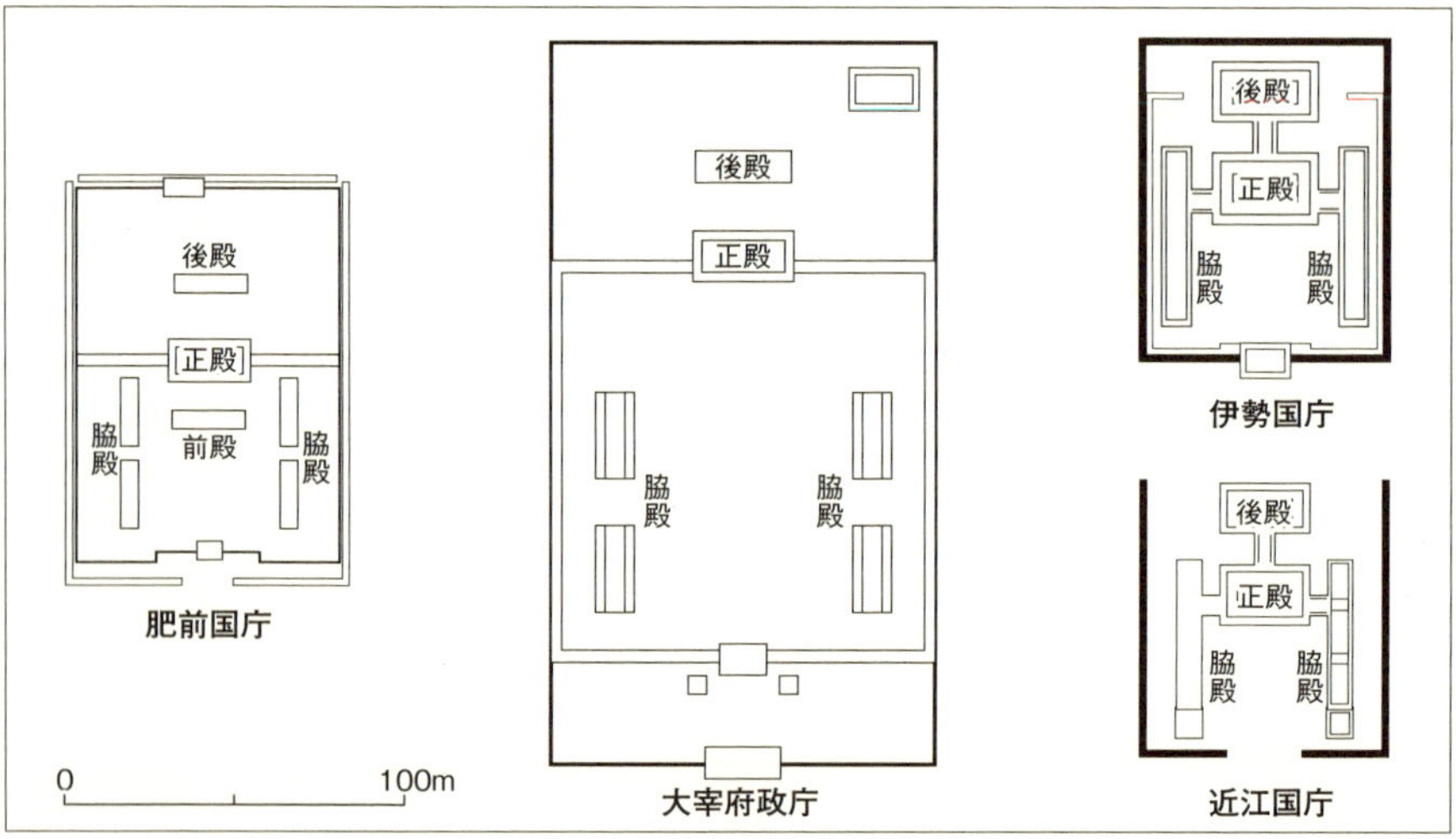

な存在が二つあった。ひとつは、西海道諸国の管轄を担当し、西からの外交の玄関として「遠《とお》の朝廷《みかど》」とも呼ばれた大宰府《だざいふ》であり、もうひとつは、東北辺境に近い地にあって、陸奥《むつ》国府とともに、陸奥・出羽《でわ》両国を管轄する陸奥出羽按察使《あぜち》が併置された多賀城《たがじょう》である。それぞれの中心となる、国府でいえば国庁にあたる大宰府政庁・多賀城政庁は、諸国の国庁よりも規模が大きいことが、発掘調査によってわかっている。

また、近年では、都市景観の点でもこの二つは進んだ状況であったことがわかってきた。すなわち、大宰府・多賀城とも、その南側にあたる場所に、碁盤の目のように街路が十字に交わる、街区ともいうべき空間が付随してつくられていたことがわかってきた。それぞれの街区には、役人や商工業者とその家族が住んでいたのであろう。都より小規模な、しかし都とよく似た性格の「都市」を形成していたのである。おそらく、諸国の国府も、これより規模は小さいが、都市的な景観をもっていたのではないだろうか。

地方社会と国分二寺

地方には国庁《こくちょう》とともに国家の寺院も建てられた。天平《てんぴょう》一三年（七四一）に聖武《しょうむ》天皇が各国に建設を命じた、「金光明四天王護国之寺《こんこうみょうしてんのうごこくのてら》」と「法華滅罪之寺《ほっけめつざいのてら》」がそれである。前者は通称で国分寺《こくぶんじ》、後者は国分尼寺《こくぶんにじ》といい、両方をまとめて国分二寺ともいった。国分二寺は、聖武天皇が全国への加護を期待して建設を命じたものだが、その命令を実現させるためには、多くの困難が待ち受けていた。

全国に統一して指令は出されたものの、造営のはかどらない国はいくつもあったようで、天平一九年には、工事を進めない国司《こくし》を督促し、諸国に調査官を派遣したり、郡司《ぐんじ》のなかで造営担当者を決めさせたりして、三年以内に七重塔・金堂・僧坊《そうぼう》を建て終えるよう命じている。しかし、それでも進まない国があったようで、天平勝宝《てんぴょうしょうほう》八年（七五六）には、工人を派遣して諸国の国分寺の丈六《じょうろく》仏像（高さ一丈六尺〔約四・八五メートル〕の仏像）の造作状況を見聞させ、督促を行なっている。そして、翌年五月二日の聖武太上《しょうむだいじょう》天皇の一周忌までに、丈六仏像とこれを安置する仏殿をつくり終えるよう命じ、終えていれば、つぎには塔をつくるよう指示している。建設が命じられてから一五年たっても、とても塔の建設までは手がまわらないという国は多かったのだろう。中央と違って、技術者の不足という問題も背景にある。天平宝字《てんぴょうほうじ》三年（七五九）には国分二寺の図を諸国に配布して指導しており、どのように建てるのかも地方の力だけでは及ばない国があったようである。

諸国の国分寺跡からは、多くの瓦《かわら》が出土している。例として武蔵《むさし》国分寺を取り上げると、ここからは、瓦を成形する際のヘラで生乾きのうちに刻んで書いたり、文字を刻んだスタンプを生乾きのうちに押したりして、郡名を記した瓦がたくさん見つかっている。その郡名も武蔵国二一

7

◉国分寺跡で見つかった郡名瓦
右は武蔵国分寺跡で見つかった「埼」の刻印瓦で、埼玉郡を示す。左は、下野国分寺跡で見つかった「那」の文字瓦で、那須郡を示す。

郡のうち新羅《しらぎ》郡を除く二〇郡にわたる。瓦の生産にほぼ全郡がかかわっており、国の総力をあげて国分寺の造営が行なわれたことがわかる。同様に、下野《しもつけ》国分寺でも、八世紀代の文字瓦に記された郡名は、国内九郡のうち芳賀《はが》郡を除く八郡のものが見つかっている。また、但馬《たじま》国分寺跡では、四二点の木簡《もつかん》が見つかったが、木簡に見える動員された人々の名前や、物資を送った側の地名を調べてみると、但馬国内からの広域的な支援を受けて造営や経営が行なわれたことがわかる。どの国でも、国内各地からの協力体制で造営が進められていった。

しかし、このことは、地方社会にとっては深刻な問題であったに違いない。八世紀前半に国庁《こくちよう》を中心とした国府《こくふ》の施設が建設されて、それまでの時代にはなかった施設の維持が、地方の負担としてのしかかった。そのうえに、八世紀なかばになって、いきなり降ってわいたような国分二寺建立の命令が出されたことで、さらに地方への負担は増した。うまく対応できて早期に建てることのできた国もあれば、なかなか堂舎の建設が進まない国もある。全国的な完成が達成されず、国家としては、八世紀末まで延々とこの問題を引きずっていくことになる。全国各地で総力をあげてのぞんではいても、そう簡単にはすべての国で建て終えることはできなかったのである。

地方で恒常的な負担が累積していくなかで、八世紀末の桓武《かんむ》天皇の時代には、中央で長岡京《ながおかきよう》への遷都、さらに平安京《へいあんきよう》への遷都が行なわれる。さらに東北地方では、宝亀《ほうき》五年（七七四）から蝦夷《えみし》との長期的な戦争が続くことになり、兵員や物資は後方支援にあたる坂東《ばんどう》や北陸地方から供給される態勢がとられた。こうした事態が続くことに対する批判も起こり、延暦《えんりやく》二四年（八〇五）には、「軍事と造作」が民の負担になっているとして、対蝦夷戦争と新都造営事業の見直しについての議論がなされ、藤原緒嗣《ふじわらのおつぐ》の意見によってこの二つを停止することとなった。世に有名な天下徳政相論《てんかとくせいそうろん》である。しかし、「軍事と造作」が民の負担になったことについて、その二つだけが問題だったとみるのは表面的にすぎるだろう。七世紀以前に比べて八世紀前半、さらにそれよりも八世紀後半になって、地方社会における民への恒常的負担が増大していることを、背景として再認識しなければならない。

都市の衛生問題

都市が成立し、人々が集まって居住しはじめると、まず最初に問題になるのは廃棄物すなわちゴミの処理をどうするかということである。都や国府《こくふ》の道路では、必ず道の脇《わき》に側溝《そっこう》がついている。側溝には、路面に降った雨を排水する目的もあるが、この溝には都市のさまざまなものが捨てられ流されていた。

平城京《へいじょうきょう》をはじめ、大宰府《だざいふ》でも多賀城《たがじょう》でも、都市的景観を見せている場所で道路の側溝を発掘すると、さまざまなものが出土する。都市のゴミは多様であり、生活用具から食べかす、木簡《もっかん》、祭祀《さいし》に使われたものなど、見つかるものの種類の多様な点では、現代のゴミ捨て場に通じるものがある。邸宅からの排水によって道路の側溝に流れ込んだものもあるだろうが、道を歩きながら、あるいは意図的に溝にものを捨てた者はいなかっただろうか。現代に生きる私たちにも耳の痛い問題である。

広い邸宅跡を発掘調査すると、大きなゴミ穴が見つかることがある。平城京の長屋王《ながやおう》邸では、幅三メートル、深さ六〇センチメートルで、長さが二三メートルにわたる、長大なゴミ穴が見つかった。ある時期に邸宅内部にたまっていた木簡をまとめて大量廃棄したゴミ穴である。ここから見つかった木簡は約三万五〇〇〇点にのぼる。大掃除の際には、こうして穴を掘ってゴミを埋めてしまう方法がとられた。現代のように焼却処分をしなかったのかどうかは今のところ不明である。火を使って燃やすという行為は、延焼の危険を伴う。大量の木簡となれば、やはりその危険性を考えたのであろうか。

ゴミ穴は、邸宅内部だけではなかった。長屋王邸のすぐ北、正確にいうと長屋王が亡くなってその地の持ち主が変わってからであるが、邸宅を出た道路の上に、長いゴミ穴を掘って邸宅内部で使った木簡をせっせと捨てつづけた跡が見つかった。場所は平城京の二条大路で、平城宮の入り口を東西に走る、都のなかの東西方向の道路としては、もっとも立派な道路の路面上である。さすがに通行のことを考えて道の真ん中には掘っていないが、道の両脇に幅二～三・五メートル、深さ九〇センチ～一・三メートルに掘られたゴミ穴に、二～三年ほどの間にわたって木簡は投棄されつづけた。長さは延々と一二〇メートルに

8

◉二条大路跡の長大な土坑
二条大路の路面上に、道路に沿って掘られたゴミ穴。路面の左右両側に掘られていた。

も及んでいる。

あれほど対外的な見栄えを考えた建築物を建てている政府の要人たちが、自分たちの屋敷のすぐ外側の道路にゴミ穴を掘って、邸宅内のゴミを捨てさせているというのは、どういう感覚なのであろうか。しかも、ここは宮殿からは目と鼻の先、平城京のなかで朱雀大路《すざくおおじ》に次ぐ主要道路といってもよい二条大路なのである。この割り切った生活感覚と、壮麗な建築との矛盾は、なんと評してよいのだろう。

第五章でも触れたように、都のなかではトイレの跡と考えられる遺跡も見つかっている。汲《く》み取り式のものもあれば、垂れ流し方式のものもあった。排泄物は道路の側溝へと流され、それが流れているうちはまだよいが、ゴミとともによどんで不衛生な状態を生み出す要因にもなった。都のなかは、その見栄えとは裏腹に、異臭や病気が蔓延《まんえん》している空間でもあった。藤原京に都が置かれてからわずか一二年しかたっていない慶雲《きょううん》三年(七〇六)に出された詔《みことのり》に、すでに、都の内外に「多く穢臭《えしゅう》あり」との記述が見える。都市の始まりとともに、ゴミと衛生の問題も始まったのであった。

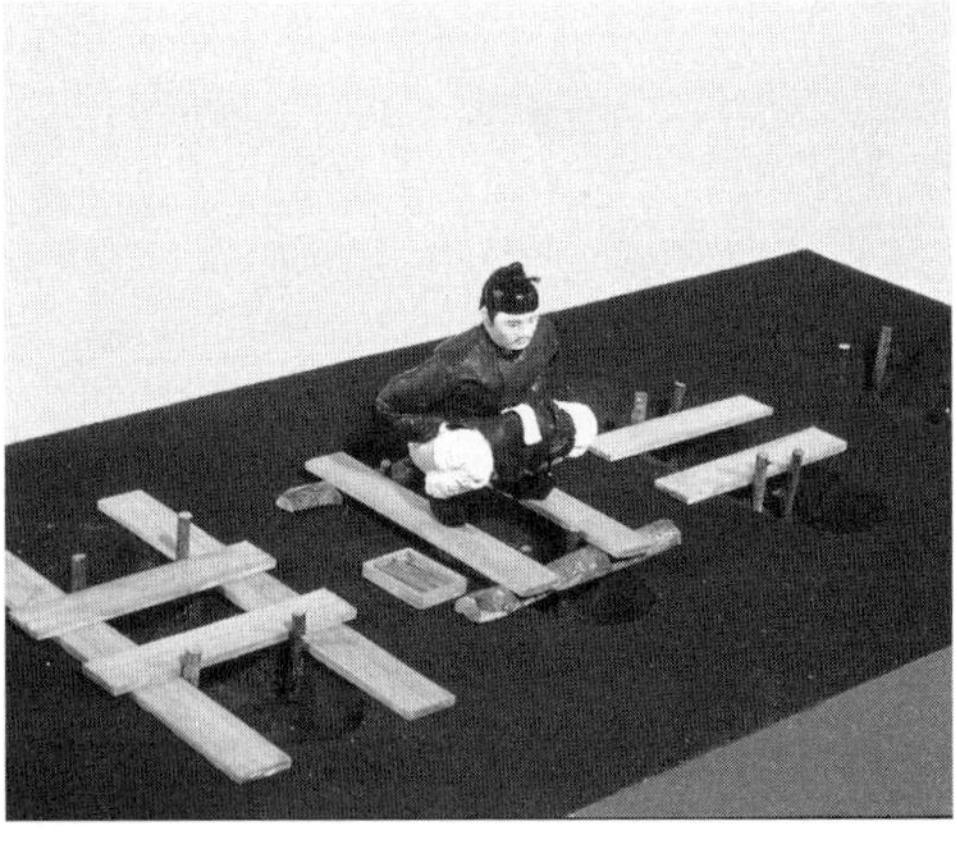

9

◉トイレの復元案
藤原京跡で見つかったトイレの復元模型。細長い穴を掘った便槽で、人が乗る板などは推定。模型では四通りの復元案が示されている。

古代の自然破壊

都城の建設と森林破壊

こうして律令《りつりょう》制の導入された国家体制における象徴的な姿として、多くの建築物が全国にできあがっていった。なかでも七世紀の前半のうちから大寺院がつくられ、七世紀の後半からは藤原京《ふじわらきょう》・平城京《へいじょうきょう》が造営された奈良盆地は、つねに複数の場所で建築作業が行なわれているような状態であり、その建築に使われる資材の需要は、空前の物量であったことは想像にかたくない。建築用材の中心となる木材は、近辺の山から伐《き》り出してすむ分量ではなく、宮殿や大寺院の大規模建築を支える太い柱は、それに適した材木を求めて山中から伐り出さねばならなかった。

しかし、山中から伐り出される木材にしても、運搬の労力を考えれば、運び出すのに便利で距離的にもそう遠くない場所からの伐採が優先される。建築用木材の大量需要という事態に際して、経済的負担の軽減を優先するのはまず当たり前に考えることであるが、八世紀末の藤原宮の建設の際には、すぐ近くの山から大きな木材をたくさん確保することは難しかったのだろう。『万葉集《まんようしゅう》』に藤原宮の役民《えきみん》がつくった歌として、つぎのような歌がある。

やすみしし　我が大君《おおきみ》　高照らす　日《ひ》の皇子《みこ》　荒たへの　藤原が上に　食《お》す国を　見《め》したまは

むと　みあらかは　高知《たかし》らさむと　神ながら　思ほすなへに　天地《あめつち》も　依《よ》りてあれこそ　石走《いわばし》る　近江《おうみ》の国の　衣手《ころもで》の　田上山《たなかみやま》の　真木《まき》さく　檜《ひ》のつまでを　もののふの　八十《やそ》宇治川《うじがわ》に　玉藻《たまも》なす　浮かべ流せれ　そを取ると　騒ぐ御民《みたみ》も　家忘れ　身もたな知らず　鴨《かも》じもの　水に浮き居て…泉《いずみ》の川に　持ち越せる　真木のつまでを　百足《ももた》らず　筏《いかだ》に作り　のぼすらむ　いそはく見れば　神からならし

(五〇番)

(〔大意〕天皇が藤原の地で国じゅうを治めようとし、宮殿を高くつくろうとすると、天地も従っており、近江国の田上山の檜丸太《きのきまるた》を宇治川に浮かべ流し、それを取ろうと働く人々も、家族を忘れ自分のことも忘れて、水の上で…泉の川(木津川)に運んだ丸太を筏《いかだ》に組んでさかのぼらせ、精を出して働いているのも、神である天皇の思いのままらしい)

田上山は現在の滋賀県大津市の南東部にあり、現在は太神山と書く。藤原宮よりのちの東大寺《とうだいじ》の建設の際にも、木が伐り出されていた。ここから木材を

◉現代の田上山の景観
田上山(現在の太神山)の様子。山頂部には大きな木が少なく、山肌があらわになった部分が痛々しい。

伐り出せば、琵琶湖から流れ出す瀬田川《せたがわ》に浮かべて流すと、山間部を抜けて宇治《うじ》に出る。そこから巨椋《おぐら》池《いけ》を経て、木津川《きづがわ》を泉津《いずみのつ》までさかのぼり、泉津から平城山《ならやま》を越えて陸上輸送する。平城山はさして勾配《こうばい》は急ではないが、なだらかとはいえ登り下りの坂を越えることになる。しかし、そのルートのほうが、淀川《よどがわ》を下って大阪湾をまわってくるよりも、まだ労働量が少なかったのであろう。

　奈良盆地に入れば、水運を利用したと考えられる。大きな木材も、運河状の溝を掘って運べば、動かすことじたいは困難ではない。第二章で触れたように、斉明《さいめい》天皇の時期には、朝鮮半島方式の石と水の都を建設するにあたり、「狂心《たぶれごころ》の渠《みぞ》」とまで揶揄《やゆ》された運河が開削された。石材はもちろんのこと、木材もこうして運河で飛鳥《あすか》の地へと運ばれたのだろう。藤原宮の造営に際しては、何本かの運河が実際に掘られていたことが、発掘調査でわかっている。

　宮殿や大寺院の巨大な建築のために、大木が大量に伐り出された田上山は、その後どうなったであろうか。現在の太神山の山頂付近では、白い岩肌が目立つ。古代からの大量の伐採の結果、いつのころからか、土砂の流出が多くなり、山肌の自然林がなかなか回復しない状態となったらしい。

田上山から藤原京への木材運搬路

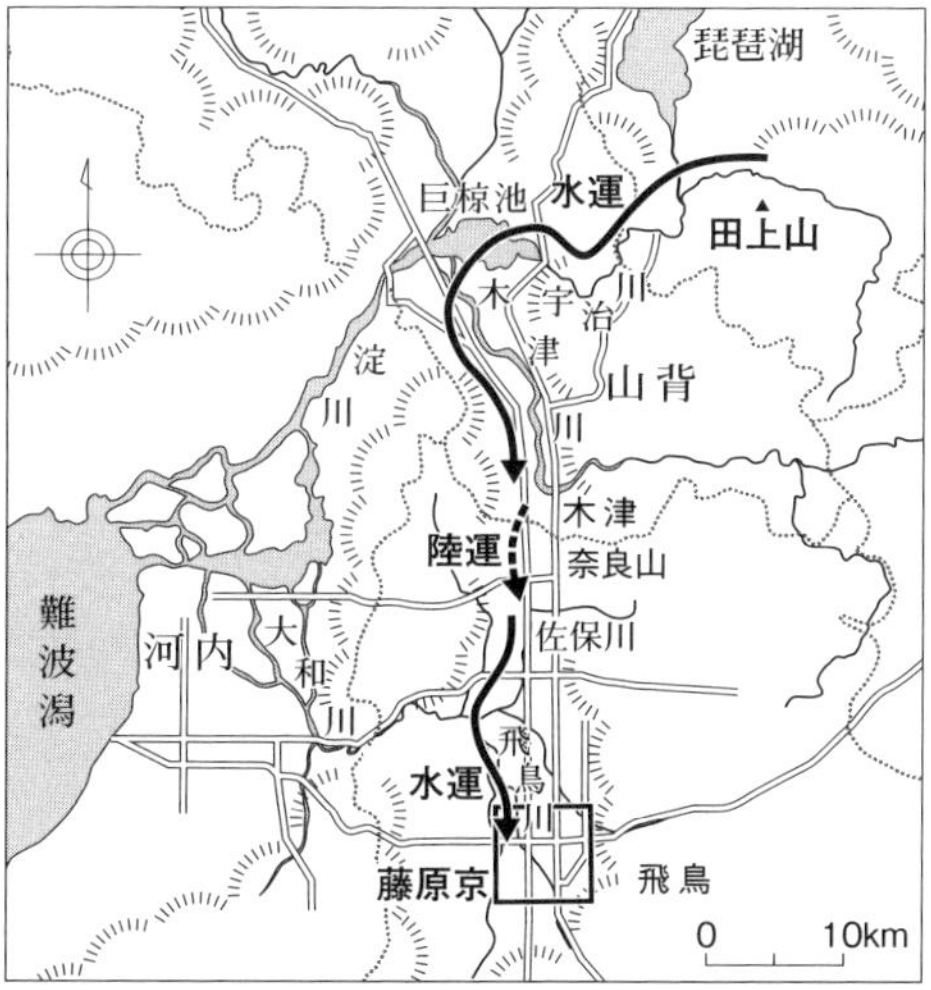

明治時代になってオランダ人技術者の協力を得て、明治政府が植林に着手し、現在ようやく回復しつつある状態まで至っている。全世界で山林の濫伐《らんばつ》が危惧《きぐ》されている今日、山林破壊の後遺症が数百年に及んで続くことを、私たちは肝《きも》に銘じて知っておかなければならないだろう。

塩山の争論

八世紀末の延暦《えんりやく》一二年（七九三）に、播磨国赤穂郡《はりまのくにあこう》で山林の所有をめぐって争いのあったことを示す文書が三通残されている。赤穂といえば、江戸時代には赤穂浪士とともに塩の産地として有名であった。赤穂の塩生産は、古代にさかのぼる。これらの文書も塩の生産と密接にかかわるものであった。争いの対象となったのは、坂越《さこし》郷にある墾生山《はりうやま》という場所であるが、この山はこれらの文書のなかに「塩山《しおやま》」として登場する。天平勝宝《てんぴようしようほう》八年（七五六）以来、東大寺《とうだいじ》の所有となっており、東大寺としてはこの山に禁制を敷いて、木の伐採を許していなかったのだが、地元の人々が入り込んできて勝手に木を伐《き》ってしまうことが問題となっていた。

一見すると、他者の所有地に入り込んで勝手に木を伐ってしまうほうが悪いと考えてしまいがちだが、古代の慣習では、山野河海は公私共利、すなわち山の幸は個人が入って採《と》っていくことを制限してはいない。耕作権が明示される田畑と違って、山林の所有にはこうした問題がつきまとう。薪《まき》に利用した木を伐ったのも、何が目的なのかによって、解釈が変わってくることになるだろう。薪に利用したとなれば、山の幸の延長上での理屈も考えられないではない。

じつは、この山を「塩山」と呼んでいることが、この伐採の性格をよく示している。「塩山」とは、塩が採れる山という意味ではない。岩塩を採掘するのではなく、瀬戸内海沿岸の赤穂でなされていた製塩は、海水からの塩生産であった。製塩には、大量の燃料を必要とする。天日を利用するとしても、いずれかの段階で煮詰める作業があり、その際に薪《まき》を必要とするのである。「塩山」は、「製塩のための山」のことであり、製塩に必要な薪を採る山なのである。『延喜式《えんぎしき》』によれば、播磨国では調《ちょう》として塩を納めることが認められていた。おそらく八世紀段階でもそうだったのだろう。

おそらく、律令制《りつりょうせい》導入よりも前から、赤穂では塩の生産が行なわれてきただろう。しかし、八世紀になると調の品物となった塩は、流通品として生産されるようになる。個人が細々と製塩するのではない。共同で大量に生産して、あるいは首長が主導して大量に生産して、国家に納入するぶんを納めれば、残る余剰分は流通させて首長や地元民の利益となった。組織的な増産が始まり、薪の消費量が増加したのではないだろうか。

こうなると、昔から伐り出してきた薪の量だけではたりなくなり、薪を伐り出す山の範囲を広げていくことになる。東大寺がこの山からの伐採を問題にしたのも、一人、二人といった小規模なも

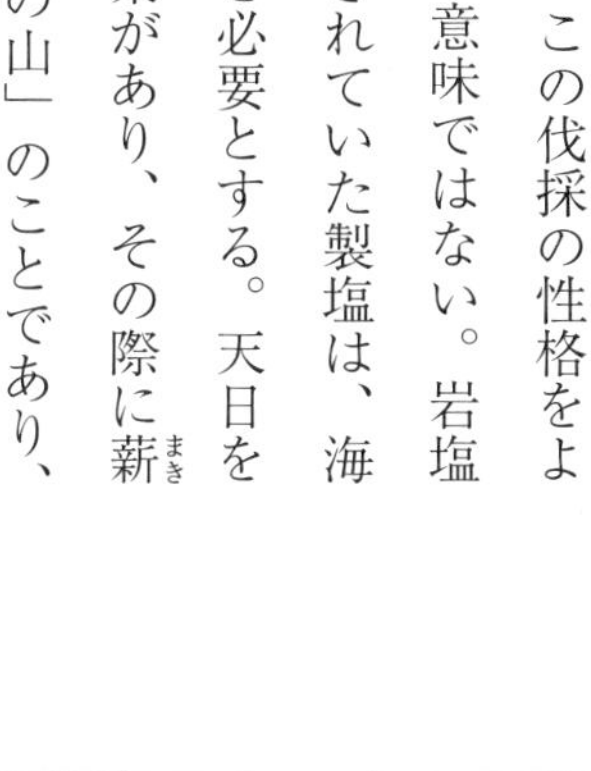
11

◉八世紀の製塩土器
八世紀には、若狭《わかさ》では製塩土器が大型化する。地元の消費だけでなく、調《ちょう》・庸《よう》物品や交易にまわすための大量生産に対応して、使われるようになった。（福井県小浜《おばま》市阿納塩浜《あのうしおはま》遺跡出土）

のでなく、組織的な伐採になっていたためであろう。古代社会が続けてきた営みは、昔から薪を採ってきた山の木を伐り尽くし、別な山にその触手を伸ばしつつあったのかもしれない。

陶邑の山争奪

大阪府南部の泉北《せんぼく》丘陵は、現在は泉北ニュータウンとして、広大な住宅地が広がっているが、かつてはこの丘陵地帯に須恵器《すえき》を焼く専門の工人集団が住み着き、ここで生産された須恵器が各地に供給されていた。須恵器は五世紀頃に朝鮮半島から伝えられた焼物であり、丘陵の斜面を使って地下式または半地下式でつくられたトンネル状の窯《かま》を使い、高温で焼き上げた土器である。

それまで国内で生産されていた土師器《はじき》と違って窯を使い、焼く温度の管理の技術が必要なため、一般の集落のなかでは生産できず、特定の技術をもった集団が専門に生産していた。朝鮮半島から渡来し、国内に移住した、ないし移住させられた人々によって、列島内での生産が始められたのであり、その後も渡来した人々の後裔《こうえい》である渡来人系の集団によって、生産体制が維持されていた。

五世紀から九世紀にかけて、工人集団はこの丘陵一帯で生産

陶邑の須恵器窯跡の分布

を展開していったが、その生産遺跡は東西一五キロメートル、南北九キロの範囲に広がり、約五〇〇年間にわたって営まれた窯跡の数は、五〇〇とも一〇〇〇ともいわれている。『日本書紀《にほんしょき》』には、「茅渟県陶邑《ちぬのあがたすえむら》」という表記が見え、須恵器生産者のムラとして古くから認められた存在であった。数百年の歴史のうちに、一族のなかで分かれた集団や、別系統で新たにこの地で活動を始めた集団などがあり、同時期にいくつもの工人集団が活動する状態になっていた。

須恵器を焼くには、窯を使うだけでなく、大量の薪《まき》を消費する。窯をつくって生産を開始しても、周囲で薪となる木を大量に伐採していった結果、薪が調達できなくなれば、薪の調達できる場所へ生産拠点を移さなければならない。こうして、数百年の間に、工人集団は数十年程度の年数がたつと、薪となる木のある場所を求めて移動し、新たな窯をつくって活動を始めるといったことを繰り返していたと思われる。また、周辺の植生も変化し、薪に使う木の種類も変わっていく。

九世紀なかば、『日本三代実録《にほんさんだいじつろく》』貞観《じょうがん》元年（八五九）の記事に、河内《かわち》と和泉《いずみ》の両国が「陶を焼き薪を伐る山」を争ったことが知られる。薪を確保するための山の領有は、須恵器生産で生業を立てている人々にとっては、それこそ死活問題であった。数百年にわたって付近の山の木を伐りつづけて

陶邑で使われた薪の変化

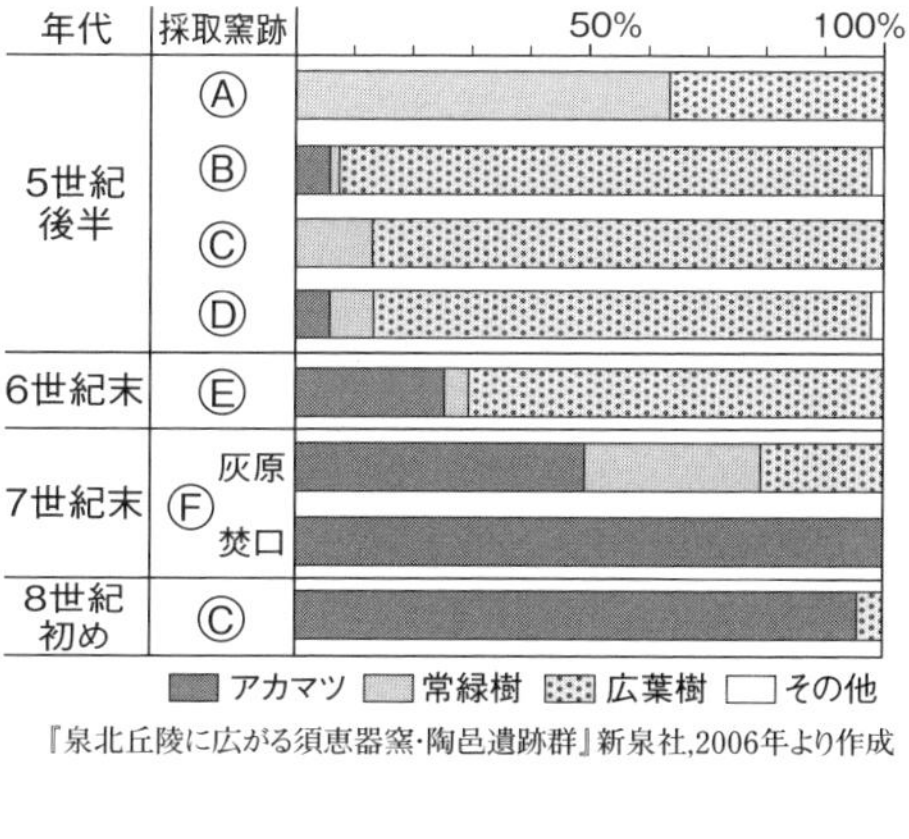

『泉北丘陵に広がる須恵器窯・陶邑遺跡群』新泉社,2006年より作成

きた結果、もはや山林地にも余裕はなくなり、薪の確保のためには譲れない状況になってきたのである。計画的でなかったことを、陶邑の人々だけのせいにするわけにもいかないだろう。須恵器を国家に供給するという生産構造によって、自然破壊が増長された面は否《いな》めない。

本書で扱った時代の最後は、もうこの山林争いが勃発《ぼっぱつ》する直前ともいえるだろう。特殊技術を必要とする焼物の生産に対して、古代国家はこの丘陵地帯に生産の場を与え、そこで生産された焼物をさまざまな場で利用してきた。しかし、こうした古代国家の生産・流通の構造は、もはや限界に近づいてきた。このままのあり方では、これを生業とした人々は活動を継続してゆけないし、そうなれば国家にとって必要な物資も供給されなくなってしまうだろう。

数百年間にわたり、同じ体制で維持できたのは、これまでその矛盾点が露呈しなかったからであった。古代国家の構造にとってその限界点は、もういくつも見え隠れする状態となってきたのである。時代の転換点の足音は、すぐそこまで近づいている。

12

●平安京から出土した灰釉陶器
九世紀になると、東海地方で生産された灰釉《かいゆう》陶器が高級焼物として流通する。貴族や官人の高級食器としては、須恵器よりも灰釉陶器や緑釉陶器が珍重されるようになっていった。

おわりに

現代社会のなかの古代

本書で扱ってきた時代は、現代に生きる私たちにとって、どのような関係にあるのだろうか。今の時代において、古い時代を研究し、それを学ぶことの意味は何だろうか。

この問題は、歴史を研究し、過去を解明していく際に、つねに問いかけられている。何のために歴史を学ぶのかという問題は、新しい時代についていえば、現代からさかのぼっても関係の深いことがらが多く、現代に至るまで続いている内容が多いという点で納得できる部分が多い。では、それに対して、より古い時代を知ることの意味は、どこにあるのだろう。

本書の中では、おおむね五世紀から九世紀初頭までの約四〇〇年が、どのような時代であったのかという視野から、さまざまな問題を扱ってきた。そのなかには、のちの時代に続いていくものもあれば、つぎの時代には続いていかないものもあった。いずれも、この時代に用意されたことをふまえてつぎの時代の展開がある。

ひとつの現象は、ある時代のなかだけで説明できるわけではない。それ以前から同じである面や、新たに変化した面を理解することによって、よくわかってくることが多い。現代社会で起きているさまざまなことがらも、過去からのつながりのなかで、考えてみる必要がある。

このことは、「過去の社会が影響を与えている」というような単純な問題ではない。現代社会のある部分は、本書で扱った時代からそのままつながっているものもあり、この時代に起きたことがもととなってその後に変化し、今につながるものもある。歴史を学ぶことは、いわば、現代社会のある部分を深く理解するための鍵である。

また、現代社会との関係では、過去に犯した過ちを反省して、同じことを繰り返さないために、歴史を学び、教訓として活《い》かすという考え方もあるだろう。しかし、歴史を学ぶことは、教訓だけに終わってしまうものではなく、さらにもっと深い意味をもっている。現代に生きている私たちが、いま生きている時代に起きていることを知るうえで、歴史上に起きたことから理解できるさまざまなことがある。歴史を知ることは、今を知ることにつながり、今に対する考え方を左右する。

本書で扱った時代には、国家が確立し、国家のなかで人々の生きる営みが始まった。現代に生きる私たちの「ものの考え方」に大きな影響を与えている部分が、この時代に始まったもののうちにある。また、「日本」という枠組みもこの時代に始まったが、この「日本」の始まりの時代を認識することで、「日本」や「日本人」というものについての、考え方が形成されてくる。それが私たちの歴史認識や世界観、さらには現代における自分たちの行動に少なからぬ影響を与えているということを忘れてはならないだろう。

時代の転換点としての八世紀

すでにお気づきであろうと思うが、本書では、政治的事件や政争の話はあまり取り上げなかった。なかば意図的に、こうした事件史的な歴史の描き方を排除してきた。

あるひとつの時代を描くうえで、政治上のできごとが象徴的である場合もある。しかし、五世紀から八世紀にまでわたる長い期間について、その時期を象徴するものは何だろうか。本書に取り組んだときに、私が考えたことは、まずそのことであった。四〇〇年がどのような時代であったのかを考えるときに、こまごまとした事件の展開は、あまり大きな意味をもちえないのではないか。それよりも、四〇〇年間を通して、大きく動いたのは何であったのか、そのことを念頭におきながら、この四〇〇年間を扱ってみた。

日本列島において、この時代には進んだ技術や文化は、つねに大陸からもたらされた。それは、当初はもっとも近い地域である朝鮮半島から導入されており、日本列島のなかで国家を形成しつつあった倭《わ》の人々も、朝鮮半島の進んだ技術を求めることに関心が向いていた。進んだ技術や文化のなかには、もともと中国文明に由来する要素が多く含まれているが、そのことをより深く自覚できるようになるのは、七世紀後半になってからである。

朝鮮半島を向いて文明を摂取していた倭の人々の意識が、大きく変わっていくのは、七世紀における外交の進展によるところが大きいだろう。遣隋使《けんずいし》や遣唐使《けんとうし》、中国への留学生や留学僧によって、七世紀後半には中国文明の本体についての知識は蓄えられてきた。それでもまだ七世紀末までは、朝鮮半島から学んださまざまな技術と文化をさらに充実させる方向で国家は発展していく。

ところが、八世紀の初頭に成立した大宝律令《たいほうりつりょう》制は、その基準となる指針がまったく違ったところにおかれていた。これまで朝鮮半島から受け継いできた技術や方法を塗り替えて、同時代の中国のやり方にすべて基準を変更したことは、結果的に時代の舵《かじ》を大きく切ることになった。ものごとの基準が大きく変わり、日本列島の社会のなかで、朝鮮半島から伝わった基準以外に、中国基準という考え方が加わり、むしろそちらが優先されるようになる。自覚的に中国文明を意識するようになったのである。

ものの考え方が変わると同時に、世界観が広がった。日本列島内における世界認識は、中国を視野に入れたものへと大きく広がったのである。外交上の問題としてだけでなく、世の中のありとあらゆる面において、物質文化や精神世界のさまざまな営みのなかで、この世界認識が拡大したことが、この時代におけるとても大きな変化であったとみることができるだろう。

大宝律令の編纂《へんさん》を推進した、藤原不比等《ふじわらのふひと》をはじめとする人々が、そのことをどれほど自覚していたかはわからない。朝鮮半島方式から中国方式へという基準の変更は意図的なものだろうが、それが結果的には、歴史的展開のうえで大きな影響をもつようになるとまでは考えてはいなかっただろう。

本書で扱ってきた、人々の暮らしや、国家の役人としての営みは、こうした大きな変化につながり、この時代を支え、相互に影響を受けている。

奈良時代から平安時代へ

八世紀の奈良時代を象徴する『万葉集《まんようしゅう》』や平城京《へいじょうきょう》よりも、九世紀以降の平安時代のものである『古今和歌集《こきんわかしゅう》』や平安京《へいあんきょう》のほうが、のちに日本的なものと位置づけられる要素は多い。そのことは、奈良時代よりも平安時代の要素のほうが、現代や近代あるいは近世にそのままつながっていったものが多いことを示している。しかし、奈良時代の人々のもっていた要素が、つぎの時代と断絶していたわけではない。奈良時代の人々の営みのうえに、新たな展開があって、平安時代の暮らしや文化が生み出され、上から塗り重ねられていくのである。

じつは中国風の文化への指向は、平安時代前期にあたる九世紀が、もっとも盛んになる。奈良時代の官人《かんじん》たちが学んだ中国語作文の素養は、平安時代の官人社会ではさらに盛んになり、天皇からの命によって勅撰《ちよくせん》漢詩文集が編まれるほどに奨励されるようになる。中国律令法の体系への理解は、奈良時代よりも進み、奈良時代には編纂されなかった格《きやく》や式《しき》という法典が編纂されて、同時代の中国と同じ名前の律令格式という法体系が整えられるようになる。九世紀には、八世紀からの発展として、中国風が極限まで進んでいく様相を見せており、奈良時代からのつながりでとらえられる部分が多い。

平安時代中期には、中国風からいわゆる「国風」へと変化していく。しかし、平安中期の貴族社会の文化は「国風」といわれながらも、そのなかに中国や朝鮮半島の影響は多々みられる。平安時代の宮廷社会にあって『枕草子《まくらのそうし》』を書いた清少納言《せいしようなごん》は、大の漢詩好きであったし、寝殿《しんでん》造りの貴族の邸宅に敷かれた畳も、高麗端《こうらいべり》といわれる錦《にしき》や綾織《あやおり》で両端を飾ったものが好まれた。「国風」と呼ばれるもののなかに、それ以前からの中国や朝鮮半島諸国とのつながりによる影響は、色濃く残されていく。ただし、大陸的な要素が単純に取り込まれて残されたと表面的にとらえるのではなく、そこにはその時代の社会の発展のなかで、どのような意味があって全体としてそのような姿を見せているのかという理解が必要である。

八世紀において同時代の中国文明との関係を自覚した日本社会は、九世紀以降にどのように社会の仕組みを発展させ、それとともに人々の生き方がどう変わっていくだろうか。国家を確立した日本の歴史がどのように展開していくか、このあとの時代を描く次巻へと、バトンタッチすることにしたい。

・舘野和己「村落の歳時記」『日本村落史講座 6 生活Ⅰ原始・古代・中世』雄山閣出版、1991 年
・田中禎昭「『ヨチ』について—日本古代の年齢集団—」『古代史研究』13、1995 年
・速水侑編『日本の名僧② 民衆の導者 行基』吉川弘文館、2004 年
・久木幸男編『日本子どもの歴史 1 夜明けの子ども』第一法規出版、1977 年
・平川南「村の暮らし」『体系日本史叢書 生活史Ⅰ』山川出版社、1994 年
・平川南『墨書土器の研究』吉川弘文館、2000 年
・平川南『古代地方木簡の研究』吉川弘文館、2003 年
・藤井一二『古代日本の四季ごよみ』中公新書、1997 年
・松原弘宣「春米収取と舂米作業」『続日本紀研究』245、1986 年
・村木二郎「墓碑・墓誌・買地券」平川南・沖森卓也・栄原永遠男・山中章編『文字と古代日本 4 神仏と文字』吉川弘文館、2005 年
・山村信榮「あそびの世界」大塚初重・白石太一郎・西谷正・町田章編『考古学による日本歴史 12 芸術・学芸とあそび』雄山閣出版、1998 年

第六章

・木下正史『藤原京』中公新書、2003 年
・木下正史『飛鳥幻の寺、大官大寺の謎』角川選書、2005 年
・木本雅康『古代の道路事情』歴史文化ライブラリー、吉川弘文館、2000 年
・関和彦『風土記と古代社会』塙書房、1984 年
・舘野和己『古代都市平城京の世界』日本史リブレット、山川出版社、2001 年
・田中琢編『古都発掘』岩波新書、1996 年
・坪井清足『古代日本を発掘する 2 飛鳥の寺と国分寺』岩波書店、1985 年
・寺崎保広『藤原京の形成』日本史リブレット、山川出版社、2002 年
・中村太一『日本の古代道路を探す』平凡社新書、2000 年
・中村浩『泉北丘陵に広がる須恵器窯 陶邑遺跡群』シリーズ「遺跡を学ぶ」028、新泉社、2006 年
・廣山堯道・廣山謙介『古代日本の塩』雄山閣、2003 年

全編にわたるもの

・熊谷公男『日本の歴史 03 大王から天皇へ』講談社、2001 年
・国立歴史民俗博物館編『古代日本 文字のある風景—金印から正倉院文書まで—』朝日新聞社、2002 年
・栄原永遠男『日本の歴史 4 天平の時代』集英社、1991 年
・佐藤信編『日本の時代史 4 律令国家と天平文化』吉川弘文館、2002 年
・鈴木靖民編『日本の時代史 2 倭国と東アジア』吉川弘文館、2002 年
・森公章編『日本の時代史 3 倭国から日本へ』吉川弘文館、2002 年
・吉村武彦『日本の歴史 3 古代王権の展開』集英社、1991 年
・渡辺晃宏『日本の歴史 04 平城京と木簡の世紀』講談社、2001 年

- 東野治之『遣唐使船』朝日選書、1999年
- 中村明蔵『隼人の研究（新訂）』丸山学芸図書、1993年
- 平野邦雄監修・あたらしい古代史の会編『東国石文の古代史』吉川弘文館、1999年
- 山里純一『古代日本と南島の交流』吉川弘文館、1999年
- 湯沢質幸『古代日本人と外国語』勉誠出版、2001年

第四章

- 浅香年木『日本古代手工業史の研究』法政大学出版局、1971年
- 綾村宏「筆・墨・硯が表す社会」岸俊男編『日本の古代14　ことばと文字』中央公論社、1988年
- 大平聡「正倉院文書研究試論」『日本史研究』318、1989年
- 荻野三七彦『印章』日本歴史叢書13、吉川弘文館、1966年
- 鐘江宏之「七世紀の地方木簡」『木簡研究』20、1998年
- 鐘江宏之「公式令における『案』の保管について」池田温編『日中律令制の諸相』、東方書店、2002年
- 鐘江宏之「口頭伝達と文書・記録」上原真人・白石太一郎・吉川真司・吉村武彦編『列島の古代史6　言語と文字』岩波書店、2006年
- 北野博司「文房具」平川南・沖森卓也・栄原永遠男・山中章編『文字と古代日本2　文字による交流』吉川弘文館、2005年
- 鬼頭清明『木簡』考古学ライブラリー、ニュー・サイエンス社、1990年
- 熊谷公男「跪伏礼と口頭政務」『東北学院大学論集（歴史学・地理学）』32、1999年
- 国立歴史民俗博物館編「日本古代印の基礎的研究」『国立歴史民俗博物館研究報告』79、1999年
- 笹山晴生『古代国家と軍隊』中公新書、1975年
- 佐藤信『古代の地方官衙と社会』日本史リブレット、山川出版社、2007年
- 杉本一樹「正倉院の古文書」『日本の美術』440、2003年
- 鈴木拓也『古代東北の支配構造』吉川弘文館、1998年
- 高島英之「題籤軸」平川南・沖森卓也・栄原永遠男・山中章編『文字と古代日本1　支配と文字』吉川弘文館、2004年
- 武田佐知子「儀礼と衣服」岸俊男編『日本の古代7　まつりごとの展開』中央公論社、1986年
- 武田佐知子「冠位から位階へ」『日本学』18、1991年
- 東野治之『正倉院文書と木簡の研究』塙書房、1977年
- 虎尾俊哉『班田収授法の研究』吉川弘文館、1961年
- 中村英重『古代祭祀論』吉川弘文館、1999年
- 西山良平「〈郡雑任〉の機能と性格」『日本史研究』234、1982年
- 野村忠夫『律令官人制の研究』吉川弘文館、1967年
- 野村忠夫『古代官僚の世界』塙新書、1969年
- 橋本裕『律令軍団制の研究（増補版）』吉川弘文館、1990年
- 早川庄八『日本古代の文書と典籍』吉川弘文館、1997年
- 久木幸男『日本古代学校の研究』玉川大学出版部、1990年
- 舟尾好正「出挙の実態に関する一考察」『史林』56-5、1973年
- 増尾伸一郎「陰陽道の形成と道教」林淳・小池淳一編『陰陽道の講義』嵯峨野書院、2002年
- 宮本救「戸籍・計帳」岡崎敬・平野邦雄編『古代の日本9　研究資料』角川書店、1971年
- 桃裕行『桃裕行著作集1　上代学制の研究〔修訂版〕』思文閣出版、1994年
- 森公章「国書生に関する基礎的考察」笹山晴生先生還暦記念会編『日本律令制論集』下、吉川弘文館、1993年
- 森公章「郡雑任の研究」『東洋大学文学部紀要』56（史学科篇28）、2003年
- 山中章『日本古代都城の研究』柏書房、1997年
- 山中敏史・佐藤興治『古代日本を発掘する5　古代の役所』岩波書店、1985年
- 山中敏史『古代地方官衙遺跡の研究』塙書房、1994年
- 吉川真司『律令官僚制の研究』塙書房、1998年

第五章

- 石野博信『日本原始・古代住居の研究』吉川弘文館、1990年
- 大町健『日本古代の国家と在地首長制』校倉書房、1986年
- 鐘江宏之「律令行政と民衆への情報下達」『民衆史研究』65、2003年
- 鬼頭清明『古代日本を発掘する6　古代の村』岩波書店、1985年
- 国立歴史民俗博物館編『装飾古墳の世界』朝日新聞社、1993年
- 佐原真『遺跡が語る日本人のくらし』岩波ジュニア新書、1994年
- 関和彦『古代農民忍羽を訪ねて』中公新書、1998年
- 関根真隆『奈良朝食生活の研究』吉川弘文館、1969年
- 関根真隆『奈良朝服飾の研究』吉川弘文館、1974年

参考文献

第一章

• 井上亘「天武－持統系王権成立史考」『続日本紀研究』286、1993年
• 大庭脩『木簡』学生社、1979年
• 大橋信弥「王辰爾の渡来」平川南・沖森卓也・栄原永遠男・山中章編『文字と古代日本2　文字による交流』吉川弘文館、2005年
• 岡田芳朗『日本の暦』木耳社、1972年
• 大日方克己「宣明暦と日本・渤海・唐をめぐる諸相」佐藤信編『日本と渤海の古代史』山川出版社、2003年
• 神野志隆光『「日本」とは何か』講談社現代新書、2005年
• 坂本太郎『坂本太郎著作集3　六国史』吉川弘文館、1989年
• 田中史生「武の上表文」平川南・沖森卓也・栄原永遠男・山中章編『文字と古代日本2　文字による交流』吉川弘文館、2005年
• 東野治之「七世紀以前の金石文」上原真人・白石太一郎・吉川真司・吉村武彦編『列島の古代史6　言語と文字』岩波書店、2006年
• 奈良国立文化財研究所編『飛鳥・藤原宮発掘調査報告Ⅳ─飛鳥水落遺跡の調査─』1995年
• 橋本万平『日本の時刻制度』塙書房、1966年
• 森下章司「鏡・支配・文字」平川南・沖森卓也・栄原永遠男・山中章編『文字と古代日本1　支配と文字』吉川弘文館、2004年
• 藪内清『中国の天文暦法（増補改訂版）』平凡社、1990年
• 山田英雄『日本書紀』教育社歴史新書、1979年
• 吉田孝『日本の誕生』岩波新書、1997年

第二章

• 石井正敏『東アジア世界と古代の日本』日本史リブレット、山川出版社、2003年
• 犬飼隆『木簡による日本語書記史』笠間書院、2005年
• 王勇『唐から見た遣唐使』講談社選書メチエ、1998年
• 鐘江宏之「七世紀の地方社会と木簡」森公章編『日本の時代史3　倭国から日本へ』吉川弘文館、2002年
• 鬼頭清明『古代木簡の基礎的研究』塙書房、1993年
• 佐藤信・五味文彦編『城と館を掘る・読む』山川出版社、1994年
• 佐藤信編『日本と渤海の古代史』山川出版社、2003年
• 佐藤信「藤原京と日本古代都城の源流」『人文』（学習院大学人文科学研究所）2、2004年
• 鈴木靖民『古代対外関係史の研究』吉川弘文館、1985年
• 田村晃一・鈴木靖民編『新版古代の日本②　アジアからみた古代日本』角川書店、1992年
• 東野治之『遣唐使』岩波新書、2007年
• 平川南編『古代日本の文字世界』大修館書店、2000年
• 平川南編『古代日本　文字の来た道』大修館書店、2005年
• 村尾次郎『桓武天皇』吉川弘文館、1963年
• 森公章『「白村江」以後』講談社選書メチエ、1998年
• 李成市「韓国出土の木簡について」『木簡研究』19、1997年

第三章

• 秋田市編『秋田市史第1巻　先史・古代通史編』秋田市、2004年
• 井上満郎『古代の日本と渡来人』明石書店、1999年
• 荻美津夫『日本古代音楽史論』吉川弘文館、1977年
• 工藤雅樹『城柵と蝦夷』考古学ライブラリー、ニュー・サイエンス社、1989年
• 工藤雅樹『古代蝦夷』吉川弘文館、2000年
• 熊谷公男『古代の蝦夷と城柵』歴史文化ライブラリー、吉川弘文館、2004年
• 熊田亮介「古代国家と蝦夷・隼人」『岩波講座日本通史4　古代3』岩波書店、1994年
• 後藤四郎「正倉院の成立とその意義」『国史学』112、1980年
• 佐藤長門「有銘刀剣の下賜・顕彰」平川南・沖森卓也・栄原永遠男・山中章編『文字と古代日本1　支配と文字』吉川弘文館、2004年
• 下條信行・平野博之・知念勇・高良倉吉編『新版古代の日本③　九州・沖縄』角川書店、1991年
• 須藤隆・今泉隆雄・坪井清足編『新版古代の日本⑨　東北・北海道』角川書店、1992年
• 関晃『帰化人』至文堂、1956年
• 専修大学・西北大学共同プロジェクト編『遣唐使の見た中国と日本』朝日選書780、2005年
• 曽根正人「日本仏教の黎明」森公章編『日本の時代史3　倭国から日本へ』吉川弘文館、2002年
• 高梨修『ヤコウガイの考古学』同成社、2005年
• 田中史生「渡来人と王権・地域」鈴木靖民編『日本の時代史2　倭国と東アジア』吉川弘文館、2002年
• 田中史生『倭国と渡来人』歴史文化ライブラリー、吉川弘文館、2005年
• 東野治之『遣唐使と正倉院』岩波書店、1992年

口絵復元図協力	八賀晋
	（三重大学名誉教授）
	田中弘志
	（関市教育委員会）

スタッフ一覧

校正	オフィス・タカエ
図版・地図作成	蓬生雄司
	米田清史
	昭和ブライト
	小学館クリエイティブ
写真撮影	西村千春
索引制作	小学館クリエイティブ
編集長	清水芳郎
編集	水上人江
	阿部いづみ
	宇南山知人
	田澤泉
	一坪泰博
編集協力	青柳亮
	畑中彩子
	小西むつ子
	林まりこ
	山崎明子
月報編集協力	㈲ビー・シー
	関屋淳子
	藤井恵子
制作	大木由紀夫
	山崎法一
資材	横山肇
宣伝	中沢裕行
	後藤昌弘
販売	永井真士
	奥村浩一
協力	株式会社モリサワ

写真所蔵先一覧

所蔵先と写真提供者、撮影者が異なる場合は、（　）内にその旨を明記した。

カバー

薬師寺（提供：奈良国立博物館）

口絵

1東京国立博物館（提供：TNM Image Archives）／2国立歴史民俗博物館（撮影：石塚よしひろ）／3福井市立郷土歴史博物館／4奈良文化財研究所／5正倉院宝物／6関市教育委員会／7玉村町教育委員会

はじめに

1・2奈良文化財研究所／3正倉院宝物

第一章

1正倉院宝物／2・5東京国立博物館（提供：TNM Image Archives）／3津市教育委員会／4熊本県教育委員会／6奈良文化財研究所／7秋田市教育委員会／8宮内庁書陵部／9京都国立博物館／（コラム）茨城県教育財団

第二章

1福岡市教育委員会／2石上神宮／3東京国立博物館（提供：TNM Image Archives）／4（⑤を除く）・7・8奈良文化財研究所／5浜松市博物館／6九州歴史資料館／9大阪府文化財センター／10正倉院宝物／11唐招提寺（提供：飛鳥園）／12撮影：鐘江宏之／（コラム）明日香村教育委員会

第三章

1・18・20正倉院宝物／2・3土井ヶ浜遺跡・人類学ミュージアム／4・15東京国立博物館（提供：TNM Image Archives）／5大阪府文化財センター／6正眼寺（提供：奈良国立博物館）／7飛鳥寺（提供：飛鳥園）／8・24・（コラム）奈良文化財研究所／9笠石神社（複製：国立歴史民俗博物館）／10・11高崎市教育委員会／12多胡碑記念館／13長野市教育委員会／14・23秋田市教育委員会／16撮影：王維坤（提供：西北大学・専修大学）／17唐招提寺／19相川考古館／21八戸市教育委員会／22国立歴史民俗博物館／25奄美市教育委員会／26撮影：中村九永

第四章

1佐渡市教育委員会／2文部科学省（提供：便利堂）／3・6・7・10・15・16・18（左、複製：国立歴史民俗博物館）21・24・26～28・36・37正倉院宝物／4諏訪神社／5・9・12・13・19・20・22・32・39・（コラム）奈良文化財研究所／8長岡市教育委員会（複製：国立歴史民俗博物館）／11西大寺／14（複製）・18（右、複製）国立歴史民俗博物館／17奈良県立橿原考古学研究所／23（複製：国立歴史民俗博物館）・29・31秋田市教育委員会／25東北歴史博物館／30田中家（提供：中央公論新社）／33大垣市教育委員会／34京都国立博物館／35知恩院／38横浜市歴史博物館／40撮影：鐘江宏之

第五章

1野洲市教育委員会／2・6・8・10・19正倉院宝物／3・14・15・20・21奈良文化財研究所／4塩尻市立平出博物館／5茨城県教育財団／7秋田市教育委員会／9長岡京市教育委員会／11奈良県立橿原考古学研究所／12いわき市教育委員会／13福井市立郷土歴史博物館／16（右）八千代市教育委員会（左）石川県埋蔵文化財センター／17国立国会図書館／18国立歴史民俗博物館／20橿原市教育委員会（提供：奈良文化財研究所）／22撮影：大坪寛明（提供：アマナイメージズ）／23東北歴史博物館／24家原寺（提供：奈良国立博物館）／25但馬国府・国分寺館／26三重県立斎宮歴史博物館／27長野県立歴史館／28浜松市博物館／29ひたちなか市教育委員会／30吉見町教育委員会／31圀勝寺（提供：奈良国立博物館）／32倉敷考古館

第六章

1橿原市教育委員会／2撮影：鐘江宏之／3・7（左）栃木県教育委員会／4（右）・5・6・8奈良文化財研究所／4（左）橿原市教育委員会（提供：奈良文化財研究所）／7（右）国立歴史民俗博物館（『宇野信四郎蒐集 古瓦集成』東京堂出版より）／9大田区立郷土博物館／10朝日新聞社／11小浜市（提供：福井県立若狭歴史民俗資料館）／12京都市埋蔵文化財研究所

741	13 辛巳		諸国に国分寺・国分尼寺建立の詔。	
743	15 癸未		墾田永年私財法発布。盧舎那仏金銅像の造立を発願（大仏造立の詔）。	
744	16 甲申		難波宮に遷都。	ウイグル、王国を建設。
745	17 乙酉		都を平城に戻す。玄昉、筑紫に左遷される。	746 唐の『蒙求』成立。
749	天平感宝 1		陸奥国、黄金を献上。東大寺大仏完成。	唐、府兵制を廃止。
	天平勝宝 1 己丑	孝謙	孝謙天皇即位。藤原仲麻呂、紫微中台長官となる。	
752	4 壬辰		東大寺大仏開眼供養。	750 アッバース朝成立。
754	6 甲午		遣唐副使大伴古麻呂、唐僧の鑑真らと帰国。	751 カロリング朝成立。
756	8 丙申		聖武太上天皇没。七七忌に遺品を東大寺など18寺に施入（正倉院の始まり）。	755 唐、安史の乱。
757	天平宝字 1 丁酉		養老律令を施行。橘奈良麻呂の変起こる。東国からの防人を停止。	新羅、禄邑を再設。
758	2 戊戌	淳仁	淳仁天皇即位。藤原仲麻呂を大保（右大臣）に任じ、恵美押勝の名を賜い、鋳銭・挙稲を許す。	新羅、律令博士2人を置く。
759	3 己亥		唐招提寺を建立。この年以降、『万葉集』成立。	
760	4 庚子		恵美押勝、大師（太政大臣）となる。	
762	6 壬寅		孝謙上皇、淳仁天皇と対立し、国政を掌握。	李白没。
764	8 甲辰	称徳	恵美押勝、反乱を起こして近江に敗死。淳仁天皇、淡路に配流。孝謙上皇重祚（称徳天皇）。	763 唐、安史の乱終わる。
765	天平神護 1 乙巳		道鏡、太政大臣禅師となる（翌年、法王）。	
769	神護景雲 3 己酉		和気清麻呂、道鏡即位に反対し、大隅に配流。	
770	宝亀 1 庚戌	光仁	称徳天皇没。道鏡、下野国に配流。和気清麻呂を召還。光仁天皇即位。	杜甫没。
780	11 庚申		陸奥国の伊治呰麻呂、反乱を起こし、按察使の紀広純を殺害。	唐、両税法を定める。
781	天応 1 辛酉	桓武	桓武天皇即位。藤原小黒麻呂、蝦夷征討に向かう。	
784	延暦 3 甲子		長岡京に遷都。	唐の顔真卿、殺される。
785	4 乙丑		藤原種継、大伴継人らに暗殺される。	
788	7 戊辰		この年、最澄、比叡山寺（延暦寺）をつくる。	新羅、読書三品制を制定。
789	8 己巳		蝦夷征討軍、大敗。	
792	11 壬申		陸奥・出羽・佐渡・大宰府などを除き、諸国の兵士を廃し、健児を置く。	
794	13 申戌		平安京に遷都。	
797	16 丁丑		勘解由使を設置。坂上田村麻呂、征夷大将軍となる。菅野真道ら、『続日本紀』を完成。	
800	19 庚辰		富士山、噴火。大隅・薩摩2国で班田を行なう。	
801	20 辛巳		征夷大将軍の坂上田村麻呂、蝦夷地を平定。	
805	24 乙酉		藤原緒嗣と菅野真道、天下徳政を相論、平安京の造営を中止（徳政相論）。	

689	持統 3 己丑		諸司に令（飛鳥浄御原令）22 巻を賜う。		
690	4 庚寅	持統（即位）	持統天皇即位。戸籍をつくる（庚寅年籍）。儀鳳暦が取り入れられ、元嘉暦と併用。	周	唐、則天武后即位。国号を周と改める。
694	8 甲午		藤原京に遷都。7 世紀後半に、対外的な自称として「日本」を使うようになる。		周にマニ教が伝わる。
697	文武 1 丁酉	文武	文武天皇即位。		
700	4 庚子		刑部親王・藤原不比等らに、律令（大宝律令）を撰定させ、禄を賜う。		698　震国（のちの渤海）興る。
701	大宝 1 辛丑		「大宝律令」完成（翌年施行）。		
702	2 壬寅		初めて度量を諸国に施行。持統太上天皇没。薩摩・多褹を征服、戸籍をつくり、吏を置く。		
706	慶雲 3 丙午		田租法を改め、1 町 15 束とする。	唐	705　則天武后退位、唐再興。
707	4 丁未	元明	文武天皇没。元明天皇即位。初めて授刀舎人寮を置く。		
708	和銅 1 戊甲		武蔵国の銅献上により改元。和同開珎（銀銭・銅銭）を発行。		
710	3 庚戌		平城京に遷都。		唐、初めて節度使を置く。
712	5 壬子		太安万侶、『古事記』を撰上。		唐の玄宗即位。
713	6 癸丑		諸国に『風土記』編纂を命じる。		唐で開元の治、始まる。
715	霊亀 1 乙卯	元正	元正天皇即位。		
716	2 丙辰		阿倍仲麻呂・吉備真備・僧玄昉ら、唐に留学。		
717	養老 1 丁巳		百姓の違法出家を禁じ、行基の活動を禁圧。大計帳・輸租帳などの書式を定める。		
718	2 戊午		藤原不比等らに律令（養老律令）を撰定させる。		
719	3 己未		畿内・西海道以外の諸国に按察使を置く。		
720	4 庚申		大隅国で隼人が反乱。舎人親王、『日本紀』（日本書紀）30 巻系図 1 巻を奏上。藤原不比等没。		
723	7 癸亥		三世一身法を定め、開墾を勧める。太安万侶没。		
724	神亀 1 甲子	聖武	聖武天皇即位。この年、陸奥国に多賀城を設置。		725　唐の府兵制衰える。
727	4 丁卯		藤原光明子、皇子出産。皇子、立太子。渤海使、出羽国に来着、入京（初来日）。		726　東ローマ帝国で聖像破壊運動開始。
729	天平 1 己巳		長屋王、謀反の疑いで自殺。聖武天皇、光明子を皇后とする。京・畿内に班田司を置く。		
730	2 庚午		皇后宮職に施薬院を置く。諸国の防人を停止。		
731	3 辛未		畿内に惣管、諸道に鎮撫使を置く。		
735	7 乙亥		入唐留学生の吉備真備ら帰朝し、『唐礼』・暦・楽器・武器などを献上。入唐僧の玄昉、仏像・経論を献上。凶作。天然痘流行、死者多数。		
737	9 丁丑		天然痘大流行。藤原房前・麻呂・武智麻呂・宇合没。		唐、開元二十五年令を公布。
740	12 庚辰		大宰少弐藤原広嗣、反乱を起こし、大宰府で討たれる。山背恭仁京に遷都。郷里制から郡郷制に移行。		

645	（大化1）乙巳	孝徳	中大兄皇子・中臣鎌足ら、蘇我入鹿を暗殺。蘇我蝦夷自殺（乙巳の変）。6月14日、孝徳天皇即位。中大兄、皇太子となり、左大臣・右大臣・内臣を定める。年号を定め、大化とする（大化改新）。難波長柄豊碕宮に遷都。	唐の太宗、高句麗遠征。玄奘、インドから唐に帰国。
646	2 丙午		改新之詔を宣する。習俗改革を命ずる。品部廃止。	高句麗、唐に謝罪。
647	3 丁未		群臣らに庸調を支給。七色十三階の冠位制定。渟足柵を設ける。	唐、再び高句麗遠征。
648	4 戊申		磐舟柵を設ける。	唐の太宗、高句麗遠征。
649	5 己酉		冠位十九階を制定。八省・百管を設置。蘇我倉山田石川麻呂、謀反の疑い、翌日山田寺で自殺。	新羅、百済軍を破る。
652	（白雉3）壬子		最初の班田収授施行か。	
654	5 甲寅		孝徳天皇、難波宮で没。	唐、新羅王を開府儀同三司新羅王とする。
655	斉明1 乙卯	斉明	斉明天皇即位（皇極天皇重祚）。	
658	4 戊午		阿倍比羅夫、齶田・渟代の蝦夷を討つ。有間皇子を殺害。	唐、高句麗を攻める。
660	6 庚申		阿倍比羅夫、粛慎を討つ。百済の将、鬼室福信、救援を要請。	唐・新羅、百済を滅ぼし、熊津など5都督府を置く。
661	7 辛酉	天智（称制）	斉明天皇、百済救援の途次、朝倉宮で没。中大兄皇子、称制（即位なしの執政）。	唐、高句麗を攻めるが失敗。ウマイヤ朝成立。
663	天智2 癸亥		日本・百済軍、新羅・唐軍に大敗（白村江の戦い）。	
664	3 甲子		冠位二十六階に改制、氏上・民部・家部を定める（甲子の宣）。この年、対馬・壱岐・筑紫などに防人・烽を置き、筑紫に水城を建造。	
667	6 丁卯		近江大津宮に遷都。	
668	7 戊辰	天智（即位）	中大兄皇子（天智天皇）即位。近江令を制定。	唐、高句麗を滅ぼす。
669	8 己巳		中臣鎌足に大織冠と大臣の位を授け、藤原の姓を与える。その翌日、藤原鎌足没。	高句麗遺民、唐に対して反乱。
670	9 庚午		全国に戸籍をつくる（庚午年籍）。法隆寺全焼。	新羅、高句麗反乱を援助。
671	10 辛未		大友皇子を太政大臣とし、左右大臣・御史大夫に任じる。冠位・法度の事を施行（近江令とも）。天智天皇、近江宮で没。漏刻を用い、初めて鐘鼓を打って時を知らせる（奈良県水落遺跡）。	唐僧の義浄、インドに渡る。新羅、百済の故地を占領。
672	天武1 壬申		壬申の乱起こる。大友皇子自殺。飛鳥浄御原宮に遷都。	
673	2 癸酉	天武	大海人皇子（天武天皇）即位。	
674	3 甲戌		対馬国、銀を献上（国内産銀の初め）	676　新羅、朝鮮半島を統一。
675	4 乙亥		王臣・諸寺に与えた山・島・浦・林・池を収公。	
681	10 辛巳		律令の編纂を開始。帝紀・上古諸事の記録開始。	
683	12 癸未		大津皇子、朝政に参画。銀銭を禁じ銅銭を使用。	
684	13 甲申		八色の姓を制定。	
685	14 乙酉		冠位を諸王以上十二階、諸臣四十八階に改制。諸国に仏像・経を置き、礼拝供養させる。	
686	（朱鳥1）丙戌	持統（称制）	天武天皇没。鸕野讃良皇女称制。大津皇子、謀反の疑いで捕らえられ自殺。	687　中ピピン（2世）、フランク王国の実権を握る。

年表

西暦	年号 干支	天皇	日本	中国	世界
507	丁亥	継体	継体天皇即位。	北魏・梁・東魏・西魏・北斉・北周・陳・隋	
513	癸巳		百済より五経博士来日。		523　北魏、六鎮の乱。
531	辛亥	欽明	継体天皇没。欽明天皇即位。		581　北周滅び、隋興る。
538	戊午		百済の聖明王より仏像・仏典が贈られる。		589　隋、陳を滅ぼし、中国を統一。
592	壬子	推古	蘇我馬子、崇峻天皇を殺害。額田部皇女（推古天皇）即位。	隋	隋、均田法を実施。
593	癸丑		厩戸皇子（聖徳太子）、推古天皇の摂政となる。		
594	甲寅		三宝興隆の詔を下す。造寺が盛んとなる。		新羅、初めて隋に朝貢。
596	丙辰		法興寺（飛鳥寺）完成。		
600	庚申		新羅と任那が戦う。任那を援助し新羅を攻め、新羅は降伏。最初の遣隋使を送る。		598　隋の文帝、高句麗に出兵するが敗れる。
601	辛酉		聖徳太子、斑鳩宮を建てる。		
602	壬戌		百済の僧観勒、暦・天文地理・遁甲・方術を伝える。		
603	癸亥		冠位十二階を制定。		
604	甲子		聖徳太子、憲法十七条を制定。		隋の煬帝即位。
607	丁卯		遣隋使（小野妹子ら）を送る。国ごとに屯倉を置く。法隆寺（斑鳩寺）建立か。		隋、大業律令を公布。
608	戊辰		小野妹子、隋使の裴世清らと帰国。小野妹子、再び隋に遣わされ、高向玄理・僧旻・南淵請安ら8人が留学。		
610	庚午		遣隋使を送る。高句麗の僧曇徴、彩色・紙・墨・碾磑の製法を伝える。新羅・任那の使者を朝廷に迎える。		隋、大運河を完成。このころ、ムハンマド、イスラム教を開く。
614	甲戌		犬上御田鍬らを隋に派遣（翌年帰国）。		
620	庚辰		聖徳太子・蘇我馬子、天皇記・国記などを撰録。	唐	618　隋滅び、唐興る。
622	壬午		聖徳太子、斑鳩宮で没。妃の橘大郎女ら、天寿国繡帳をつくる。		ムハンマド、メディナに移る（イスラム暦元年）。
623	癸未		新羅、任那を破る。征新羅軍を派遣。新羅、服し、新羅・任那、仏像・舎利などを贈る。		ボヘミア周辺にスラブ族最初のサモ王国できる。
626	丙戌		蘇我馬子没。蘇我蝦夷、大臣となる。この年、霖雨のため大飢饉が起こる。		唐の太宗即位。貞観の治始まる。
628	戊子		推古天皇没。		唐、中国を統一。
629	己丑	舒明	舒明天皇即位。		
630	庚寅		犬上御田鍬・薬師恵日を唐に派遣（第1次遣唐使）。		唐、東突厥を滅ぼす。
631	辛卯		百済王子豊璋と善光、人質として来日。		
636	丙申		この年、旱魃のため大飢饉起こる。		唐、『隋書』成立。
637	丁酉		蝦夷反乱、蝦夷を討つ。		唐、貞観律令を公布。
641	辛丑		舒明天皇、百済宮で没。		
642	壬寅	皇極	皇極天皇即位。蘇我入鹿、国政を執る。		
643	癸卯		蘇我入鹿、山背大兄王を襲い、一族を自殺させる。		

な行

は行

た行

さ行

索引

000 ―詳しい説明のあるページを示す。
000*―写真・図版のあるページを示す。

全集　日本の歴史　第3巻　律令国家と万葉びと

2008年2月28日　初版第1刷発行

著者　鐘江宏之
発行者　八巻孝夫
発行所　株式会社小学館
〒101-8001 東京都千代田区一ツ橋2-3-1
電話　編集　03(3230)5118
販売　03(5281)3555
印刷所　凸版印刷株式会社
製本所　株式会社若林製本工場

造本には十分注意しておりますが、万一、落丁・乱丁などの不良品がありましたら、「制作局」(電話0120-336-340)あてにお送り下さい。
送料小社負担にてお取り替えいたします。
(電話受付は土・日・祝日を除く9:30〜17:30までになります。)

R〈日本著作権センター委託出版物〉
本書の全部または一部を無断で複写(コピー)することは、
著作権法上の例外を除いて禁じられています。
本書からの複写を希望される場合は、
日本複写権センター(電話03-3401-2382)にご連絡ください。

©Hiroyuki Kanegae 2008
Printed in Japan ISBN978-4-09-622103-7

全集　日本の歴史　全16巻

編集委員：平川 南／五味文彦／倉地克直／ロナルド・トビ／大門正克

1	旧石器・縄文・弥生・古墳時代 列島創世記	出土物が語る 列島4万年の歩み	松木武彦 岡山大学准教授
2	新視点古代史 日本の原像	稲作や特産物から 探る古代の社会	平川 南 国立歴史民俗博物館館長 山梨県立博物館館長
3	飛鳥・奈良時代 律令国家と万葉びと	国家の成り立ちと 万葉びとの生活誌	鐘江宏之 学習院大学准教授
4	平安時代 揺れ動く貴族社会	古代国家の変容と 都市民の誕生	川尻秋生 早稲田大学准教授
5	新視点中世史 躍動する中世	人びとのエネルギーが 殻を破る	五味文彦 放送大学教授 東京大学名誉教授
6	院政から鎌倉時代 京・鎌倉 ふたつの王権	武家はなぜ朝廷を 滅ぼさなかったか	本郷恵子 東京大学准教授
7	南北朝・室町時代 走る悪党、蜂起する土民	南北朝の争乱と 足利将軍	安田次郎 お茶の水女子大学教授
8	戦国時代 戦国の活力	戦乱を生き抜く 大名・足軽の実像	山田邦明 愛知大学教授
9	新視点近世史 「鎖国」という外交	従来の「鎖国」史観を 覆す新たな視点	ロナルド・トビ イリノイ大学教授
10	江戸時代(一七世紀) 徳川の国家デザイン	幕府の国づくりと 町・村の自治	水本邦彦 京都府立大学教授
11	江戸時代(一八世紀) 徳川社会のゆらぎ	幕府の改革と 「いのち」を守る民間の力	倉地克直 岡山大学教授
12	江戸時代(一九世紀) 開国への道	変革のエネルギーと 新たな国家意識	平川 新 東北大学教授
13	幕末から明治時代前期 文明国をめざして	民衆はどのように “文明化”されたか	牧原憲夫 東京経済大学講師
14	明治時代中期から一九二〇年代 「いのち」と帝国日本	日清・日露と 大正デモクラシー	小松 裕 熊本大学教授
15	一九三〇年代から一九五五年 戦争と戦後を生きる	敗北体験と 復興へのみちのり	大門正克 横浜国立大学教授
16	一九五五年から現在 豊かさへの渇望	高度経済成長、バブル、 小泉・安倍・福田政権へ	荒川章二 静岡大学教授

http://sgkn.jp/nrekishi/